D1286828

KNAUR

Über die Autorin:

Jules Wake arbeitete zunächst in der PR für Luxusmarken und bereiste dafür Orte wie Turin, Mailand, Amsterdam und Paris. Das gab ihr die Gelegenheit, gut zu essen, kostenlos Alkohol zu trinken und europäische Städte für ihre kommenden Bücher zu erforschen. Ihr Debütroman »Talk to Me« erschien 2014 bei HarperCollins, gefolgt von dem Bestseller »From Italy with Love«. Mit »Covent Garden im Schnee« erscheint Jules Wake erstmalig auf Deutsch.

Jules Wake

COVENT GARDEN *im Schnee*

Roman

Ins Deutsche übertragen
von Hannah Brosch

Die englische Originalausgabe erschien 2017 unter dem Titel
»Covent Garden in the Snow« bei HarperCollins, London.

Besuchen Sie uns im Internet:
www.knaur.de

Deutsche Erstausgabe Oktober 2019
Knaur Taschenbuch

Ein Imprint der Verlagsgruppe
Droemer Knaur GmbH & Co. KG, München

Redaktion: Silvana Schmidt
Covergestaltung: © HarperCollinsPublishers Ltd 2017;
Cover design by Books Covered
Coverabbildung: Shutterstock.com
Satz: Adobe InDesign im Verlag
Druck und Bindung: GGP Media GmbH, Pößneck
ISBN 978-3-426-52392-6

2 4 5 3 1

Für meine Mum, Di, die echte Maskenbildnerin,
und meine Kinder, Ellie und Matt,
deren Theaterbegeisterung ansteckend war.

Erstes Kapitel

An: Felix@nutsmarketing.co.uk
Von: Matilde@lmoc.co.uk
Betreff: DRINGEND – Mögliche Klopapier-Krise

Ich arbeite heute länger, bitte nimm das Arsenal-Spiel auf und vergiss nicht das Klopapier!!! Kannst du welches mitbringen, wenn du nachher einkaufen gehst? Und denk dran, keine Gummibärchen oder Schokonüsse, wir brauchen was, womit wir auch kochen können! Und hast du zufällig mein Buch gesehen, *Das Rosie-Projekt?* Ich habe das ungute Gefühl, es in der Bahn liegen gelassen zu haben.
Tilly x

Nein! Nein! Stopp! Obwohl ich wusste, dass es wahrscheinlich vollkommen sinnlos war, hämmerte ich wie wild in die Tasten, während ich auf den Bildschirm starrte – dabei klimperten meine Armreife wie Rumbarasseln. Wieder einmal fühlte ich mich wie *Der Zauberlehrling*. Mit erschreckender Geschwindigkeit wuchs vor meinen Augen die Anzahl der Mails, die den Postausgang verließen.

Fünf!

Dann zehn!

Zwölf, achtzehn, einundzwanzig, dreiunddreißig.

»Verdammt!« Das konnte doch nicht wahr sein. Die E-Mail mit dem Betreff *Dringend – Mögliche Klopapier-Krise*, die eigentlich an Felix hätte gehen sollen, schwirrte jetzt in einer immer größer werdenden Zahl wer weiß wohin.

Meine Chefin Jeanie sah von der Perücke auf, an der sie gerade arbeitete.

»Was hast du denn jetzt wieder angestellt?«, fragte sie und verdrehte die stark mit Kajal umrandeten Augen, während sie herüberkam und sich hinter mich stellte. »Sag bloß, du hast wieder eine Mail an Alison statt an Felix versendet? Oder statt unserem Hauptdarsteller ein Bild von Dr. Who angehängt und es der Leiterin der Kostümabteilung an der Scala geschickt?«

Man gebe mir eine Schminkpalette, ein paar Stifte und das richtige Haarteil, und indem ich geschickt schattiere und verblende, kann ich einen sechzigjährigen Opa in einen unwiderstehlichen Lotario verwandeln. Man gebe mir einen Computer, und es ist wahrscheinlicher, dass ich in meiner eigenen Küche mit einem Schneebesen eine Kernspaltung hinbekomme.

Ich schob es auf meine Biosphäre, offenbar herrschte dort eine negative Ausstrahlung. Mein Handy gab regelmäßig den Geist auf, und ich konnte keine Armbanduhr tragen, ohne dass sie nachging. Was Technik anging, war ich eine wandelnde Katastrophe. Mir fehlte dafür einfach jede Geduld. Dennoch dachte ich, selbst *ich* hätte mittlerweile kapiert, wie Mails funktionieren.

Leider gab es kein Zurück, wenn man einmal die Maustaste gedrückt hatte. Wieder war es wie bei der Büchse der Pandora. Und wie Pandora hatte auch ich nicht widerstehen können. Was soll man als Frau schon machen, wenn man jenseits der neunundzwanzig ist und Weihnachten vor der Tür steht, während der Verlobte mehr Zeit damit zu verbringen scheint, Billardkugeln einzulochen, als sich ihren erogenen Zonen zu widmen, und irgendjemand ihr einen Anhang namens »Santa Baby« schickt?

Es klang so süß und harmlos. Als ich den Anhang öffnete, war er sogar noch süßer – ein sehr attraktiver Weihnachtsmann tanzte zur Melodie von »Jingle Bells« über meinen Bildschirm, ehe er die Hose herunterließ und einen runden, knackigen Hintern entblößte, wobei er über die Schulter ein unanständiges Grinsen zeigte. Doch sobald ich den Mauszeiger bewegte, um das Bild wieder zu schließen, begann der Weihnachtsmann herumzuflitzen und mit der Geschwindigkeit einer verrückten Schmeißfliege gegen die Ränder des Bildschirms zu knallen.

Auch wenn es zunächst lustig war, tat sein Standbild nach dem anfänglichen Tänzchen nicht viel mehr, als erratisch wie eine Flipperkugel auf Speed von den Rändern des Bildschirms abzuprallen. Erst als ich das Ding hatte schließen wollen, hatte es angefangen, verrücktzuspielen.

Jetzt, da ich zusah, wie die identischen Betreffzeilen der Mails in Bezug auf die drohende Klopapier-Krise daheim wie bewaffnete und gefährliche Brieftauben aus dem Posteingang flatterten, kam mir der vage Gedanke, dass etwas Schwerwiegenderes passiert sein könnte.

Verdammter Mist, die Zahl im Postausgang stieg noch immer.

Sechsundfünfzig, neunundsechzig …

Kannte ich überhaupt so viele Leute?

Die Festplatte unter dem Tisch surrte lauter und schneller, so durchdringend wie ein startendes Flugzeug. Ich nahm an, dass es nichts bringen würde, gegen den Rechner zu treten. Er hätte jetzt jeden Moment abheben können.

Jeanie zeigte mit einem ihrer ordentlichen, kurz geschnittenen Fingernägel auf den Bildschirm. »Es sind noch sechs Wochen bis Weihnachten. Was ist *das?*«

»Anscheinend Santa Baby, nur dass er nicht mehr wegzubekommen ist.«

Sie schüttelte den Kopf. »Du hast doch nicht etwa einen Anhänger geöffnet?«

Jetzt war nicht der richtige Zeitpunkt, um ihre gelegentlichen Fehler im täglichen Sprachgebrauch zu korrigieren.

»Wer? Ich?« Ich schenkte ihr ein breites Lächeln und zuckte mit den Schultern. »Kann sein. Ups.«

»Tilly! Spinnst du?«

Wir standen beide da und starrten den Computer an, wobei ich nur beiläufig wahrnahm, dass die Tür zur Werkstatt knarrte.

»Uns bleibt nur eines übrig.« Ich kniete mich hin, den Hintern hochgestreckt, und ergriff die offensichtlichste Maßnahme.

Ich zog den Stecker heraus.

Ich hörte Jeanie aufkeuchen.

»Was?« Ich kroch rückwärts wieder hervor, wobei ich spürte, wie sich mein Rock hochschob. »Kann doch nicht schaden, oder?«

Es herrschte plötzlich eine unheilvolle Stille, und irgendwie wusste ich instinktiv, dass noch jemand anwesend sein musste. Dass noch jemand gerade mein fliederfarbenes Lieblingshöschen aus Seide und Spitze – aber überwiegend Spitze, wenn ihr wisst, von welcher Art Höschen ich hier spreche – aus der Vogelperspektive zu Gesicht bekommen hatte.

Noch immer auf allen vieren, schaffte ich es, mich vorsichtig umzudrehen, nur um festzustellen, dass Mr Umwerfend auf mich hinunterstarrte, auch wenn sein Gesichtsausdruck eindeutig Mr Ernsthaft-Verstimmt entsprach.

»Hi«, quietschte ich wie ein zu groß geratenes Meerschweinchen. Mein Herz geriet ins Stottern, als ich ihn anstarrte. Da war jemand mehr als großzügig gewesen, als er die Gene für gutes Aussehen verteilt hatte.

»Was zum Teufel glauben Sie, was Sie da tun?«

Wie verdammt unfair. Selbst seine Stimme war einfach umwerfend – sie wies einen leichten Akzent auf und ließ mich an geschmolzene Schokolade denken. In der Schlange für Sex-Appeal hatte der Kerl anscheinend an erster Stelle gestanden. Offensichtlich hatte er sich direkt den Anteil eines ganzen Jahrgangs gesichert.

Ein kühler Blick musterte mich eindringlich.

Oh Gott, erwartete er ernsthaft eine Antwort? Es würde keinen Augenblick mehr dauern, und ich würde zu sabbern beginnen.

Was zum Teufel stimmte nicht mit mir? Um Himmels willen, ich war doch glücklich verlobt.

Tatsache war, dass diese grünen Augen, die hohen Wangenknochen und das kurze dunkle Haar mich augenblicklich anturnten und meinen Herzschlag so stark beschleunigten, dass ich zweifellos auf die Intensivstation gehört hätte. Ich verspürte auf der Stelle Lust. Mehr nicht. Meine Libido, die sich zu Wort meldete und von ihm Notiz nahm. Schließlich war es nicht gerade so, als würde meinem Intimbereich im Augenblick daheim schrecklich viel Aufmerksamkeit zuteilwerden. Ja, das musste es sein: nur Lust.

Mir wurde klar, dass er immer noch auf eine Antwort wartete.

»Ich dachte nur, er bräuchte vielleicht einen Neustart«, brachte ich vage hervor und wiederholte dabei eine Formulierung, die ich einige Male bei Felix aufgeschnappt hatte.

Seine Augen verengten sich zu Schlitzen, und seine Mundpartie wirkte plötzlich verkniffen und angespannt. Ich schluckte. Selbst wenn er so Furcht einflößend wie jetzt aussah, war er immer noch verdammt attraktiv.

»Einen Neustart«, zischte er so giftig, dass er sämtliche Maskenbildner damit hätte niederstrecken können.

Ich nickte mit einem hoffnungsvollen Lächeln.

Er schloss die Augen, während ein geradezu schmerzerfüllter Ausdruck über sein Gesicht huschte. Ich sah, wie sich sein Kiefer anspannte, als würde er gerade sehr fest die Zähne zusammenbeißen.

Als er die Augen wieder öffnete, beugte ich mich zu ihm und tätschelte ihm den Arm. So viel Stress war ungesund. »Hey, es ist nur ein Computer. Das wird schon wieder. Wir benutzen ihn ohnehin kaum.«

Aus dem Augenwinkel nahm ich ein angedeutetes Kopfschütteln von Jeanie wahr.

»Ich würde jederzeit mit Stift und Papier vorliebnehmen.« Aufmunternd lächelte ich ihm zu.

Jeanie blickte entsetzt.

Grünauge rang nach Luft, doch er konnte nicht verbergen, dass sein Mundwinkel leicht zuckte, als wäre ihm ebenfalls nach Lächeln zumute.

»Haben Sie eine Ahnung, wer ich bin?«

Das hatte ich nicht, doch aus irgendeinem Grund schien er es vorauszusetzen. In diesem Anzug, der den hinreißend attraktiven Gesamteindruck ergänzte (dabei stand ich eigentlich nicht auf Businesstypen), sah er nicht so aus, als würde er hier arbeiten. Das feine Wolljackett betonte seine breiten Schultern, und die Hose mit der scharfen Bügelfalte deutete auf lange, schlanke Beine hin. Ein Sponsor, der zu Besuch kam? Ein Kandidat für ein Vorstellungsgespräch? Ein externer Dienstleister?

Dann entdeckte ich das Namensschild, das unter seiner Anzugjacke steckte und ihn als Kollegen auswies. Er war wohl neu … ach, du liebes bisschen. Der Neue. Letzte Woche war ein Hinweis an alle Abteilungen gegangen bezüglich der neu geschaffenen Stelle, die dafür sorgen sollte, dass unser Computersystem auf Vordermann gebracht wurde. Ich hatte es als irrelevant abgetan, das heißt direkt in den Papierkorb verschoben. Mir rutschte das Herz in die Hose, und ich trat vor den Computer, als könne ich so meine jüngsten Vergehen verbergen.

»Mr Memo, ich meine, ähm … Mr äh … äh.« *Konnte das hier noch schlimmer werden?*

»Walker. Leiter der IT.« So wie er es betonte, hätte er ebenso gut »Verteidiger des Abendlandes« oder etwas ähnlich Gewichtiges sagen können.

»Richtig.«

»Also, Miss, Mrs …?«

Jeanie schaltete sich ein. »Das ist Matilde Hunter. Sie gehört zu unseren Leuten.« Sie sprach meinen Namen französisch aus, was vielleicht Absicht war, als wolle sie andeuten, dass man mir selbstverständlich keinen Computer anvertrauen konnte, da Englisch nicht meine Muttersprache war.

»Genau so was habe ich beim Abteilungsleiter-Meeting gemeint.« Er warf Jeanie einen bösen Blick zu.

Sie nickte. »Und wie ich dort auch schon erklärt habe, brauchen wir hier oben nur selten Computer. Wir haben es hier mehr mit Handarbeit zu tun, wenn Sie verstehen, was ich meine.«

»Quatsch. Wir leben im 21. Jahrhundert. Wie organisieren Sie Ihr Inventar?« Er sah sich kurz in dem unaufgeräumten Raum um, wobei sein Blick hinüber zu dem Regal huschte, auf dem reihenweise Perückenköpfe angeordnet waren – manche mit fertigen Perücken, andere warteten auf eine neue, während weitere bereits halb geknüpft waren. Wie ein ziemlich seltsamer Regenbogen ergoss sich Haar in jedem erdenklichen Farbton vom Regal. Vom Weiß des Yakhaars, das für Rokokoperücken im Stil des 18. Jahrhunderts verwendet wurde, und dem Goldblond von Brunhildes Flechten bis hin zu einem kunstvollen, geflochtenen Haarteil in Tizianrot und einer rabenschwarzen Lockenkrone.

»Sie müssen doch bestimmt den Überblick darüber behalten, wie viele Perücken Sie haben, und ebenso über die verwendeten Materialien.«

Jeanie und ich schielten beide zu dem antiquierten Aktenschrank, der das zerfledderte Karteikartensystem verbarg, das wir nutzten.

»Dieser Ort muss nicht nur gründlich überholt werden, Sie müssen auch …«

Einen Sekundenbruchteil leuchtete etwas in seinen Augen auf.

»… lernen, wie man richtig mit einem Rechner umgeht. Man zieht zum Beispiel nicht den Stecker raus … unter keinen Umständen. Man fährt ihn runter. Sie …« Da war es wieder, dieses leichte, spöttische Zucken seiner Mundwinkel. »… machen keinen Neustart.« Seine Miene wurde weicher, aber nur ein wenig. Er wirkte immer noch ziemlich Furcht einflößend. »Überlassen Sie das bitte den Experten.«

»Okidoki«, sagte ich mit einem fröhlichen Lächeln. Gott sei Dank war er nicht zwei Minuten eher aufgetaucht, als all diese Mails hinausgeflattert waren. Zumindest damit war ich ungestraft davongekommen.

An: Alle Abteilungen

Bitte begrüßen Sie mit mir unseren ersten Leiter der IT, Mr M. Walker, der von einem bedeutenden Finanzinstitut in der City zu uns wechselt.
Die London Metropolitan Opera Company hat seinen Posten neu geschaffen. Daher hoffe ich, dass Sie dafür sorgen werden, dass er sich willkommen fühlt, und ihm Ihre Kooperation anbieten, während er sich mit unserer wundervollen Arbeit hier vertraut macht.

Julian Spencer
Geschäftsführer
London Metropolitan Opera Company

Zweites Kapitel

Im Vergleich zu dem unordentlichen, vollgestopften Perückenraum wirkte die Maske mit ihrer ruhigen, klinischen Atmosphäre wie ein Operationssaal.

Glühbirnen, deren hartes, weißes Licht den Raum erfüllte, beleuchteten eine Reihe von Spiegeln. Darunter verlief ein blitzsauberer weißer Tresen, der die gesamte Breite der Wand einnahm, vor dem sich mehrere cremefarbene lederbezogene Drehstühle befanden, die so beeindruckend aussahen wie Throne, die für königliche Gäste gedacht waren.

»Hey Pietro.« Die eindrucksvolle Gestalt, die mit ihren stattlichen Schultern und breiter Brust den luxuriösen Stuhl ausfüllte, erwartete mich bereits.

»Tilly, Liebes.« Unter den buschigen dunklen Augenbrauen, die in scharfem Kontrast zu seinem silbrigen Haar standen, glitzerten seine Augen vor Heiterkeit. Rechts und links von ihm plauderten die anderen Opernsänger, während sie auf ihren jeweiligen Maskenbildner warteten.

»Wie geht's dir?« Ich fischte einen schwarzen Umhang hervor und legte ihn über den prächtigen Stoff seines reich verzierten Kostüms. »Hat es deiner Enkelin im Zoo gefallen?«

»Sie fand es *wundervoll*, Liebes.«

Es klang wie »wuundervooll«. Obwohl er schon so lange in England lebte, hatte er seinen italienischen Akzent nicht verloren, und bei den übertrieben betonten Vokalen musste ich immer lächeln.

»Vor allem die Schlangen.« Er schauderte dramatisch und zwinkerte mir im Spiegel zu. »Ein übles Kind. Nächstes Mal gehen wir zu Selfridges. Den Weihnachtsmann besuchen, das wird wesentlich zivilisierter sein.«

Ich wusste, dass er nur Spaß machte. Er liebte die zwölfjährige Lottie abgöttisch und hatte sogar einmal in ihrer Schule in Notting Hill einen Vortrag gehalten. Meiner Erfahrung nach taten das nicht viele internationale Superstars.

Während ich meine Ausrüstung ausbreitete, überprüfte ich, ob ich alles dabeihatte. Ich vergewisserte mich gleich zweimal. Es machte mich hibbelig, wenn ich mittendrin unterbrechen musste, um nach einem braunen Stift oder dem richtigen Pinsel zu suchen.

Jep, alles war da, wo ich es haben wollte. Ich betrachtete Pietro im Spiegel. Vor ihm, auf einem Ständer, hing die lange, fließende Perücke, die die Verwandlung von Lieblingsopa in Don Giovanni abschließen würde.

»Wie war dein Morgen?«

»Ich habe mir einen Virus eingefangen, das Mistding«, sagte ich kopfschüttelnd. »Ich glaube, ich habe ihn überall verteilt.«

»*Was?*« Beunruhigung zeichnete sich auf Pietros Gesicht ab, und seine Hand wanderte vor Sorge um sich zu seiner Kehle. Seine kostbaren Stimmbänder konnten unbrauchbar werden, wenn er sich eine schlimme Erkältung einfing.

»Nein. Nein.« Ich lachte. »Keinen echten. Nur einen dummen Computervirus.« Schnell tätschelte ich ihm den Arm. Einen Hauptdarsteller anzustecken, vor allem den berühmtesten Bariton der Welt, war die dritte Todsünde unter den Maskenbildnern. »Ich bin keimfrei.« Ich gestikulierte mit den Händen, um meine Aussage zu unterstreichen.

Während ich weiter sein Gesicht schminkte und schattierte, plauderten wir wie üblich über alles Mögliche. Er lästerte über seinen Erzrivalen, einen aufstrebenden amerikanischen Sänger, und erzählte mir pikanten, verleumderischen Tratsch über einen seiner Partner in einer früheren Inszenierung und von den Schwierigkeiten, die ihm eine Arie für seine nächste Rolle bereitete.

Eine halbe Stunde später legte ich meine Stifte und meine Schminkpalette beiseite.

»Danke, du Wunderbare.« Pietro stand auf und bewunderte sich mit einem verruchten Grinsen im hell erleuchteten Spiegel. »Gott, ich sehe hinreißend aus.« Er tätschelte die übergroße Schamkapsel, die in seiner Wildlederhose steckte. »Voll und ganz bereit, mein tägliches Kontingent an Jungfrauen zu verführen.«

»Oooh, Pietro, du Schlimmer«, sang Vince, während er den Rehaugen einer der besagten glücklosen Jungfrauen den letzten Schliff verlieh. Gekicher brach aus, als Pietro im Raum herumstolzierte und dabei das Becken vorstieß. Sogar Jeanie, die für gewöhnlich darauf bestand, dass das Team vor einem Auftritt die Ruhe bewahrte, rang sich ein Lächeln ab.

»Her mit dir.« Mit gekrümmtem Finger zitierte ich ihn zurück auf seinen Stuhl. »Hier wird niemand verführt, bis ich deine Perücke noch mal überprüft habe.« Während ich über seinen Haaransatz strich, zog ich probeweise am Haarteil, einmal von jeder Seite. Alles saß bombenfest. Perfekt. Die zweite Todsünde bestand nämlich darin, dass sich mitten in einer Aufführung etwas löste. Jeanies Mantra war uns allen eingebläut worden: Die Darsteller dürfen bluten, solange nur die Perücke nicht verrutscht.

»Wie fühlt sie sich an?« Ich trat zurück und musterte den Sitz. Sie sah großartig an ihm aus. Die Perücken waren alle handgearbeitet. Die meisten wurden an Stückarbeiter herausgegeben, denen wir vertrauten, doch die der Hauptdarsteller wurden im Haus hergestellt. Ich wollte gar nicht darüber nachdenken, wie viele fingerzerrende Arbeitsstunden diese hier gekostet hatte.

Pietro warf sich wie ein Löwe die lange Mähne über die Schulter.

»Ich finde, sie steht mir. Vielleicht sollte ich sie anbehalten, wenn ich heimgehe.« Er zwinkerte lüstern. »Meine Frau würde sie sicher toll finden.«

»Erstauftritte bitte links von der Bühne.« Schlagartig erwachte die Lautsprecheranlage und versetzte den gedämpften Gesprächen im Raum einen Stromstoß. Stille kehrte ein, während jeder sich sammelte, bereit für den ersten Schritt auf die Bühne. Nun, da der Countdown zum »Vorhang auf« begonnen hatte, richtete, glättete und strich die Maske mit der Genauigkeit einer gut ausgebildeten Armee und überprüfte jeden ihrer Schützlinge ein letztes Mal, um sie für das riesige Publikum draußen bereit zu machen, während die Kostümleute wie Brautjungfern auf einer Hochzeit musterten, hineinsteckten und herumzupften.

Mehrere Stockwerke unter uns nahmen zweitausend Menschen gerade ihre teuren, mit rotem Samt bezogenen Plätze ein und erwarteten gespannt die Aufführung des heutigen Abends. Ich sah sie ganz deutlich vor mir, hörte fast das Gewirr aufgeregter Stimmen, stellte mir die La-Ola-Wellen vor, die sich auf und nieder bewegten, während die Zuschauer sich an den Knien anderer vorbeidrückten und Leute durch ihre Operngläser auf das Orchester im Graben hinabspähten, dessen Musiker bereits ihre Plätze eingenommen hatten und sich einstimmten.

Als wir gerade die Maske verlassen wollten und uns in den vollen Gang drängten, um uns hinter die Bühne zu begeben, griff Pietro sich plötzlich an die Brust. Einen entsetzlichen Moment lang dachte ich, er hätte einen Herzinfarkt, bis er mir einen schuldbewussten Blick zuwarf und sein Handy aus der Tasche fischte.

»Pietro!«, keuchte ich. Hinter der Bühne waren Handys streng verboten, da sie die Bühnentechnik beeinträchtigen konnten. Ich hatte ihn hier noch nie mit einem Handy gesehen.

Seine Miene verdüsterte sich, und gereizte Falten zogen sich um seine Mundwinkel, als er den Anrufer identifizierte.

»Da muss ich drangehen«, blaffte er und schwenkte zurück in die verlassene Maske, wobei er die Tür hinter sich zuschlug.

»Scheiße! Was mach ich jetzt?« Ich hüpfte von einem Fuß auf

den anderen und schielte von der geschlossenen Tür zu Jeanie. Das war unbekanntes Terrain. Man diskutierte nicht mit einem Star wie Pietro, aber ich musste sicherstellen, dass er sich auf der Seitenbühne befand, damit der Vorhang sich öffnen konnte. Ohne Ausrede oder Aufschub.

»Verdammt«, sagte Jeanie und sah auf die Uhr. »Geh ihn holen«, flüsterte sie. Sie schob mich zur Tür, wobei sie beunruhigt die restlichen Darsteller musterte, die im Gang verharrten. »Sei streng. Wir gehen schon mal runter, aber sorg dafür, dass ihr uns direkt nachfolgt.«

Ich hörte deutlich eine blecherne Stimme, die aufgeregt mit Pietro sprach, doch ich verstand die Worte nicht. Nicht dass das nötig gewesen wäre. Pietros Miene sprach Bände.

»Porca miseria!« Der heftige Ausruf geisterte durch den Raum, als er anfing, auf und ab zu gehen, wobei er in regelmäßigen Abständen italienische Kraftausdrücke von sich gab.

Mit einem panischen Blick auf die Uhr trat ich ihm bewusst in den Weg.

»Ähm, Pi…« Er warf mir einen wütenden Blick zu und erinnerte mich dabei an einen zornigen Löwen – der mir liebend gerne an Ort und Stelle den Kopf abgerissen hätte.

»Sie sollten lieber kein Wort davon drucken! Kein einziges Wort, hörst du?«, bellte er. Der liebenswürdige Großvater schien wie weggewischt. Sein Zorn durchdrang den Raum in Stoßwellen. So dicht, wie ich bei ihm stand, war mir, als würde ich einen Sandsack halten, während Muhammad Ali seinen rechten Haken trainierte.

Ich fühlte, wie sich Schweißperlen auf meiner Stirn bildeten. Das hier war furchtbar. Und ich musste ihn unbedingt auf die Seitenbühne bekommen.

Die blecherne Stimme fing erneut an zu brabbeln, wie ein fanatischer Dalek.

»Mir egal!« Pietro wendete erneut am Ende des Raumes und blieb stehen – ein Stier, der rotsah. »Verhindere es. Einstweilige Verfügung«, zischte er drohend.

Sein Blick blieb an mir hängen, seine stahlgrauen Augen glitzerten, und einen Moment lang setzte mein Herz aus. Verdammt, es war wie bei *Der Pate.*

»Verhindere es! Du bist mein Agent, Max. Ich will nicht, dass diese Geschichte rauskommt.«

Er hörte zu und wurde dann puterrot. »Du würdest auch nicht wollen, dass deine Enkel solche Bilder von dir in der Zeitung sehen. Verhindere es. Das ist dein Job! Also kümmere dich darum!« Indem er heftig die Faust ballte, klappte Pietro das Handy zu.

»Merda«, spuckte er aus und schleuderte das Handy mit solcher Gewalt auf den Tisch, dass es bis zur gegenüberliegenden Wand flog und dort zu Boden fiel.

Die plötzliche Bewegung rüttelte mich wach. »Pietro, es tut mir leid, aber wir müssen runter. Jetzt.« Ich war ziemlich beeindruckt, dass ich es schaffte, so eine ruhige Stimme beizubehalten. Innerlich fühlte ich mich, als versuche eine Fledermaus, aus meinem Brustkorb auszubrechen. Ich musste ihn hinter die Bühne schaffen.

»*Jetzt.* Du erwartest, dass ich *jetzt* auf die Bühne gehe?« Er griff sich an die Kehle und stand mit zurückgeworfenem Kopf da.

»Ja«, sagte ich und fühlte mich, als wäre ich von einer Klippe gesprungen. Verzweifelt versuchte ich mich an einem strengen Tonfall. Oh verdammt, er konnte nicht nicht gehen. Jeanie würde mich umbringen. Sie verließ sich darauf, dass ich ihn dorthin brachte.

»Meine Stimmbänder sind viel zu gespannt. Ich bin zu aufgewühlt.« Er trat auf einen der Stühle zu, jeder Zoll die Primadonna.

Zögernd berührte ich ihn am Arm. »Nicht so aufgewühlt wie die Zuschauer, Pietro. Manche von ihnen warten vielleicht schon seit Jahren darauf, dich zu sehen. Du kannst sie nicht enttäuschen.«

Er straffte sich. Während er die Augen zusammenkniff, nickte er.

»Tu es für sie. Lass«, ich nickte in Richtung des auf dem Boden liegenden Handys, »sie nicht gewinnen.« Ich hielt die Tür auf und trat beiseite, um ihn durchzulassen, ehe ich ihm folgte. Er stolzierte den Gang entlang, sodass ich fast rennen musste, um mit ihm Schritt zu halten. Als er plötzlich stehen blieb, prallte ich gegen ihn. Er wirbelte herum, packte mich an den Unterarmen und blickte mich eindringlich an.

Was war jetzt? Ich riskierte einen gequälten Blick auf die Uhr an meinem von ihm umklammerten Arm. Noch vier Minuten, bis sich der Vorhang heben sollte.

»Du liebst deine Arbeit«, stieß er hervor. »Sie ist das Einzige, was du je tun wolltest, oder?«

Ich nickte und dachte: *Alles könnte vorbei sein, wenn ich jetzt nicht die Verantwortung übernehme.* Er wusste, wie sehr ich meine Arbeit liebte.

Plötzlich wurde Pietros Griff sanfter, Reue und noch etwas anderes erfüllten seinen Blick.

»So wie bei dir ist das hier alles, was ich je tun wollte. Mein Vater, ein armer Mann, arbeitete auf dem Feld. Er war Bauer. Seine Stimme – bellissima! Er wäre noch besser gewesen als ich, aber er hat sich nie Unterricht leisten können. Ich brauchte Unterricht. Das Geld, um den besten Unterricht zu bezahlen.«

Ich nickte und versuchte, Geduld zu haben, meine Unruhe zu verbergen – er hatte mir das schon oft erzählt.

Sein sonst perfektes Englisch verließ ihn. »Jetzt … damals … als ich jung war, habe ich …« Er hielt inne und flüsterte dann den Rest.

Ich konnte ein überraschtes Aufkeuchen nicht unterdrücken. Verdammt noch mal!

Der Vorhang hob sich zwei Minuten zu spät. Dem Publikum war es wahrscheinlich nicht aufgefallen, aber das Produktionsteam wusste Bescheid. Hinter der Bühne herrschte eine merklich angespannte Stimmung. Jeanie nickte mir zu und formte mit den Lippen: »Alles okay mit dir?«

Ich streckte gekreuzte Finger aus und schüttelte den Kopf. Vince bahnte sich den Weg zu mir und umarmte mich kurz.

»Mein Gott, das war furchtbar«, raunte ich ihm ins Ohr. »Ich dachte wirklich, er würde streiken. Er ist richtig neben der Spur.«

Vince zog eine mitleidsvolle Miene.

Da ich ihn dazu hatte bewegen können, im Aufzug noch mal Tonleitern zu üben, entspannte sich Pietros Stimme schnell wieder und stieg innerhalb des zweiten Taktes im Theater in die Höhe. Hoffentlich würde das Publikum ihm seine zittrigen ersten Töne verzeihen.

»Was zum Teufel war das eben?«, zischte eine zornige Stimme, und jemand bewegte sich direkt auf mich zu. Alison Kreufeld, Intendantin und Oberboss, schäumte vor Wut.

»Ich … ich …«

»Das ist verdammt noch mal unverzeihlich. Komm morgen in mein Büro.« Damit wandte sie mir den Rücken zu und verließ die Seitenbühne. Als ich mich umsah, war die gesamte Mannschaft angestrengt darin vertieft, auf den Boden zu schauen.

Ich saß am Esstisch und hatte die Stirn auf die Holzplatte gelegt, in der Hand einen großen Gin Tonic. Was für ein Tag. Ich war den Tränen nahe. Warum nur erwischte unsere Furcht einflößende, enorm überlegene Intendantin Alison Kreufeld mich jedes Mal, wenn ich etwas Dummes tat oder einen Fehler beging? So wie das eine Mal, als ich in einem Anfall von Enthusiasmus dachte, ich würde sie beeindrucken, indem ich für die Ballettkompanie in *Schwanensee* einige Frisuren entwarf. Nur dass ich ihre Anweisungen nicht richtig gelesen hatte. Es war die komplett mit Männern besetzte Inszenierung von Matthew Bourne. Wochenlang erzählte sie allen von meiner Dummheit.

Nach einem solchen Tag hätte ich es besser wissen und nicht ans Telefon gehen sollen. Wir hatten immer noch Festnetz, das nur drei Leute benutzten. Felix' Mutter, meine Mutter und meine Schwester.

»Hallo Tilly. Hier ist Christelle.« Ich zuckte schuldbewusst zusammen, als ich die sorgfältig artikulierten Worte in ihrer wie üblich präzisen und peniblen Aussprache hörte.

»Hi Christelle.« Ich tat mein Möglichstes, um meinem Ton etwas Begeisterung zu verleihen. »Wie geht es dir? Ist deine Erkältung weg?«

»Ja, danke. Das war schon vor mehreren Wochen, weißt du.«

War es wirklich schon so lange her?

»Nun, so was kann hartnäckig sein«, sagte ich, entschlossen, das Gespräch in Gang zu halten. »Wie läuft es auf der Arbeit? Hast du viel zu tun?«

»Extrem viel. Ich bekomme immer mehr Fälle übertragen. Immer mehr davon sind Sachen von großem öffentlichen Interesse, ein gutes Zeichen.«

Überflüssigerweise richtete ich die Fotos auf dem Kaminsims. Alle zeigten Felix und mich in verschiedenen albernen Posen, in Begleitung diverser Freunde. Mir fiel auf, dass wir auf jedem Foto jemand anderen dabeihatten. Ein Tag am Strand – Felix mit fünf Kumpels bis zum Hals im Sand eingegraben. Ich und Felix sowie einige Freunde im Alton Towers Resort. Felix und ich mit dreien seiner Freunde und deren Freundinnen an dem Tag, als er mir den Antrag gemacht hatte.

»Es war eine hervorragende Woche in der Kanzlei. Wir haben einen wichtigen Fall gewonnen. Haben einen neuen Assistenten. Nicht der Hellste, aber ich denke, er macht sich noch. Du weißt ja, wie das mit solchen Leuten ist.« Wie immer sprach sie in kurzen, knappen Sätzen.

»Klar«, log ich und fühlte mich schuldig. Ich hatte ebenso wenig Ahnung, was in der Welt meiner Schwester vor sich ging, wie umgekehrt. Sie war Staranwältin, eine Überfliegerin, die immer nur Einsen geschrieben hatte. Sie hatte ihr Studium mit einem ausgezeichneten Abschluss beendet, und offenbar arbeitete sie in der richtigen Kanzlei.

Der Sekundenzeiger meiner Armbanduhr tickte übers Zifferblatt. Dreißig Sekunden, und uns war schon fast der Gesprächsstoff ausgegangen. Ich fühlte einen Anflug von Bedauern. Wir hatten so wenig gemeinsam.

»Maman hat noch nichts von dir gehört. Vielleicht wäre es eine gute Idee, sie anzurufen. Sie hat ein Bridge-Turnier gewonnen. Und Dad hat es wieder am Rücken.«

Mein Bedauern wich Ärger. Es war nicht nötig, dass sie mich daran erinnerte. Mum konnte mich ebenso gut selbst anrufen. Bewusst flapsig sagte ich: »Armer Dad, jetzt muss er schon wieder zur Chiropraktikerin. Das muss Liebe sein, ich schwöre, er verbringt mehr Zeit mit ihr als mit Mum. Nicht dass ich …«

»Tilly!«, wies Christelle mich scharf zurecht.

»War nur ein Witz«, sagte ich. Meine arme Schwester war ganz die Mutter. Kalt wie eine Hundeschnauze.

»Du solltest sie lieber anrufen.« Christelles Worte klangen vor lauter Missbilligung ganz abgehackt. »Also, wie sieht es bei dir vielleicht mit Mittagessen aus? Kannst du am Mittwoch? Um halb zwei?«

Wie sie wohl reagieren würde, wenn ich sagte: »Nein, ich kann nicht«? Vielleicht wäre sie insgeheim erleichtert. Unsere Mittagessen waren nicht gerade amüsante, weinselige Tratschorgien. »Ich glaube schon …« Sie war so gut organisiert, dass sie ihren Kalender wahrscheinlich auswendig kannte und sich sogar Termine in ihr Smartphone eintrug, während ich mir nicht mal sicher war, wo mein antiquierter Backstein gerade rumlag.

»Ich schaue nach. Wenn es nicht klappt, gebe ich dir Bescheid.«

»Im Café Paul, wie immer. Halb zwei. Bis dann. Und bitte versuch, pünktlich zu sein, Tilly.«

Vertrautes Gepolter ließ mich aufblicken, als Felix wie Tigger die Treppe zu unserer Wohnung im ersten Stock hochpreschte. Dann fiel die Wohnungstür zu, während er rief: »Frau, ich bin zu Hause!«

»Ich könnte ein Bier vertragen«, sagte er, als er in die Küche platzte. Mit einer fließenden Bewegung holte er eine Flasche aus dem Kühlschrank, schnickte den Kronkorken ab und trank einen großen Schluck. Er beäugte mein Glas. »Noch Gin, Frau Pfarrerin?«, fragte er.

»Nein, das war schon ein großer«, murmelte ich und prostete ihm mit meinem halb vollen Glas zu.

Er gab mir einen flüchtigen Kuss auf den Scheitel und schälte sich dann aus seiner Lieblingsjacke, einem Airforce-Parka. Er warf ihn über einen Stuhl, ohne zu beachten, dass er zu Boden glitt. Er setzte sich auf den Tresen und baumelte mit den Beinen, die gegen die Küchenschränke schlugen. Dabei musterte er mein unglückliches Gesicht.

Ich zog eine Grimasse. Die Schränke fielen schon fast von der Wand.

»Was ist los? Du schaust ziemlich bedröppelt.«

»Es war ein richtiger Scheißtag. Schlimmer hätte es echt nicht laufen können.«

»Erzähl Onkel Felix alles.«

Ich schüttelte den Kopf und verzog das Gesicht. »Argh, Onkel Felix klingt echt gruselig. Und das hier ist schlimm.«

»Brauchen wir Mojitos?«, fragte er schelmisch.

»Diesmal nicht.« Ich seufzte und nippte an meinem Gin. »Es kann sein, dass ich mir nie wieder Mojitos leisten kann.«

»So schlimm.« In gespieltem Entsetzen riss er die Augen auf.

Mit seiner eisernen Weigerung, ernst zu sein, klopfte Felix einen manchmal einfach weich. Halbherzig lächelte ich ihn an, ich konnte nicht anders.

»Der Tag war entsetzlich. Es hat mit einem Virus angefangen. Dann hat mich der neue IT-Typ zusammengeschissen, und dann ist Pietro zu spät auf die Bühne gegangen. Und Alison Kreufeld«, ich verzog den Mund, als hätte ich eine übel schmeckende Medizin zu mir genommen, »ist ausgerastet und will mich morgen sehen.« Ich schlug die Hände vors Gesicht und spannte die Haut über den Wangenknochen. »Ich weiß einfach, dass sie mich loswerden will. Und diese Freie, Arabella Barnes, leckt sich nach meinem Job die Finger.«

»Nun, das kann sie nicht, weil du toll bist und Jeanie und Vince dieser Arabella Abführmittel in den Kaffee kippen würden. Auch wenn ich persönlich es nicht kapiere.« Er schüttelte den Kopf und sprang auf. »Wie hältst du nur dieses grauenhafte Gequake aus?« Er griff sich an die Brust und streckte die andere Hand aus, wobei er einen entsetzlich schrillen Falsettgesang anstimmte, der vage an *Bohemian Rhapsody* erinnerte. »Bring mich um. Ich flehe dich an. Rette mich vor dieser schrecklichen Musik.«

Gegen meinen Willen brach ich in Gelächter aus. »Du bist furchtbar. Du solltest mal vorbeikommen, vielleicht würde es dir sogar gefallen.«

Er schüttelte den Kopf wie ein trotziges Kleinkind.

»Woher weißt du das, wenn du es nicht mal versucht hast?«

Er zog einen Flunsch. »So was sagen Mütter, wenn sie wollen, dass ihre Kinder Gemüse essen, so was wie Brokkoli, Kohl oder Rosenkohl. Wenn ich je Kinder habe, können sie sich von mir aus von Götterspeise und Eis ernähren.«

»Sie werden unter Mangelernährung leiden«, sagte ich kichernd.

»Ja, aber sie werden die glücklichsten Kinder in der ganzen Straße sein.« Er nahm einen großen Schluck Bier, wobei er fast die ganze Flasche auf einmal runterstürzte, und stellte sie dann nachdrücklich auf dem Tisch ab.

»Also, was hast du ausgefressen?«

Ich erzählte ihm von »Santa Baby«, weil das, offen gestanden, mein geringstes Problem zu sein schien.

»Ach, Frau. Du Dummerchen!« Er sprang auf, ohne zu bemerken, dass die Tür des Küchenschranks sich einen weiteren Zentimeter absenkte, und umarmte mich flüchtig, ehe er hinüber zum Kühlschrank wirbelte, um sich ein neues Bier zu holen.

»Ich würde mir deswegen keine Sorgen machen«, meinte er grinsend. »Solche Viren sind andauernd in Umlauf. Es ist keine große Sache. Dafür gibt es Virenschutz. Es wird schon okay sein. Ich glaube, die meiste Zeit machen sich diese IT-Fuzzis nur die Angst vor einem möglichen Virus zunutze, um sich gebraucht zu fühlen.«

»Wir haben jedenfalls einen neuen ITler. Einen Abteilungsleiter. Er ist nicht gerade locker. Hat mich dabei erwischt, wie ich bei einem Rechner den Stecker rausgezogen habe.«

»Abteilungsleiter, ja? Schicker Titel. Bestimmt hat er Wichtigeres zu tun, als sich darüber Gedanken zu machen. Weiter.«

Ich schloss die Augen, während ich mich an die Panikschübe erinnerte, als ich gedacht hatte, ich würde Pietro vielleicht nicht dazu bringen können, die Bühne zu betreten.

»Viel schlimmer. Das absolut Schlimmste. Wegen Pietro fing die Vorstellung zu spät an.«

»Verdammt.« Sogar Felix wusste, wie ernst das war. Er drückte mir den Arm und zeigte mir damit sofort, dass er mich verstand. Felix begriff wirklich, was meine Arbeit mir bedeutete.

»Es war nicht meine Schuld, aber AK dachte sofort, es wäre so. Sie hat mir keine Chance gegeben zu erklären, dass Pietro einen Anruf bekommen hatte und dass die Zeitungen … er wird erpresst.«

»Oooooh, was hat er getan? Hat man ihn im Kartenbüro in einer kompromittierenden Position mit einem Stricher erwischt?«

»Felix! Du bist schrecklich.«

»Was dann? Schlimmeres?« Sein scharfer Blick und seine neugierig aufgerissenen Augen ließen mich kurz zögern, denn ich glaubte schon fast, sein erwartungsvolles Schmatzen hören zu können.

Ich seufzte. »Er hat sich so aufgeregt. Als er jung war, hatte seine Familie kein Geld für Gesangsunterricht. Er hat in einem Porno mitgespielt, um sich das Geld zu verdienen.«

»Ich kann es kaum erwarten, diese Geschichte Kevin zu erzählen.«

»Felix! Du darfst das niemandem verraten.«

»Nur ein Witz. Also, was ist passiert?«

»Pietros schmieriger Ex-Schwager hat gedroht, die Presse zu kontaktieren, wenn Pietro nicht nett zu ihm ist. Mit anderen Worten, er soll ordentlich was springen lassen. Kannst du dir das vorstellen? Wenn die Presse davon Wind bekommt, wird der Film überall im Internet auftauchen. Im Moment ist es unwahrscheinlich, dass jemand ihn ausgräbt, sofern er die Sache unter der Decke halten kann.«

»Verdammt. Was für ein Kerl.«

Ich schüttelte den Kopf und seufzte. Der arme Pietro. »Er hat mir ein bisschen davon erzählt, es klang ziemlich gewagt. Sehr nach *Lady Chatterley*. Offenbar hat er den jungen Gärtner gespielt, der von der Contessa verführt wurde. Pietro sagte, der Film hieße *Il Giardiniere*.«

»Der für sie ihren Liebesgarten geharkt hat«, kicherte Felix.

»Ein Klassiker. Los, Pietro. Manche würden für die Bilder gutes Geld bezahlen.«

»Felix, sag so was nicht.« Ich schüttelte den Kopf. »Das ist nicht lustig. Er tut mir so leid. Du hast nicht gesehen, wie sehr er außer sich war. Er konnte sich kaum auf die Arbeit konzentrieren.«

»Du bist zu weichherzig. Er wird drüber hinwegkommen«, tat Felix die Sache ab. »Es gibt keine schlechte Presse.«

An: Maskenbildnerei
Von: IT-Leitung

Alle Mitarbeiter werden noch einmal daran erinnert, keinesfalls Anhänge aus nicht autorisierten Quellen zu öffnen oder ungenehmigtes Material herunterzuladen.

M. Walker
IT-Leitung
London Metropolitan Opera Company

Drittes Kapitel

Herzförmige Flügelbomben, die London in Schutt und Asche legten, während AK mir einen Luftschutzhelferhelm reichte, geisterten die ganze Nacht durch meine Träume, sodass ich am Morgen leicht benommen war. Ich band meine Korkenzieherlocken hastig zu einem Pferdeschwanz und schlang einen Paisley-Seidenschal darum, den ich aus dem Kostümfundus entwendet hatte, wobei ich mein anämisches Spiegelbild anstarrte und unglücklich meine Tränensäcke betastete. Trotz meines Berufs kannte ich keine Technik, mit der ich diese Schätzchen hätte abdecken können.

Ich warf dem Computer in der Werkstatt kurz einen verstohlenen Blick zu. Heute würde ich mich davon fernhalten. Vince, der gerade eintraf, lächelte, als er bei mir ankam.

»Da ist ja unsere Tilly. Soll ich deine Mails checken, Liebes?«

»Lass es. Ich bin verflucht. Ich rühr das Ding nicht mehr an, solange ich nicht unbedingt muss.«

»Da fällt mir ein, es sind ein paar Sachen für dich angekommen.« Mit einem listigen Lächeln nickte er zu meinem Arbeitsplatz hin.

»Haha!« Ich warf einen bösen Blick auf die Pyramide aus Klopapierrollen, die auf meinem Arbeitstisch aufgetaucht war. »Vielleicht sollten wir einen Comedy-Club eröffnen.«

Der Menge nach zu schließen, hatte wohl ausnahmslos jeder im Gebäude meine gestrige Mail erhalten. Großartig. Alison Kreufeld würde ihre helle Freude daran haben.

Während ich meine Materialien herausholte, um mit der Arbeit zu beginnen, kam Vince zu mir herüber. »Kann ich mir von dir … ooh, an diese Tränensäcke musst du aber noch mal ran, Süße.«

»Tausend Dank«, murmelte ich. »Ich hab schon eine halbe Tube

Abdeckcreme verbraucht. Hatte nicht viel Schlaf.« Ich betrachtete ihn genauer, seine Haut strahlte fast. »Du siehst dagegen putzmunter aus. Express-Schönheitsbalsam?«

»Ich, Liebes? Ich schwöre drauf, vor allem wenn man mit den Lerchen heimkommt.«

»Lerchen? Lange Nacht, früher Morgen?«

»Man kann nicht nur arbeiten. Ein bisschen Trinken und Tanzen, du weißt schon.«

Hinter ihm seufzte Jeanie. »Trinken und Tanzen? Ich weiß nicht, wo du die Energie hernimmst.«

»Meine Droge ist das Leben. Das Leben«, zwitscherte Vince.

»Oh Gott«, stöhnte Jeanie. »Wer ist es diesmal?«

Vince zog einen Schmollmund und schniefte. »Wer sagt denn, dass es mit einem Mann zu tun hat?«

Jeanie und ich grinsten einander an. »Es hat *immer* mit einem Mann zu tun.«

Vince schluckte schwer. »Diesmal nicht.« Selbst wenn er versuchte, tapfer zu klingen, schaffte er es, dramatisch zu sein. »Wir sind nur gute Freunde.«

»Ach, Vince.« Ich tätschelte ihm den Arm. Er schien dazu verdammt, unglücklich verliebt zu sein, und es wäre so schön, wenn er den perfekten Partner finden würde.

Jeanie verdrehte die Augen. »Du meinst, er ist hetero.« Sie schüttelte den Kopf. »Vince. Vince. Vince. Was sollen wir nur mit dir machen?«

»Er ist nicht hetero.« Vince fauchte die Worte mit einem kurzen Zornesausbruch. »Er macht sich nur was vor.«

»Wirklich?« Jetzt tätschelte ich ihm die Hand. »Vielleicht ändert er ja noch seine Einstellung.«

Er zog die Hand weg. »Du hast gut reden.« Unglücklich presste er die Lippen aufeinander. »Satt und verlobt.«

Die scharfen Worte trafen mich wie unerwarteter Hagel, und ich zuckte zurück. Diese schnippische Art kannte ich von Vince gar nicht. Jeanies Kinn spannte sich an.

»Tut mir leid, Tilly. Tut mir leid.« Schuldbewusst sah er mich an. »Ich … ich soll… ich wollte es nicht an dir auslassen.«

Sie betrachtete ihn anerkennend.

Ich hütete mich davor, ihn erneut anzufassen, doch ich nickte. »Keine Sorge, Vince. Ich verstehe das. Wenn du mal drüber reden willst.«

Ich sah von ihm zu Jeanie, doch ihre Miene war nicht zu deuten. Plötzlich fiel mir auf, dass sie sich in letzter Zeit sehr zurückgezogen hatte.

»Danke, Liebes, aber diesmal kann mir niemand helfen.«

Sein Gesichtsausdruck bewirkte, dass ich ihn trösten wollte, doch etwas Warnendes in seinem Blick hielt mich davon ab.

»Gut, dann an die Arbeit.«

»Kommt. In mein Büro. Wir müssen in die Gänge kommen und über *Romeo und Julia* in der nächsten Spielzeit nachdenken.« Sie hielt inne, und plötzlich funkelten ihre Augen vor Begeisterung. »Und wisst ihr was? Es wird ein Regency-Setting geben.«

»Oooh.« Ich rieb mir die Hände. »Recherche.«

Vince stöhnte. *»Recherche.«* Dann fügte er hinzu: »Tilly wird schneller in der Portrait Gallery sein, als Fagin ein paar Geldbörsen stehlen könnte.«

Ich strahlte, es juckte mich schon in den Fingern, mit den Haarteilen anzufangen, die wir benötigen würden.

»Nun, ehe ihr abschwirrt und eurer Wege geht, können wir erst mal hier loslegen.« Jeanie zeigte auf einen Stapel großer Bildbände, die zu ihren Füßen auf dem Boden lagen. Auch wenn ihr Büro kaum größer als eine Besenkammer war, enthielt es eine riesige Büchersammlung.

»Sexistischerweise schauen wir uns erst mal die hier an, um ein paar der Epoche entsprechenden Ideen für die Damen zu bekommen, und du, Vince«, mit dem Fuß schob sie ihm eine weitere Auswahl Bücher zu, »kümmerst dich um die Herren.«

Vince zwinkerte mir zu. »Super, da hab ich was zu gucken.«

Nach etwa einer Stunde, in der wir Seiten mit Klebezetteln markiert, in Notizbücher gekritzelt und gelegentlich »Wie wär's damit?« gefragt hatten, stand Vince auf. »Ihr Lieben, meine Knie bringen mich um. Ich brauche Koffein.«

»Ich bezweifle, dass das deinen Knien hilft, aber ich würde dazu auch nicht Nein sagen.« Ich hielt meine leere Tasse hoch.

Als er über mich hinwegstieg, rutschte ich auf den Hintern und streckte die Beine aus, wobei ich das bisschen Platz einnahm, das er soeben geräumt hatte. Mein Rücken schmerzte, während ich erleichtert aufseufzte.

Jeanies Handy vibrierte, und sie beugte sich über mich, um dranzugehen. Ein resignierter Ausdruck erschien auf ihrem Gesicht. »Ich schicke sie gleich hoch.«

Alison Kreufelds Büro war um einiges größer als das von Jeanie, was bedeutete, dass man hier schon ein kleines Tänzchen hinlegen konnte. Mit einem flüchtigen Nicken bat sie mich herein, als ich mich der offenen Tür näherte. Ich war erst wenige Male hier gewesen und fasziniert von den vielen verschiedenen Entwürfen, die die Wände bedeckten, Bühnenbild, Maske, Kostüme, Beleuchtungspläne. Sie hatte eine gewaltige Aufgabe, wie eine Spinne im Zentrum des Netzes, die alle Fäden spann, um zu bestimmen, wie eine Inszenierung letztlich aussah und wirkte. Zwar mochte ich sie nicht besonders, doch ihr Ruf eilte ihr voraus.

»Morgen, Matilde. Setz dich.«

Sie schüttelte den Kopf und seufzte. »Ziemlicher Mist gestern Abend.«

»Ja. Pietro … hatte eine kleine Krise.«

»Weißt du was? Das ist mir sch***egal! Er ist der Hauptdarsteller. Ihm kann ich nicht den Kopf waschen. Dir schon. Du bist dafür zuständig, dass er ist, wo er sein soll. Dich kann ich feuern. Und das werde ich verdammt noch mal auch tun, wenn du noch einmal so einen Mist baust.«

Was wollte sie von mir hören?

»Es tut mir leid, aber –«

»Wie gesagt. Interessiert mich nicht. Und ja, ich weiß, das ist verdammt unfair, aber so ist es nun mal, und da musst du durch.«

Alison seufzte und wandte sich ab, um zum Fenster hinauszuschauen. »Du bist eine gute Maskenbildnerin. Talentiert. Aber es gibt jede Menge gute, talentierte Maskenbildner. Da draußen warten zehn von deiner Sorte auf diesen Job.« Sie stach tatsächlich mit dem Finger gegen die Scheibe. »Du musst besser als gut sein. Herausforderungen meistern. Zum Beispiel Pietro pünktlich auf die Bühne bekommen, ganz gleich, was passiert. Du nimmst die Dinge zu leicht. Du musst ein bisschen Verantwortung übernehmen.«

Ich öffnete den Mund. Ich hatte Pietro hinunter auf die Seitenbühne gebracht. Ihn im Aufzug beruhigt. Ihn dazu überredet, Tonleitern zu üben. Er war zwei Minuten zu spät gekommen, aber das war nicht meine Schuld.

»Deine Einstellung ist viel zu locker. Einfach ein bisschen zu lässig. Das ist nicht akzeptabel. Du stehst dir selbst im Weg. Der Vorstand hat beschlossen, Jeanie im neuen Jahr eine stellvertretende Abteilungsleitung an die Seite zu stellen. Das ist eine Führungsposition.« Ihr Blick bohrte sich in meinen. »Und sie muss intern und extern ausgeschrieben werden. Ich hätte gern, dass du dich darauf bewirbst, aber ich muss sehen, dass du dich am Riemen reißt. Ich werde dich sehr genau im Auge behalten, und wenn du noch mal Scheiße baust, wird das Konsequenzen haben. Betrachte die Zeit bis Weihnachten als Probezeit.«

Ich öffnete entsetzt den Mund, besann mich dann aber ausnahmsweise eines Besseren und schloss ihn wieder. Der rasche, berechnende Blick, den sie mir zuwarf, ließ mich annehmen, dass sie die kurze Bewegung wahrgenommen hatte.

»Probezeit?« Was um alles in der Welt sollte das heißen?

»Ja. Die nächsten Wochen werde ich deine Arbeit sehr genau überprüfen, und am Ende dieser Zeit werde ich entscheiden, ob ich dich für den Posten empfehle oder nicht. Du neigst dazu, dich Hals über Kopf in Sachen hineinzustürzen, ohne über die weiteren Folgen nachzudenken«, fuhr sie fort. »So verhält sich keine Führungskraft. Führungskräfte denken nach, bevor sie handeln.«

»Ich möchte mich wirklich bewerben. Ich arbeite unheimlich gern hier und –«

»Das weiß ich zu schätzen, aber wir wollen jemanden, der nicht nur seine Arbeit macht, sondern auch das große Ganze versteht. Du arbeitest unheimlich gern hier. Super. Du bist brillant in dem, was du tust. Wunderbar. Aber du bist nur ein Rädchen im Getriebe. Die Maske … ja, sie ist wichtig, aber dasselbe gilt für den Ton, die Kostüme, die Elektrik, die Beleuchtung und die Requisiten. Wenn du eine Führungsposition innehast, kannst du es dir nicht leisten zu glauben, dass deine Abteilung einen größeren, besseren, ganz besonderen, authentischeren, klügeren Beitrag leistet. Ich weiß, mit wie viel Liebe zum Detail ihr arbeitet, wie viel Arbeit es ist, aber«, sie hielt inne und fixierte mich grimmig, »wenn du den Hauptdarsteller nicht auf die verdammte Bühne bekommst, spielt nichts davon eine Rolle, und tatsächlich sind dann auch die ganzen anderen armen Schweine am Arsch, die ihren Job verdammt noch mal genauso gut gemacht haben und nicht die Aufmerksamkeit dafür bekommen. Mit Primadonnen auf der Bühne komme ich klar, aber hinter den Kulissen haben sie nichts zu suchen.«

Sie setzte sich wieder an ihren Schreibtisch und fing an, ihren Terminplaner durchzublättern.

»Du musst *beweisen,* dass du mehr kannst als mit einer Haarbürste umgehen. Und dir keine blöden Patzer mehr erlauben, wie meinem Pendant an der Scala ein verdammtes Bild von Dr. Who zu schicken, wenn sie Fotos von unserer Hauptdarstellerin erwartet. Ja, das habe ich mitbekommen, und es lässt uns alle dumm dastehen. Vor allem, da wir in Konkurrenz zur Royal Opera nur einen Steinwurf von hier entfernt stehen.«

»Das war ...« Einer meiner dämlicheren Momente.

»Unprofessionell.«

»Aber sie ... fanden es lustig«, sagte ich kleinlaut.

»Lustig?« Ihre Stimme klang eisig. »Es schädigt den Ruf der London Metropolitan Opera, den Kern dessen, was wir sind – eine weltberühmte Institution, die die Besten beschäftigt, kein Haufen Amateure, die nicht mit moderner Technik umgehen können. Was sagt so etwas Bescheuertes über uns aus? Dass wir verdammte Dinosaurier sind? Wir sollten an vorderster Front aktiv sein, was künstlerisches Streben angeht, sollten avantgardistisch sein, hochaktuell, innovativ, wegweisend.«

Ich biss mir auf die Lippen, während sie mit ihrer Tirade fortfuhr, und klammerte mich immer noch an diesen kurzen Hoffnungsschimmer: »Ich hätte gern, dass du dich bewirbst.«

»Und dann gibt es noch die kleine Angelegenheit mit dem Virus gestern. Was mich auch schon zu meinem zweiten Punkt bringt, der einen wesentlichen Teil deiner Probezeit ausmachen wird.« Sie nahm einen Stift und markierte sich ein Datum im Terminkalender mit meinen Initialen. Heiligabend.

Mein Herz krampfte sich etwas zusammen.

»Würdest du das bitte erklären?«

Ich zog eine Grimasse. »Ja, es tut mir leid, ich dachte, es wäre«, ich zuckte mit den Achseln, »harmlos.«

»Ach«, stieß sie aus. »Hast du auch nur die geringste Ahnung, wie viel Chaos diese Aktion angerichtet hat?«

»Nein.« Ich hatte sehr gehofft, dass es nicht allzu viele Leute bemerkt hatten. »W-Was ist passiert?«

»Folgendes ist passiert«, knurrte sie fast, »als du diesen Anhang geöffnet hast, hat er sich an jeden deiner Mailkontakte gehängt.«

»Oh.« Ich rutschte auf meinem Stuhl herum. Das klang wirklich übel.

»Und dann hat er sich wiederum an jeden Kontakt deiner Kontakte gehängt, und so weiter und so fort.«

Okay, jetzt war es noch schlimmer geworden. Mein Gesicht erhitzte sich.

»Ich bin in dieser Sache eine Laiin, aber Mr Walker, unsere neue IT-Leitung, hat erklärt, dass es sehr ernste Konsequenzen hätte haben können, wenn sie es nicht geschafft hätten, es zu schließen und loszuwerden.« Sie sah mich durchdringend an. »Ein toller Start auf seiner Stelle. Dank dir hält er uns jetzt alle für unfähige Idioten.«

»Oh.« Mit brennenden Wangen senkte ich den Kopf.

»Die IT hat die ganze Nacht daran gearbeitet, den Virus loszuwerden. Nachdem du ihn netterweise mit jeder Mailadresse im ganzen Gebäude geteilt hattest.«

Ich biss mir auf die Lippen und schob die Hände unter die Oberschenkel. »Das tut mir leid.« Ich fühlte mich ganz klein mit Hut. »So leid.«

»Bei mir brauchst du dich nicht zu entschuldigen. Du wirst dich bei Mr Walker und Fred, dem IT-Assistenten, entschuldigen müssen, die bis in die Puppen damit beschäftigt waren, das Problem zu lösen. Das hat beim neuen Leiter nicht gerade den besten Eindruck erweckt.«

»Oh nein.« Innerlich sackte ich zusammen. Unsere erste Begegnung war alles andere als gut verlaufen.

»Das kannst du laut sagen. Es war einiges an Überzeugungsarbeit nötig, bis er den Job annahm. Julian Spencer ist nicht sonderlich erfreut, da du sämtliche negativen Erwartungen bestätigt hast, die Mr Walker möglicherweise hatte, was die Fähigkeit des Opernhauses angeht, mit den Errungenschaften des 21. Jahrhunderts umzugehen.«

Ich starrte auf ihren Schreibtisch, versuchte, eine angemessene Entschuldigung zu formulieren, doch mir fiel nichts ein. Ich hatte sehr gehofft, Mr Umwerfend nach unserer Auseinandersetzung nicht wiedersehen zu müssen.

»Hörst du mir überhaupt zu?« Sie legte die Hände auf den Schreibtisch und fixierte mich mit einem bösen Blick.

Ich nickte heftig.

»Gut, denn ich habe beschlossen, dass wir unsere neue IT-Leitung davon überzeugen werden, dass alle Abteilungen offen und zugänglich für Fortschritt sind. Alle Mitarbeiter sind bereit, Technik anzunehmen und dafür zu sorgen, dass sie uns dient.«

Wie … indem sie uns den Nachmittagstee servierte? Mir gefiel dir Vorstellung recht gut, dass das kleine CD-Laufwerk auf Befehl mit einer schönen Tasse Tee und einem dazu passenden Teller mit einem Schoko-Eclair herausfuhr. Dann wurde mir klar, dass ich ihre Worte verpasst hatte.

»… eine Vorreiterin in der IT, die die Verbindung zur entsprechenden Abteilung herstellen und in ihrer Abteilung die Nutzung neuer Systeme vorantreiben wird.«

Sie saß auf ihrem eindrucksvollen Lederstuhl wie Sir Alan Sugar in *The Apprentice,* der plötzlich gemerkt hatte, dass seine Kandidaten doch ein paar Gehirnzellen besaßen.

Wie? Mir schien etwas Wichtiges entgangen zu sein.

»Als Teil deiner Probezeit bist du jetzt die IT-Kontaktperson in der Maske und wirst eng mit Mr Walker zusammenarbeiten, um passende Softwarepakete auszuwählen, die in der Abteilung implementiert werden sollen, um eure Prozesse zu optimieren und zu modernisieren.«

»*Ich?*« Das musste ein Scherz sein. »Aber ich bin …«

»Es ist schon alles abgemacht. Er erwartet dich heute.«

»Wer? Mr Walker?« Ich klammerte mich an der Sitzfläche des Stuhls fest.

Sie kniff die Augen zusammen, was ich als Ja deutete.

»Aber … aber … ich habe Arbeit. Richtige Arbeit. Die Entwürfe für Julia. Und Pietro für die Vorstellung heute Abend.«

Sie lächelte; es war kein nettes Lächeln. Sie tippte ziemlich demonstrativ auf ihren Terminplaner.

»Mr Walker wird mich über deinen Fortschritt auf dem Laufenden halten.«

Ich zeigte ihr ein schwaches Lächeln. Ich war ganz außer mir vor Freude.

Als ich aufstand, um zu gehen, beugte sie sich unter ihren Schreibtisch.

»Ach, eine Sache noch. Ich habe ein Geschenk für dich«, sagte sie und reichte mir eine Rolle Klopapier.

»Hat sie dir etwa den Posten als stellvertretende Leitung der Maske angeboten?«

Vince hüpfte auf und ab und bombardierte mich mit Fragen, sobald ich eine halbe Stunde später in die Besenkammer zurückkehrte, die Jeanies Büro darstellte.

»Das soll ja wohl ein verdammter Witz sein«, sagte ich nachdrücklich. »Sie hasst mich. Ich bin eine ›Idiotin‹, eine ›Amateurin‹, ›dumm‹ und mache ›nichts als Ärger‹. Ich denke, ich kann mit ziemlicher Gewissheit sagen, dass ich für diesen Posten nicht gerade in der engeren Auswahl bin.«

Streng schaute Jeanie mich an. »Hat sie das wirklich so gesagt?«

Ich zuckte die Achseln.

»Oder hast du nur an den negativen Stellen zugehört und die Positrone ignoriert?«

»Das Positive«, korrigierte ich sie geistesabwesend und starrte trotzig zu Boden. »Sie will, dass ich mich mit dem Prinzen der Finsternis treffe, um den Nutzen von IT in unserer Abteilung zu besprechen.«

»Was? Mit dem neuen IT-Abteilungsleiter? Oooh, hast du ein Glück. Ich glaube, dass er leider nicht von meinem Ufer ist.«

Jeanie fixierte Vince.

»Gut, das wird das Leben hier etwas ungefährlicher machen, wenn du dieses Ding benutzt.« Sie nickte zum Rechner hin.

»Aber ich will nicht …«

Jeanie schniefte. »Ein Treffen wird dich schon nicht umbringen. Du bist eine großartige Maskenbildnerin, aber das reicht heutzutage einfach nicht mehr aus.«

Mir wurde schwer ums Herz. Genau wie Alison gesagt hatte. Wahrscheinlich hatte sie dieses Gespräch bereits mit Jeanie geführt, schließlich war diese meine Vorgesetzte.

»Du solltest so viele Kompetenzen wie möglich haben.« Sie wandte sich wieder dem Bücherstapel auf ihrem Tisch zu. »Und jetzt wird weitergemacht.«

Ihrer deutlichen Aufforderung nachkommend, machten Vince und ich uns ernsthaft an die Recherche.

Bei der London Met ist es schon ein Abenteuer, mit dem Aufzug zu fahren. Man kann Mitglieder des Orchesters treffen, die in ihren Abendanzügen und mit Geigenkästen in der Hand voll und ganz wie entflohene Auftragsmörder von der Mafia aussehen, einen Typen von der Requisite, der einen Hummer aus Pappmaschee trägt, Kostümiere, die unter meterweise Chiffon begraben sind, Bühnenbildner, deren Klamotten voller Farbspritzer sind, und zierliche Tänzer beiderlei Geschlechts, die immer mehrere Kleidungsschichten zu tragen scheinen sowie Taschen, die doppelt so groß sind wie sie selbst. Heute achtete ich nicht einmal darauf, da gleichzeitig mit der Etagennummer im Aufzug auch mein Mut sank.

So langsam wie möglich wanderte ich den Gang zur IT-Abteilung entlang. Wenn man einmal an den Büros der Tontechniker vorbei war, sah es hier unten im Keller vollkommen anders aus als oben. Hunderte verschiedene Kabel verliefen über jede Oberfläche, gewunden und hängend mit der geschmeidigen Anmut von Schlangen im Urwald, blaue Drähte, schwarze Drähte, gebogene Kabel, gerade Kabel und Unmengen silberner Verbindungsteile an jedem Ende. Nachdem ich an ein paar Lagerräumen vorbeigekommen war, erreichte ich schließlich die Büros der IT. Ich war erst ein paarmal hier unten gewesen, aber heute hätte ich den Bereich fast nicht wiedererkannt.

»Ah, du kommst, um dir den Schaden anzusehen.« Von seinem Platz mitten im Zimmer aus warf Fred, der vornübergebeugt an einem Bildschirm saß, mir einen verärgerten Blick zu, ehe er den Kopf schüttelte. »Du hast echt Nerven. Wegen dir bin ich verdammt noch mal bis drei Uhr nachts hier gewesen.«

»War es echt so schlimm?«, fragte ich und wand mich angesichts seiner empörten Miene. »Es tut mir so leid.« Der arme Fred hatte mich mehr als einmal gerettet, der jüngste Anlass war ein unglücklicher Vorfall mit einer Dose Cola und einer Tastatur gewesen.

»Das wird es, wenn Ihro Gnaden dich in die Finger bekommt.« Fred schnüffelte, verdrehte die Augen und spähte dann weiter auf seinen Bildschirm. Ich sah mich kurz im Raum um.

»Scheiße, was ist denn hier passiert?«

»Marcus.« Fred deutete mit dem Kopf zum Büro an der Außenwand.

Ah, das M stand also für Marcus. Der Name passte zu ihm, auch weil er ein bisschen arrogant klang.

Der ganze Raum schien einer Entrümpelung unterzogen worden zu sein. Zum ersten Mal konnte man den Boden sehen, und die gegenüberliegende Wand säumte eine Reihe glänzender, leuchtend weißer Schränke, die aussahen wie die Spinde von Stormtroopern. Eine offen stehende Tür zeigte Fächer, in denen ordentlich sortiert zusätzliche Mäuse, Tastaturen, grüne Leiterplattendinger und diverse andere Sachen lagen, die ich nicht erkannte.

»Schick. Sieht sehr nach Star Wars aus.«

»Kommt daher, dass er in der City gearbeitet hat«, antwortete Fred und schielte hinüber zu seinem Chef, der durch die Glastür deutlich zu sehen war. Er hatte uns den Rücken zugewandt und gestikulierte mit überraschend eleganten Bewegungen, wobei er sich ein Telefon zwischen Ohr und Schulter geklemmt hatte. »Und ihm ist diese Abteilung wichtig.«

»Tatsächlich erinnert er mich an Darth Vader, nur ohne die Atemprobleme.«

Freds Miene wurde lebhaft. »Er ist ein ganz normaler Typ, der nur seine Arbeit macht, aber er ist verdammt brillant darin, dafür zu sorgen, dass Dinge umgesetzt werden.«

Offensichtlich hatte er Eindruck auf Fred gemacht. Normalerweise war dieser sehr lässig, wobei er mit seinem langen, strähnigen blonden Haar, das sich am Hinterkopf bereits lichtete, und dem Speckbauch eher nach einem Surfer-Dad als einem Surfer-Typ aussah.

»Das ist es ja, Fred, niemand hier ist normal. Er passt nicht hierher. Du verkleidest dich als Thor, mit einem Wikingerhelm und einem silbern angesprühten Holzhammer für die Comic Con. Du bist einer von uns … auch wenn du die Maschinen verstehst.«

Ich lachte über seinen verlegenen Versuch, die Decke zu mustern.

»Leugne es nicht. Ich hab die Fotos auf Facebook gesehen, und die Requisiteure haben mir erzählt, dass sie dir den Hammer gebastelt hätten.«

»Ich hatte so viel Spaß. Du solltest mal sehen, was Leonie aus der Kostümabteilung mir diesmal schneidert. Das wird was.« Seine Augen leuchteten vergnügt. »Du würdest mich nicht zufällig schminken?«

»Natürlich, liebend gern …« Ich hielt inne. »Aber bitte sag nicht, dass du diese Blaue von X-Men sein willst.«

»Mystique? Nein, die ist doch ein Mädchen.« Fred verzog angewidert das Gesicht.

»Und du findest es akzeptabler, eine erfundene außerirdische Spezies darzustellen als ein anderes Geschlecht?«

Er zuckte die Achseln.

»Gut, als wer verkleidest du dich? Ich muss recherchieren, damit es genau abgestimmt ist.«

»Als Joker. Leonie näht mir einen lila Anzug.«

»Batman. Ja. Große rote Lippen. Weißes Gesicht? Grüne Haare.« Zweifelnd musterte ich Freds dünne blonde Mähne. »Es könnte sein, dass es eine Weile drinbleibt.«

»Mit grünen Haaren kann ich leben. Der Termin ist Samstag in drei Wochen.«

»Passt, ich bin sowieso hier, falls wir eine Matinee haben, und es macht mir auch nichts aus, dafür herzukommen. Ich muss mal schauen, ob ich Haarspray in der richtigen Farbe in meinem Schrank habe. Aber mal im Ernst, wenn du grüne Haare haben willst –«

»Das wird schon okay sein.«

»Ich kann mir nicht vorstellen, dass er das gut findet.« Ich nickte zur Bürotür hin. »Es wundert mich, dass er dich noch nicht in einen Anzug gesteckt hat.«

»Jetzt mach aber mal halblang.«

Ich machte einen Schmollmund.

Fred nickte begeistert. »Er ist ein bisschen kontrollsüchtig, aber ansonsten schwer in Ordnung. Ich bezweifle, dass er lange bleiben wird. Ihr werdet ihn wahnsinnig machen, und abgesehen davon, schätze ich, dass er in die City zurückkehrt, sobald er wieder halbwegs beieinander ist.«

»Wie meinst du das?«

Fred sah sich verstohlen im Zimmer um, als wolle er sich vergewissern, dass niemand zuhörte. »Er war vorher bei der Deutschen Bank. Ziemlicher Unterschied. Die haben da gewaltige Zentralrechner. Warum ist er hergekommen, wenn er nicht gefeuert, überflüssig gemacht oder dabei erwischt wurde, wie er die Bücher frisiert hat? Das hier ist für ihn doch ein klarer Abstieg.«

Ich stemmte die Hände in die Hüften. »Das hier ist einer der besten Arbeitgeber der Welt.«

Fred lachte. »Ich meinte, was die Technik angeht, du Dödel. Sie ist nicht gerade auf dem neuesten Stand, und mit Kunst scheint er es auch nicht so zu haben. Auf seinem Gebiet kennt er sich allerdings aus. Er hat sich eindeutig etwas vorgenommen. Er will diesen Ort ins 21. Jahrhundert überführen. Du musst zugeben, dass er nicht ganz unrecht hat. Manches von der Ausstattung hier ist älter als die Dampfmaschine, und ihr Masken- und Kostümleute seid ein absoluter Albtraum.«

Ich wusste, worauf er anspielte.

Ich hatte Fred einmal angerufen, weil der Rechner nicht anging. Das Lämpchen am Bildschirm leuchtete, weshalb auch der Rechner meines Erachtens hätte angeschaltet sein müssen. So hatte ich es Fred erzählt. Man konnte leicht den Fehler machen, nicht zu sehen, dass die Putzleute am Vorabend bei der Festplatte den Stecker rausgezogen hatten.

»Der Monitor und die Festplatte sollten zusammen angehen«, sagte ich und war immer noch entrüstet, obwohl es schon sechs Monate her war. »Schließlich kann man sie nicht getrennt benutzen. Das sollte automatisch laufen.«

»In manchen Situationen wäre das wohl vernünftig, Ms Hunter«, erklang eine bekannte Stimme hinter mir.

Ich sprang von Freds Schreibtischkante auf. Wie hatte er sich uns so leise nähern können? Mein Mund wurde trocken.

Er hatte die weißen Hemdsärmel hochgekrempelt und enthüllte starke, gebräunte Unterarme, die obersten Hemdknöpfe standen offen, und ich merkte, dass ich von der Haut, die er zeigte, vollkommen abgelenkt war, dabei war es nicht einmal besonders viel.

»Möchten Sie in mein Büro kommen?« Er bedeutete mir, ihm vorauszugehen.

»Ungefähr so gern wie eine Fliege in ein Spinnennetz«, murmelte ich verhalten.

Sein Büro besaß den eiskalten Minimalismus eines Managers. Ja, definitiv eine andere Spezies. Ein silberglänzender Laptop stand in der Mitte des dunklen Schreibtisches aus Eschenholz, und sonst gar nichts. Er gehörte hier nicht hin. Es war nicht ein einziger persönlicher Gegenstand zu sehen, weder Fotos noch Nippes oder irgendein Farbakzent, abgesehen von dem dunkelroten Satinfutter seines Jacketts, das über dem schwarzen Lederstuhl an seinem Schreibtisch hing. Das alles stand in scharfem Kontrast zu meinem Kämmerchen oben, das eher dem Elster-Prinzip entsprach, als ob eine durch mein Leben geflogen wäre und sich nur die besten Teile herausgepickt hätte, wodurch ein Potpourri von Erinnerungen entstanden war, aus Bildern fertig gestalteter Masken, Fotos von mir und Freunden an verschiedenen Partyabenden, Tickets von Inszenierungen, die für mich ein Meilenstein gewesen waren, und diversen Stoffmustern.

Er rückte mir einen Stuhl zurecht und nahm dann gegenüber von mir Platz. Es fühlte sich so kalt und kühl an wie im Büro eines Schuldirektors. So als ob er jeden Augenblick sagen würde: »Sie wissen, warum Sie hier sind. Was haben Sie zu Ihrer Verteidigung vorzubringen?«

Er lehnte sich in seinem Managerstuhl zurück und wirkte völlig entspannt und beherrscht.

»Möchten Sie einen Kaffee?«

Überrascht nickte ich. Er verschwand und kam nach wenigen Minuten mit zwei blütenweißen Kaffeetassen aus Porzellan zurück.

»Wow, echter Kaffee. Wie haben Sie das denn hinbekommen?«

»Mit der Nespresso-Maschine.«

»Wie haben Sie die nur ergattert? Ist das einer der Vorteile, die man in der City genießt?«

»Nein, da haben wir Lakaien, die rausgehen und einem einen doppelten Espresso Mochaccino Latte besorgen.«

Ich nickte. Natürlich war das so.

Seine Mundwinkel krümmten sich zu einem kurzen Lächeln. Ich brauchte einen Augenblick, um zu schalten.

»Es ist meine eigene Maschine. Ich habe sie mitgebracht.«

Oooh, eine humoristische Bemerkung. Das hatte ich nicht erwartet.

Ich trank einen Schluck. Himmlisch. »Das muss ich mir merken.«

Eine Augenbraue zuckte. »Sie sind immer willkommen.«

Wahrscheinlich meinte er, »Nur über meine Leiche«, aber in seiner Miene las ich noch etwas, das meinen Puls ansteigen ließ, als ich etwas erkannte, von dem ich geglaubt hatte, es läge längst hinter mir. *Flirtete* er etwa gerade mit mir?

»Danke, dass Sie mich aufgesucht haben.«

Eher nicht. Es lag rein gar nichts Verführerisches in dem ernsten, geschäftsmäßigen Ausdruck, der sich auf sein Gesicht gelegt hatte, als sei plötzlich die Zugbrücke eingeklappt worden.

Ich zuckte die Achseln. »Alison bestand darauf«, platzte es mit meiner üblichen unverblümten Offenheit aus mir heraus, anstatt dass ich versucht hätte, Zeit zu gewinnen, um meine geplante Entschuldigung zu formulieren. Ehe ich fortfahren konnte, verdüsterte sich seine Miene, und er versteifte sich, wobei der Funke Humor, den ich zuvor kurz gespürt hatte, sofort verschwand.

»Offensichtlich betrachten manche Abteilungen in diesem Haus Technik mit einem ähnlichen Misstrauen wie Hexerei im Mittelalter.« Die gestelzten Worte klangen ein wenig einstudiert, was ironisch war, wenn man bedachte, dass wir uns in einem Theater befanden, wo die Leute ihre Rollen normalerweise mühelos spielten.

Er schüttelte den Kopf. »Dieser Ort ist voll von archetypischen Technikfeinden.«

Dieser Ort! Jeglicher Gedanke an eine Entschuldigung verschwand.

»Ich glaube, Derartiges ist mir noch nie untergekommen. Alison und ich haben einige Veränderungen besprochen. Meine Rolle besteht darin, jede Abteilung dabei zu unterstützen, zu ermitteln, wo technische Anwendungen helfen könnten, die Effizienz und Produktivität zu erhöhen. Ich kann nicht glauben, was für ein Mangel an Computerkompetenz in manchen Abteilungen herrscht. Es ist ein verdammter Albtraum.« Er seufzte und spielte mit dem Stift auf seinem Schreibtisch herum, ehe er aufblickte und sich wieder auf mich konzentrierte. Der strenge Ausdruck in seinen grünen Augen bewirkte, dass mir flau im Magen wurde. Gott, war das gebieterisch.

»Und Ihre Abteilung kann sich rühmen, die absolut schlimmste zu sein.«

Vergiss die schönen grünen Augen, er war furchtbar.

»Weil wir eigentlich keine Computer brauchen.« Ich war so verärgert, dass ich laut wurde. Wir waren wunderbar zurechtgekommen ohne seine Einmischung oder dämliche Computer während der letzten … nun, seit Ewigkeiten. Konnten sie jemanden schminken, eine Perücke feststecken, einen unglücklichen Sänger beruhigen? Nein. Es sei denn, ich hatte irgendeinen unglaublichen technischen Durchbruch verpasst, der sicherlich in jeder Zeitung der Welt gemeldet worden wäre. Das hätte selbst *ich* mitbekommen.

»Natürlich brauchen Sie welche. Heutzutage braucht jeder Computer.«

»Quatsch, bei uns geht es um Kunst.« Ich warf ihm einen herablassenden Blick zu. Er war offensichtlich seelenlos. »Nicht um Zahlen und dergleichen. Es gibt keine richtige oder falsche Art, Don Giovanni zu spielen, es gibt nicht nur ein einziges Kostüm für ihn oder eine vorgeschriebene Maske. Es ist alles Interpretationssache. Nicht dass ich von jemandem wie *Ihnen* erwarten würde, dass er das versteht.«

Sein Kiefer spannte sich an, und ich fühlte mich ein bisschen schuldig. Er und seine Einstellung erinnerten mich einfach zu sehr an meine Eltern. Sie hielten überhaupt nichts von meiner Arbeit.

»Wie gesagt, habe ich hier eine Aufgabe, und ihr da müsst verstehen, dass Technik hier etwas Bleibendes ist.«

Hatte er gerade *ihr da* gesagt?

»Haben Sie auch nur die geringste Vorstellung davon, wie viele der einzelnen Teile dieses Hauses von Computern und Software zusammengehalten werden?«

Ich schüttelte den Kopf und zuckte die Schultern. Als würde mich das interessieren. Ein Computer konnte keine Aufführung auf die Bühne bringen. Wir waren jahrhundertelang ohne klargekommen. Ja, sicher gehörten sie in manchen Branchen zum unverzichtbaren Handwerkszeug, aber wir brauchten sie nicht.

Er beugte sich vor, stützte die Ellbogen auf den Tisch und legte die Hände aneinander. Wieder fiel mir auf, wie schön sie waren. Lange Finger. Sie sahen aus wie Künstlerhände. Hübsche Nägel.

»Ms Hunter? Hören Sie mir zu?«

»Ja«, log ich und konzentrierte mich auf sein fest angespanntes Kinn. Mann, sah er gut aus.

Ich tat mein Möglichstes, nicht die dunkle Behaarung zu betrachten, die an seinem Kragen hervorblitzte.

»Sämtliche Prozesse in diesem Haus, wirklich alle, brauchen Technik.«

Er hielt inne und sah mich erwartungsvoll an.

»Wie bitte?«

Oh nein, ich spürte, wie ich errötete.

Ich setzte meinen interessierten Gesichtsausdruck auf. Konzentrier dich, Tilly. Prozess. Haus. Technik. Ja, kapiert.

Ich nickte ihm zu, auch wenn ich keine Ahnung hatte, wovon er eigentlich redete.

Er sah das so, und ich sah es anders. Er konnte mir ja gerne diesen Vortrag halten, aber was genau bezweckte er damit? Mich zur Schnecke zu machen. Mir zu sagen, dass ich weder den Stecker herausziehen noch irgendwelche Anhänge öffnen sollte. Bla, bla. *Jetzt* wusste ich das alles.

Ich merkte, dass er immer noch redete und ich abgeschaltet hatte.

»… deshalb ist es von höchster Wichtigkeit, dass alle mit Computern umgehen können, ohne möglicherweise anderswo Probleme zu verursachen.«

Ich nickte dennoch. Erneut. Ich hatte das ziemlich oft getan, seit er losgelegt hatte. Hoffentlich würde er bald zum Ende kommen. Er konnte es ehrlich mit dem Ringzyklus von Wagner aufnehmen.

Plötzlich warf er sich in seinem Stuhl zurück und schien etwas Interessantes an der Decke bemerkt zu haben. Ich folgte seinem Blick, bis mir auffiel, dass seine finstere Miene jetzt mir galt.

»Nichts, was ich sage, dringt zu Ihnen durch, nicht wahr?« Sein Tonfall war milde, aber direkt unter seiner Kinnlinie war der Puls sichtbar, und er hielt mit einem Anflug von Kampfeslust den Kopf geneigt.

Als er aufstand, dachte ich einen Augenblick, er sei im Begriff, mich zu erwürgen. Er umrundete den Schreibtisch.

»Kommen Sie mit.«

Mit einer Hand unter meinem Ellbogen hieß er mich aufstehen. Wow, er roch gut – auf eine unaufdringliche, dezente Weise nach Rasierwasser. Ich versuchte, nicht zu auffällig an ihm zu schnuppern. Und seit wann mochte ich es überhaupt, so bestimmt berührt zu werden? Anstatt seine Hand abzuschütteln, ließ ich zu, dass er mich aus seinem Büro und durch den Flur zu einer großen, glänzend schwarzen Tür führte.

Blaubarts Kammer? Die IT-Gefängniszelle?

Ein stetiges Summen drang heraus, und im Dunkeln sah ich jede Menge grüne Lämpchen in regelmäßigen, synchronisierten Abständen aufflackern und blinken.

»Ich brauche Sie wohl nicht zu fragen, ob Sie wissen, was das ist«, sagte er und knipste das Licht an. Sein Blick glitzerte, als er über die hintere Wand schweifte. Ich wandte mich um und folgte seinem Blick, was nicht allzu klug war. Der Raum bot nicht allzu viel Platz, und mir wurde bewusst, dass er unmittelbar hinter mir stand, wobei seine straffen Oberschenkel meine beinahe berührten.

Der Raum enthielt auf einer Seite eine Reihe von Schränken, die mit grauen und schwarzen Kästen gefüllt waren, aus all diesen führten diverse graue Kabel die Wand entlang und verschwanden in der Decke.

»Das ist der Hauptserver. Jeder Computer im Haus ist damit verbunden. Wenn er abstürzt, läuft rein gar nichts. *La Bohème* kommt nicht auf die Bühne. Jeder Computer ist darüber ans Netzwerk angeschlossen. Wenn auf einem Computer in Ihrer Abteilung etwas schiefläuft, er zum Beispiel von einem Virus befallen wird …« Er hielt erwartungsvoll inne. Ich wandte mich um und zeigte ihm eine leichte Grimasse.

Er reagierte mit einem sehr ernsten Blick, um seine sehr wichtige Aussage zu betonen, doch dieser bewirkte nur, dass mein Herz einen lächerlichen Purzelbaum schlug. Wer hätte gedacht, dass streng und ernst sexy sein könnte? Nur dass er nicht sexy war und ich in festen Händen.

»Es kann sich auf das gesamte Netzwerk auswirken. Dieser Server steuert ein ganzes Heer von Systemen überall im Gebäude. Systeme, von denen jede Inszenierung, die auf die Bühne kommt, komplett abhängig ist. Zum Beispiel das System, das sich um den Kartenverkauf an der Hauptkasse kümmert. Und eines, das das Schaltpult für die Beleuchtung programmiert. Ohne Server keine Bühnenbeleuchtung. Alles in der Musikbibliothek ist auf einem Rechner katalogisiert. Hier sind Tausende von Stücken gespeichert, das richtige für die Holzbläser in *La Bohème* zu finden, könnte Monate dauern, wenn man den Katalog nicht zur Verfügung hat. Das ist nur die Spitze des Eisbergs.«

Als er jetzt durchdringend auf mich hinunterblickte, schaute ich beschämt auf meine Füße und schluckte. Das Blut pochte ziemlich stark in meinen Adern. Natürlich nur aus Angst, weil ich so nah dran gewesen war, alles durcheinanderzubringen. Wer hätte ahnen können, dass ein kleiner Kasten mit all diesen Drähten eine solche Bedeutung besitzen könnte?

»Als Sie fröhlich Ihren kleinen Virus runtergeladen haben, hat er das gesamte Netzwerk verlangsamt. Jeder Computer im Haus war damit beschäftigt, Mails an jeden Kontakt in jedem Mailkonto im Haus zu versenden. Um das abzubrechen, mussten wir den Großteil des Netzwerks abschalten, um sicherzustellen, dass die wichtigsten Systeme weiterlaufen konnten. Zu Ihrem Glück begannen die wirklichen Störungen erst, als die Oper nachts geschlossen hatte. Andernfalls hätte die Show nicht weitergehen können.«

Scheiße. Das wäre eine ernste Sache gewesen. Wir hatten Stürme überstanden, Krawalle vor der Tür, Nahverkehrsstreiks, aber noch nie war eine Vorstellung ausgefallen.

»Aber ich dachte, wir hätten Virenschutz, und ist es nicht Ihre Aufgabe, diese Dinger zu installieren?«

Sein Kiefer spannte sich an, und ich sah, wie sich seine Kehle bewegte. Es war offensichtlich, dass er sich mit aller Kraft zu beherrschen versuchte. »Sie funktionieren ganz wunderbar, solange niemand einen verdächtigen Anhang öffnet.«

Mit verschränkten Armen lehnte er sich an die Tür. »Kann ich Sie darum bitten, nie, niemals wieder einen Anhang zu öffnen, wenn Sie nicht genau wissen, woher er stammt oder wer ihn versendet hat? Eigentlich sollten Sie generell auf gar keine Mails antworten, bei denen Sie nicht wissen, von wem sie sind, oder bei denen Sie nicht nachweisen können, dass sie von einem vertrauenswürdigen Kontakt stammen. Ist Internetsicherheit Ihnen eigentlich irgendein Begriff?«

»Ähm, schon.« Mein halbherziges Lächeln bewirkte, dass er mich erneut mit zusammengekniffenen Augen musterte.

»Es geht darum, dass man online sicher bleibt. Seine persönlichen Daten schützt. Privatsphäre-Einstellungen auf Facebook. Die Informationen begrenzen, die man im Internet teilt. In Mails, bei Twitter und so weiter.«

»Da brauchen Sie sich keine Sorgen zu machen. Meine Handys neigen dazu, durchzuschmoren, deshalb bin ich online nicht sonderlich aktiv.«

»Durchzuschmoren?« Sein geduldiger Ton drückte Skepsis aus.

»Ja. Handys. Armbanduhren. Diese Fitbit-Dinger. Alles, was elektrisch ist, scheint allergisch auf mich zu reagieren.«

»Wirklich?«

Ich zuckte die Schultern. Ich hatte schon so viele Handys und Armbanduhren ruiniert, dass es mir egal war, ob man mir glaubte oder nicht.

»Was Mailanhänge betrifft«, er hielt inne, und seine Mundwinkel krümmten sich zu einem kurzen Lächeln. Hatte er »Santa Baby« in Aktion gesehen? »Rufen Sie in Zukunft mich oder Fred an, wenn Sie sich nicht ganz sicher sind.«

»Jawoll«, sagte ich plötzlich lächelnd. Er war irgendwie süß, wenn er so ernst um etwas bat. Ich entschied mich dagegen, zu salutieren. Schließlich war er die Leitung und versuchte nur, seinen Job zu machen. »Ich will ja gar nicht so nutzlos sein, was Technik angeht, sie mag mich nur ganz einfach nicht.«

»Tilly, Computer mögen niemanden. Sie sind keine Menschen. Sie arbeiten für uns. Tun, was wir ihnen sagen. Zumindest so lange, wie wir richtig mit ihnen umgehen.«

»Sind Sie sich da sicher?«, fragte ich zweifelnd.

»Ja, ich bin mir sicher. Hoffentlich werden Sie sich auch etwas sicherer fühlen, wenn wir ein paar Sitzungen abgehalten haben.«

»Sitzungen?« So war das mit Alison nicht abgemacht.

»Ja. Da Sie unsere erste Vorreiterin für die Maskenbildnerei sind, müssen wir etwas Zeit miteinander verbringen, damit wir genau bestimmen können, welche Prozesse und Systeme sich zur Verbesserung ihrer Arbeitsabläufe anbieten. Da Sie schon mal hier sind, können wir gleich ein paar Termine ausmachen, um die Sache in Gang zu bringen.«

Ich öffnete den Mund, nur um ihn wortlos wieder zu schließen. Meine Bestürzung schien trotzdem deutlich geworden zu sein.

Das konnte sich doch unmöglich um etwas anderes als einen schlechten Witz handeln, oder? Uns ging es absolut gut so, wie es war. Hatte er noch nie den Satz »Man soll nichts reparieren, was nicht kaputt ist« gehört?

»Für den Anfang schätze ich, ein paar halbe Tage in den nächsten ein, zwei Wochen, und dann, sobald wir die Bereiche ermittelt haben, die wir optimieren können, entwickeln wir geeignete Systeme, machen Sie fit, ehe Sie den Rest Ihrer Truppe an die Thematik heranführen können.«

»Was?« Mehrere halbe Tage? »Wird es wirklich so lange dauern? Bestimmt gibt es gar nicht so viel, bei dem Sie mir helfen können.«

»Lassen Sie das doch am besten *mich* beurteilen.«

Ich seufzte. »Und warum ich?«

Er lächelte, kein freundliches Lächeln, sondern das eines Haifischs, der im Begriff ist, zuzuschnappen.

»Ich finde, bei einem Computer den Stecker rauszuziehen, um ihn *neu zu starten*, ist doch bereits ein ganz guter Anfang.«

Unsere Blicke trafen sich.

Ich schnaubte und funkelte ihn an. Der Raum schien zu schrumpfen, als er den Kopf hob und mich fixierte. Die Geste betonte sein attraktives Kinn, das glatt rasiert war, im Gegensatz zu Felix' sexy, aber manchmal auch nervigem Dreitagebart. Dieser Mann war das komplette Gegenteil, ein Unternehmensroboter, der darauf aus war, Dinge zu verbessern und mit seiner Optimierung und Rationalisierung allem die Seele zu entziehen. Nun, er brauchte gar nicht erst zu glauben, dass ich zur dunklen Seite überlaufen würde. Ich war mit solchem Mist aufgewachsen und dem glücklicherweise entkommen.

»Ich dachte, wir könnten unser erstes Treffen für nächste Woche Donnerstag ansetzen. Uns genauer darüber unterhalten, was Sie machen und welche Bereiche ein paar Verbesserungen vertragen könnten. Ich habe gehört, Sie hatten in der Vergangenheit …«, er unterdrückte ein Schmunzeln, »ein paar Probleme.« Alison hatte wirklich nichts ausgelassen in ihren Schilderungen meiner Unfähigkeit. »Haben ein paar Mails an die falschen Leute geschickt. Die falschen Adressen reinkopiert. Die falsche Datei angehängt?« Ich sah seine Augen amüsiert funkeln. »Dr. Who, oder?«

»Kann sein«, murmelte ich.

»Tennant, Smith oder Capaldi?«

»Tennant«, murmelte ich und wurde rot. Fairerweise musste man sagen, dass ich versucht hatte, ein Bild dieses Kartoffelkopfes, Drax, zu verschicken, um eine Idee zu veranschaulichen, aber es war ein bisschen mit mir durchgegangen, als ich angefangen hatte, im Internet nach Fotos zu suchen.

Als ich mich zum Gehen wandte, bemerkte ich noch etwas. Er hatte wirklich hübsche Lippen.

»Wer weiß, vielleicht macht es Ihnen ja sogar Spaß.«

»Was?« Konnte er etwa Gedanken lesen?

Sarkastisch hob er eine Augenbraue. »Mehr über IT zu lernen?«

Viertes Kapitel

Ein rascher Blick auf die Uhr verriet mir, dass ich wohl gerade noch Zeit hatte, das Haarteil fertig zu machen, an dem ich arbeitete, ehe ich loshetzen musste, um mich mit meiner Schwester zu treffen. Die Haarsträhne, die um einen Pflock gewickelt war, musste nur noch kurz mit Spray fixiert werden, und die letzte perfekte Locke würde fertig sein. Ich hielt das Stück mit seinen wippenden Locken hoch und bewunderte es, stellte mir vor, wie es an der Tänzerin, die Julia spielte, aussehen würde.

»Ooh, Tilly. Du solltest dir das ansehen«, kreischte Vince alarmiert. Er hibbelte auf seinem Stuhl herum, wo er es sich seit zehn Uhr heute Morgen vor dem Abteilungscomputer bequem gemacht hatte. Angeblich suchte er nach Kopfaufnahmen im Stil von Byron, aber soweit ich das erkennen konnte, hatte er nichts anderes getan, als Bilder von gut aussehenden männlichen Filmstars anzuschmachten, die vielleicht einmal ganz entfernt etwas mit einem Historienfilm zu tun gehabt hatten.

Während ich die letzte Locke festhielt, blickte ich ihn fragend an.

»Ich dachte, du hättest beschlossen, dass Mr McAvoy und seine passenden Koteletten in *Geliebte Jane* das wären, wonach du suchst. Hältst du immer noch nach Adonissen Ausschau?«

»So was würde ich nie tun.« Er schlug die Augen nieder, als hätte er sich noch nie auf Onmygaydar.com eingeloggt. »Nein, Liebes. Es geht um dich. Du steckst in Schwierigkeiten. Du hast Post.«

»Was für Schwierigkeiten?«

»Ernsthafte, Süße.« Vince' blaue Augen weiteten sich, wie bei einem kleinen Buschbaby. »Sieht aus, als wäre es dein Virus.«

Es war nicht *mein* Virus.

Ich legte vorsichtig das Haarteil ab, ehe ich hinüber zum Computer eilte, wo ich eine Mail von einem völlig Fremden vorfand.

Ich wünschte mir ein weiteres Mal von Herzen, ich hätte diese erste Mail niemals versandt.

An: Matilde@lmoc.co.uk
Von: Redsman@hotmail.co.uk
Betreff: WG: DRINGEND – Mögliche Klopapier-Krise

Liebe Matilda,

kennen wir uns? Ich habe gerade eine Mail von dir bekommen. Ich glaube nicht, dass du sie mir schicken wolltest, aber für Klopapier solltest du es mal bei Tesco versuchen. Obwohl ich komischerweise tatsächlich gerade dieses Buch fertig gelesen habe, es war echt witzig. Wusstest du, dass es eine Fortsetzung gibt?

Beste Grüße,
ein Liverpool-Fan

PS: Ich hätte nicht gedacht, dass Arsenal-Fans lesen können, die sind nicht so gebildet wie wir Liverpool-Fans.

»Oh Kacke.« Zum Glück wirkte der Liverpool-Fan nicht allzu aufgebracht, trotz seines miesen Geschmacks, was Fußball betraf. »Denkst du, ich werde jetzt massenhaft Mails wie diese bekommen?«

Plötzlich wurde mir klar, dass Jeanie hinter uns stand. Sie verdrehte die Augen und spähte auf den Bildschirm. »Wenn sie alle so langweilig sind, hast du kein Problem. Ein Fußballfan, der sehr vernünftig klingt. Wahrscheinlich ist er klein, kahl und wohnt bei seiner Mutter. Und er mag Liverpool United.« Sie schüttelte den Kopf, ehe sie hinzufügte: »Oh Gott, ein Nordlicht.«

Jeanie war im Süden geboren und aufgewachsen und davon überzeugt, dass jeder nördlich von Mill Hill ein bisschen suspekt war.

»Kommt, manche von uns haben zu tun.« Sie bedachte uns beide mit einem demonstrativen Blick, ehe sie sich abwandte und in ihr Büro zurückkehrte.

Ich warf noch einen Blick auf den Computerbildschirm und dann einen auf meine Armbanduhr. Christelle war unfähig, zu spät zu kommen, daher hatte ich keine Zeit mehr.

»Du möchtest ihm doch nicht etwa antworten?«, fragte Vince und fasste sich mit dramatischem Entsetzen an die Kehle. Seine übertriebene Reaktion war ein bisschen absurd, wenn man bedachte, dass er selbst zu Internetromanzen neigte. »Was, wenn er ein Stalker ist oder einer von der Sorte, die dich für den Menschenhandel als Sexsklavin heranziehen wollen?«

Ich zeigte sehr deutlich auf meine flache Brust und hob die Augenbrauen.

»Im Ernst, ich hab davon in der Zeitung gelesen.«

»Dann muss es ja stimmen.«

»Nein, ehrlich; ich spreche hier von Mädchen, denen Designerkleidung versprochen wird und die dann nach einem Umstyling teuer in die Prostitution verkauft werden.«

In meinem liebsten Vintage-Rock im Stil der Fünfziger, der mit Kirschen bedruckt war, einer passenden roten Wickelstrickjacke im Ballerinastil und klobigen flachen Stiefeln war ich wohl kaum der Typ Sexpuppe.

Vince begutachtete meine Stiefel. »Wohl eher nicht.«

»Keinesfalls. Abgesehen davon, ist es ja nicht so, als würden wir Brieffreunde werden.«

»Hmm.«

»Ich werde ihm nicht das letzte Wort lassen, was meine Fußballmannschaft betrifft.« Ich zuckte die Achseln.

Vince zog weit die Augenbrauen hoch. »Du bist ein Mädchen, ist das normal? Du weißt schon – der Fußballkram.«

»Du bist ein Junge. Du trägst Gelb. Scheußliches Senfgelb. Das ist nicht normal, solange du kein buddhistischer Mönch bist.«

Ich schaute noch mal kurz auf die Uhr und schob ihn dann zur Seite, wobei ich nur minimal innehielt, während ich mich an das erinnerte, was Seine königliche IT-heit über Internetsicherheit gesagt hatte. Aber das hier war etwas völlig anderes. Dieser Kerl hatte sich die Mühe gemacht, mir zu mailen, es war daher nur höflich, ihm zurückzuschreiben und mich zu bedanken. Wenn er Übles im Sinn gehabt hätte, hätte er doch nicht versucht zu helfen, oder? Dann hielt ich inne, was, wenn er mich für so eine traurige Verliererin hielt, die wahllos Mails rausschickte, um Freunde zu finden?

An: Redsman@hotmail.co.uk
Von: Matilde@lmoc.co.uk
Betreff: Klopapier

Es tut mir so leid. Diese Mail sollte an meinen Verlobten gehen.

So. Weder solo noch verzweifelt.

Ich habe mir wohl einen Virus eingefangen.

Ach was, wirklich?

Leider habe ich den falschen Anhang geöffnet. Danke, dass du das so nett aufgenommen hast.

Und erzähl es um Gottes willen niemandem.

Ich bin jetzt durch mit dem Buch. Ich will nicht gleich die Fortsetzung lesen, aber ich suche etwas, was genauso gut ist. Ich fühle mich immer ein bisschen, als ob mir was fehlt, wenn ich ein Buch beendet habe, das mir gefallen hat.

Beste Grüße

Entschlossen, die Sache förmlich zu halten, unterschrieb ich mit Matilde anstatt mit Tilly, was sich anfühlte, als würde ich eine gewisse Distanz einhalten.

Ich hasste meinen Namen. Geschrieben sah »Matilde« deutsch und maskulin aus anstatt französisch. Das »d« war stumm, aber das verstanden die wenigsten, deshalb war mir Tilly sehr viel lieber. Meine Mutter stammte aus Paris – daher der Name. Obwohl heutzutage sogar sie es schaffte, mich Tilly zu nennen – zu den seltenen Anlässen, zu denen wir mal miteinander sprachen.

»Wie ist das?« Ich las mir die Worte auf dem Bildschirm ein letztes Mal durch. Größtenteils harmlos.

Vince zog ein trauriges Gesicht, und Enttäuschung erfüllte seine großen blauen Augen.

»Es ist nicht *so* übel, oder?«

Er seufzte und warf den Kopf zur Seite. »Nun ja, es ist nicht gerade *Vom Winde verweht*. Ich meine …«

»Das soll es auch nicht sein.« Ich las die Worte noch einmal. Es war in Ordnung. Nicht wie die Leute, von denen man so hörte, die der aufregenden Versuchung nachgaben, im Internet oder per SMS zu flirten, und am Ende ein gewagtes zweites Ich erschufen, das keinerlei Ähnlichkeit mit ihrer wahren Persönlichkeit hatte.

Obwohl … ich ließ die Schultern kreisen, weil ich die Anspannung spürte. Ein Flirt wäre weiß Gott eine willkommene Bestätigung gewesen – Felix schien mich zurzeit in etwa so sexy wie ein mottenzerfressenes Kamel zu finden. Dennoch würde ich nicht in diese Falle tappen.

Vince rieb sich den Kinnbart und seufzte mit theatralischer Verzweiflung. »Liebes, warum vergleicht ihr nicht gleich eure Pantoffeln? Frag ihn wenigstens, wie er das Buch fand. Das ist wirklich, wirklich öde.«

»Danke auch. Es ist nur eine Antwort. Es ist ja nicht so, als würde ich ihn kennenlernen.«

»Das würde ich auch nicht annehmen.« Vince nahm eine drohende Haltung ein, verschränkte die Arme und sprach mit gedämpfter Verehrung: »Nicht, wenn du Felix hast.«

Es gab nur eine Art, wie ich mit diesem Kommentar umgehen konnte: Ich ignorierte, dass er ein klitzekleines bisschen in Felix verknallt war. »Indem ich nichtssagend bleibe, mache ich klar, dass ich keine verzweifelte Cyberstalkerin auf der Suche nach einem Mann bin.«

»Reizend. Und was bin ich dann?« Vince zog beleidigt von dannen.

Ich schlug mir buchstäblich auf die Stirn. Gott, er war so melodramatisch. Jetzt würde er den Rest des Tages beleidigt sein, und dabei hatte ich überhaupt nicht auf seine Vorliebe für Online-Dating anspielen wollen.

Ich las mir die Mail ein letztes Mal durch. Vince hatte recht, es klang irgendwie altbacken. Ich ignorierte die unwichtige Tatsache, dass ich schon zehn Minuten zu spät dran war, und fügte rasch noch ein PS hinzu.

PS: Liverpool-Fans sollen gebildet sein? In welchem Paralleluniversum lebst du denn?

Das war kein Flirten, oder? Nein. Mit entschlossenem Druck, bei dem fast die Eingabetaste von der Tastatur gesprungen wäre, drückte ich Senden und schloss das Mailkonto. Ups, selbst für meine Verhältnisse war ich spät dran.

Natürlich war sie schon da, saß an einem der hohen Tische im Café Paul und schaute auf ihr Handy. Ich wusste genau, wie meine Schwester aussehen würde, ohne durch die Scheibe spähen zu müssen. Makellos und wie aus dem Ei gepellt. Es wäre leicht verdientes Geld gewesen, darauf zu wetten, dass Christelle eine reinweiße Baumwollbluse mit Bügelfalten an den Ärmeln tragen würde sowie einen engen schwarzen Bleistiftrock zusammen mit einem dazu passenden taillenbetonten Blazer entweder von Hobbs oder Jigsaw. Ihr glänzendes braunes Haar wäre gnadenlos in dem langweiligsten Knoten zurückgebunden, den man sich vorstellen konnte, und sie würde schlecht geschminkt sein. Wirklich, sie hatte keine Ahnung. Fader hautfarbener Lippenstift, der bewirkte, dass ihre Lippen in ihrem Gesicht untergingen, und mattbrauner Lidschatten über das ganze Lid, der ihre Augen in ihrem Kopf verschwinden ließ. Mit ihrer Figur und ihrem wunderschönen Haar hätte sie wie ein Filmstar aus den Sechzigern aussehen können. Es war nicht fair. Wenn man mir eine Stupsnase verpasst hätte, hätte ich einem niedlichen Animemädchen geähnelt, nur mit viel zu viel lockigem Haar. Ich hätte sie mir liebend gern geschnappt und sie gründlich umgestylt, aber solche Schwestern waren wir nie gewesen. Oh Gott, wirklich nicht.

»Mal wieder zu spät.« Warum zum Teufel musste sie auf die Uhr schauen? Ich würde es nicht leugnen. Ich kam fast immer zu spät, wenn wir uns trafen. Vielleicht war es etwas Psychologisches. Es verkürzte die Zeit, die wir gemeinsam verbringen mussten.

Fröhlich zuckte ich die Achseln. »Ein Problem mit einem Virus auf der Arbeit.«

Das klang fast professionell und kompetent – etwas, das sie möglicherweise gutheißen würde.

Ausnahmsweise wirkte Christelle vage interessiert. »Im Ernst? So was kann schrecklichen Schaden anrichten. Ich habe von einer Kanzlei gehört, die einen neuen Server kaufen musste, weil sie sich irgendeine Schadsoftware eingefangen hatten, die alles zerstörte. Sie mussten deshalb fast ihr Geschäft aufgeben. Und sie sind eine wirklich clevere Truppe. Sie haben einige sehr bekannte, erstklassige Kunden.«

»Unsere IT-Abteilung ist sehr gut«, sagte ich locker, als wäre es die Sorte Satz, die ich regelmäßig von mir gab.

»Das ist so wichtig«, sagte Christelle nickend. Sie reckte den Kopf und versuchte, die Aufmerksamkeit des Kellners zu erregen, der uns mit einem kurzen Nicken zur Kenntnis nahm, ehe er mit einem Berg schmutzigem Geschirr auf dem Arm verschwand.

Wir verfielen in Schweigen.

»Und«, fragte ich, »wie läuft es auf der Arbeit?«

»Gut.« Sie führte das nicht weiter aus. Ich hatte ungefähr eine so klare Vorstellung von ihrer Arbeit wie sie von meiner. Sie war Anwältin bei höheren Gerichten, nur dass sie nicht mit den aufregenden kriminellen Geschichten zu tun hatte, nein, sie machte Arbeitsrecht. Die wenigen Schilderungen davon, die ich verstanden hatte, hatten sich todlangweilig angehört.

Ich hatte keine Ahnung, warum sie auf diesen monatlichen Treffen bestand, sie waren immer die reinste Tortur. Aber nein, pünktlich wie ein Uhrwerk rief sie zum Anfang jedes Monats an, um ein Treffen vorzuschlagen.

»Und, hast du dieses Wochenende viel vor?«, fragte ich und betete, dass der Kellner in die Gänge kam.

»Ja, Alexa wird dreißig, und wir haben ein wundervolles Haus gemietet. Es hat achtundzwanzig Schlafzimmer, perfekt.« Sie zückte ihr Handy und zeigte mir ein paar Fotos von einer fantastischen

Aussicht und einem wirklich schönen edwardianischen Herrenhaus an einem bewaldeten Hang.

Das begriff ich nicht. Ganz gleich, was ich von meiner Schwester hielt, sie hatte immer ein reges Sozialleben.

»Und du?«

Ich lächelte. »Ich muss Freitag und Samstag bis spät arbeiten.«

»Ich weiß nicht, wie du es schaffst, eine Beziehung zu führen. Ich finde es mit meinen Arbeitszeiten schwer genug, Dates zu arrangieren, ich wüsste nicht, wie es wäre, wenn ich an den meisten Abenden arbeiten müsste. Stört es Felix nicht? Schafft ihr es je, mal ein Wochenende gemeinsam zu verbringen?«

»Es stört ihn nicht.« Das war das Tolle an Felix. Es hatte ihn noch nie gestört. Er verstand, wie wichtig meine Arbeit mir war. Und dass ich abends arbeitete, war nie ein Thema gewesen. Ich hielt inne und versuchte, mir meine verkrampfte Schwester bei einem Date vorzustellen. Sie hatte nie irgendwelche romantischen Verstrickungen erwähnt, und ich hatte immer angenommen, sie sei zu sehr mit ihrer Karriere beschäftigt, um sich um solche unwichtigen Dinge zu kümmern. Aus irgendeinem Grund fiel mir Marcus ein. Er wäre für Christelle wahrscheinlich das perfekte Date gewesen, nicht dass ich sie ihm an den Hals gewünscht hätte.

»Datest du viel?«, fragte ich und überraschte mich selbst damit.

Sie brauchte einen Augenblick zum Antworten. Tatsächlich verbrachte sie gut dreißig Sekunden damit, in ihrer Handtasche zu wühlen, auf eine für sie höchst untypische Weise, ehe sie den Kopf hob. Man sah ihr förmlich an, wie sie krampfhaft nach einer Erwiderung auf diese Frage suchte.

Die nächsten dreißig Sekunden wirkten unerwartet bedeutungsschwanger. Hopp oder top. Es ging ums Ganze. Viel Glück. Ihr Fuß schwebte über unbekanntem Terrain.

Dann räusperte sie sich, und ich spürte, wie sich mein Puls vor Schreck beschleunigte.

»Völlig erfolglos. Du hast so ein Glück. Du und Felix habt alles hinbekommen. Du warst erst mit ihm befreundet. Ich hatte schon so viele Dates, aber nie scheint mit irgendjemandem die Chemie zu stimmen. Auf dem Papier sind sie absolut perfekt … und dann treffe ich sie.« Ihr kindischer Gesichtsausdruck, zusammen mit einem völlig übertriebenen Augenverdrehen, das ebenfalls überhaupt nicht ihre Art war, brachte mich dazu, vorsichtig zu lächeln.

»Entweder sind es laute, spießige Wichser«, sie brach ab, »entschuldige bitte meine Ausdrucksweise«, ergänzte sie und warf mir einen Sag-bloß-nichts-Blick zu, »oder aufgeblasene Wichtigtuer, die den ganzen Abend versuchen herauszufinden, ob ich erfolgreicher als sie bin oder in den letzten achtundvierzig Stunden mehr als sie abgerechnet habe. Es ist zum Heulen.«

»Das klingt wirklich schlimm.« Sagte ich und versuchte mich an einem mitfühlenden Gesichtsausdruck, aber offen gestanden, klangen diese Datingpartner in meinen Ohren äußerst passend. »Oh, der Kellner«, sagte ich und nahm die Karte. »Auf was hast du Lust? Die Tartes mit Obst sehen toll aus, aber die Schweineohren ebenfalls, und die Schokocroissants hier sind einfach göttlich.«

»Für mich bitte einen Cappuccino und ein Mandelcroissant.« Christelle schlug ihre Speisekarte zu und gab sie dem Kellner zurück, während ich die verführerisch aussehenden Schokoladen-Eclairs, Rosinenschnecken und Tartes mit Birne oder Rhabarber entdeckte.

Ich kaute auf meiner Lippe, als Christelle die Arme verschränkte. »Für mich bitte auch einen Cappuccino, und ich, hm, ich kann mich nicht entscheiden …« Ich wendete das Menü und spähte dann am Kellner vorbei zu den Vitrinen. »Oder soll ich ein Erdbeertörtchen nehmen? Nein. Ich nehme ein Schokocroissant …«

Der Kellner wusste offensichtlich schon, wie ich tickte, denn er riss mir die Karte aus der Hand, ehe ich es mir anders überlegen und eines der glänzenden Erdbeertörtchen bestellen konnte.

Christelle legte die Ellbogen auf den Tisch.

»Wir müssen entscheiden, was wir Mum und Dad zu Weihnachten schenken.«

»Das ist doch noch ewig hin«, sagte ich. Warum konnten die Leute die Vorweihnachtszeit nicht einfach genießen? So weit im Voraus zu planen, raubte dem Ganzen jeglichen Spaß. Geschenke kaufen sollte ein Abenteuer sein und eine große Entdeckungsreise zu all den schön geschmückten Läden, die vor lauter Glitzer leuchteten. Es sollte voller Verheißung und Aufregung sein, als würde man auf Bärenjagd gehen, um Sachen aufzuspüren und hervorzulocken, die die Leute mochten. Nein, die sie liebten.

Christelle stieß einen kleinen, verstimmten Seufzer aus. »Du hast nicht mit Mum gesprochen, oder?«

»Nein.« Wir hatten uns meist nichts Neues zu berichten. Meine der Geselligkeit abträglichen Arbeitszeiten passten nicht zu ihrem und Dads Neun-bis-sieben-Zeitplan.

Sie biss sich auf die Lippe, ehe es mit großer Entrüstung aus ihr hervorbrach: »Sie fahren über Weihnachten weg.« Um ihren Mund vertieften sich winzige Falten, die mir noch nie aufgefallen waren.

»Wirklich? Wohin?«

»Offenbar«, sie versteifte sich, »machen sie eine Kreuzfahrt.«

Ich zuckte die Achseln.

»Nach Skandinavien.«

»Oh.« Das kam zwar etwas überraschend, aber es würde mir den Stress ersparen, den letzten Zug von King's Cross zu erwischen und zwischen übertrieben ausgelassenen Betrunkenen eingezwängt auf dem Gang zu stehen, um dann zwei Tage später dieselbe Strecke zurückzufahren, um wieder zur Arbeit zu gehen. Es kam mir immer ungerecht vor, Weihnachtsurlaub zu nehmen, wo doch andere Leute in der Abteilung kleine Kinder und Familie hatten.

»Ich weiß nicht, warum sie plötzlich beschlossen haben, jetzt eine Kreuzfahrt zu machen.« Christelles Stimme zitterte.

»Warum nicht? Wir sind eben keine Kinder mehr.«

»Aber das ist doch Familienzeit. Und wir fahren immer heim.«

»Nun, vielleicht ist es dieses Jahr an der Zeit, mal etwas anderes zu machen.« Ich zuckte die Schultern und ignorierte ihre unglückliche Miene. »Neue Wege zu gehen. Betrachte es als Chance.«

»Eine Chance worauf?«

»In London ist jede Menge los, Weihnachtskonzerte, Eislaufen, Shows.«

»Ja, aber nicht an Weihnachten.«

»Doch.«

Oh Gott, jetzt hatte ich keine Ausrede, nicht mit Felix an Weihnachten seine Mutter zu besuchen. »Trotzdem findet einiges statt, weißt du.«

Skeptisch bogen sich ihre Mundwinkel nach unten.

»Jeanie, meine Chefin, verbringt Weihnachten oft allein. Ihr mangelt es nie an Beschäftigung. Letztes Jahr hat sie an einer Stadtführung teilgenommen. Im Vorjahr hat sie ehrenamtlich Obdachlosen geholfen und das Jahr davor den Schwimmern beim Peter Pan Cup auf der Serpentine zugesehen. Es ist nur ein einziger Tag. Du könntest zum Beispiel den ganzen Tag Filme schauen.«

Ich bekam leichte Gewissensbisse. Hatte sie Angst davor, allein zu sein? Ich hatte noch überhaupt nicht darüber nachgedacht. Wie gesagt, bis Weihnachten war es noch ewig hin.

»Ja, aber warum wollen sie Weihnachten nicht mit uns verbringen? Es ist gar nicht ihre Art. Findest du das nicht seltsam?«

»Nein.«

Sie machte einen Schmollmund. »Das ist so typisch für dich, Tilly, du ignorierst alles, was du nicht sehen willst.«

»Das stimmt nicht.«

»Doch, das hast du schon immer getan. Zum Beispiel, wenn du so tust, als hätten Mum und Dad was gegen deinen Beruf.«

»Aber das haben sie«, protestierte ich und verschränkte dabei die

Arme. Ich hatte kein Interesse daran, in diese Diskussion einzusteigen. Es lag alles lange zurück, und es würde sich sowieso nichts ändern.

»Nein, sie wollten nur, dass du –«

»Wie auch immer«, unterbrach ich sie. »An Weihnachten heimzufahren, ist sowieso ein Riesenstress. Die Züge sind immer voll, und auf der Arbeit ist viel zu tun.«

»Was hast du stattdessen vor?«

»Arbeiten.«

»An Weihnachten?«

»Nein, aber wir besuchen wahrscheinlich Felix' Mutter, und abends fahre ich wieder heim, weil ich am zweiten Weihnachtstag arbeiten muss.«

»Ich könnte mich wahrscheinlich mit ein paar Freunden zum Mittagessen treffen, aber es wird nicht dasselbe sein.« Sie seufzte. »Mum meinte allerdings, sie würde vor Weihnachten noch ein großes, festliches Mittagessen veranstalten. Wir könnten zusammen hinfahren. Wenn ich fahre, müssen wir uns keine Gedanken machen, wie wir die Geschenke transportieren.« Sie wirkte jetzt wieder fröhlicher. »Da wir gerade davon sprechen, ich dachte, wir könnten Mum ein nettes Gesichtspflegeset von Estée Lauder besorgen, dieses Jahr gibt es ein paar schöne Geschenkpackungen.«

»Ich werde arb–« Christelle hatte in ihrem ganzen Leben noch nie einen Dackelblick aufgesetzt. Normalerweise wirkten ihre Worte und Handlungen immer rational und logisch durchdacht, doch jetzt umgab sie ein Hauch von Traurigkeit, und als sie plötzlich blinzelte, hielt ich inne und sagte: »Das klingt nach einer guten Idee.«

»Wir könnten Freitag spät los, so den Stau vermeiden und hätten dann den ganzen Samstag. Ich könnte dich direkt von der Arbeit abholen. Wann bist du fertig?«

»Es hängt von der Inszenierung ab, aber etwa gegen halb elf, elf.«

Sie lächelte und straffte sich und wirkte nicht mehr so untypisch bedrückt. »Schön, dann wäre das ja geklärt. So, für Dad dachte ich an einen schönen Kaschmirpulli, und er hat davon geredet, Programmieren lernen zu wollen, deshalb habe ich mir von einer Kollegin auf der Arbeit ein Buch zu dem Thema empfehlen lassen. Oh …« Sie schaute auf ihr Handy, das zu klingeln begonnen hatte. »Da muss ich drangehen. Entschuldigst du mich kurz?«

»Ja. Kein Ding.« Ihre Förmlichkeit machte mich wahnsinnig. Herrgott, ich war ihre Schwester und keine verdammte Klientin. Sie nahm ihr Handy und eilte zur Tür hinaus, wo ich sie durch die Scheibe gemessenen Schrittes auf und ab gehen sah.

Ich nahm meinen E-Reader zur Hand, ohne den ich nirgends hinging, zum Glück schien er das einzige Gerät zu sein, dem mein negatives elektrisches Kraftfeld nichts anhaben konnte. Meine Vorstellung von der Hölle bestand darin, kein Buch dabeizuhaben. Ich war mir nicht sicher, was mich dazu bewog, doch ich loggte mich in das kostenlose WLAN ein, um meine Mails zu checken, und ließ fast den Reader fallen, als ich sah, dass ich eine Antwort auf meine Mail von vorhin erhalten hatte.

An: Matilde@lmoc.co.uk
Von: Redsman@hotmail.co.uk
Betreff: Klopapier

Liebe Matilde,

die Fortsetzung ist gut, aber wenn du etwas Ähnliches suchst, wie wäre es mit *High Fidelity* von Nick Hornby? Es geht ebenfalls um einen Mann, der schlecht in Beziehungen ist.

Beste Grüße,
R

PS: Was ist das für ein Paralleluniversum, in dem Arsenal was kann?

Ich musste lächeln, und als Christelle wieder auftauchte, hatte ich mir bereits *High Fidelity als E-Book* heruntergeladen.

»Sorry. Ein Klient, den ich schon seit ein paar Tagen zu erreichen versuche.« Keine Spur von Traurigkeit mehr, als die geschäftsmäßige Christelle wieder das Ruder übernahm.

»Okay, das Programmierbuch und den Pullover für Dad, das Gesichtspflegeset für Mum. Soll ich die Sachen holen, und du gibst mir später das Geld?«

»Nicht bös gemeint, aber können wir bei Dads Pullover vielleicht normale Wolle anstatt Kaschmir nehmen? Und einen Preisrahmen festlegen?«

»Keine Sorge, wenn du es dir jetzt nicht leisten kannst, kannst du es mir auch irgendwann später zurückzahlen.«

»Ich kann es mir leisten.«

Dass sie in ihrer Einkommensgruppe monatlich einige Tausend Pfund mehr verdiente als ich, bedeutete nicht, dass sie mehr beitragen sollte. Mein Stolz hielt mich davon ab zu erzählen, dass ich diesen Monat etwas knapp bei Kasse war, weil Felix mir noch seinen Anteil an den Haushaltsrechnungen der letzten zwei Monate schuldete.

»Na, darüber können wir uns später Gedanken machen.« Sie schenkte mir ein heiteres Lächeln und schielte auf ihr Handy, das sie umklammert hielt. Es erinnerte mich an einen piepsenden Kanarienvogel; es gab nie Ruhe. Sie nahm einen großen Schluck Cappuccino. »Ich habe einen Termin mit dem Anwalt von Sir Charles Whitworth. Ich muss gleich los.«

»Ich auch«, sagte ich. »Pietro D'Angelis wartet auf keine Frau.« Mit Genugtuung stellte ich fest, dass sie meinen Versuch, Eindruck zu schinden, quittierte, indem sie erstaunt die Augenbrauen hochzog.

»Was? Etwa *der* Pietro D'Angelis?«

»Ja.«

»Du machst seine Maske? Im Ernst?«

»Ja.« Ich saß ziemlich still, während ich mich angesichts meiner Selbstgefälligkeit innerlich wand, überrascht von meinem kleinlichen Versuch, sie zu übertrumpfen. Das wirklich Traurige war, dass Christelle gar nicht versuchte, mit ihren prominenten Klienten anzugeben oder Punkte zu sammeln. Das war einfach ihre Welt, genauso wie das Theater meine war.

Normalerweise erzählte ich nicht viel von der Arbeit. Als schwarzes Schaf einer beruflich äußerst erfolgreichen Familie behielt ich meine Erfolge lieber für mich. Denn einen Sänger zu bepinseln, war eindeutig nicht dasselbe, wie einer Firma bei einer unrechtmäßigen Kündigung Abfindungen in Milliardenhöhe zu sparen.

»Wow. Er ist echt berühmt. Ist das nicht ein bisschen, du weißt schon, einschüchternd?«

Ich lachte. »Mittlerweile nicht mehr, aber«, ich beugte mich vor, um verschwörerisch zu flüstern, »beim ersten Mal hatte ich Angst, ihm das Auge auszustechen, weil meine Hand so gezittert hat!«

Sie lachte ebenfalls, ehe wir beide verwirrt abbrachen, weil wir uns sonst ganz anders verhielten. Christelle sprang auf, nahm ihr Handy, ihre Tasche und ihre Lederhandschuhe, die zu ihrer Tasche und ihren Schuhen passten, beide in einem leuchtenden Eisblau, was mir zuvor nicht aufgefallen war.

Zwei kurze Wangenküsschen, dann trennten wir uns und wandten uns in entgegengesetzte Richtungen, zurück in unsere beiden verschiedenen Welten.

Fünftes Kapitel

Alle, die vom unerwarteten Schneeregen an diesem Abend erwischt worden waren, waren weiß getüpfelt, als sie in den U-Bahnhof eilten und dabei besorgte Blicke zum Himmel warfen. Sie hatten keinen Grund zur Sorge, denn das war kein richtiger Schnee. Ich war in Yorkshire am Rande der Täler aufgewachsen, daher wusste ich genau, wie es war, durch knietiefe Schneewehen zur Schule zu waten.

Als sich die feuchten Leiber zu erwärmen begannen, durchdrang der Geruch nach nassem Hund die volle Bahn auf der Northern Line. Ich stand eingezwängt zwischen einem Mann in einer kakifarbenen Che-Guevara-Jacke, die vom Regen dunkle Flecken hatte, und einem Mädchen in einer schweren Regenjacke, die beim Rumpeln des Zuges raschelte.

Nicht in der Lage, genug Ellbogenfreiheit zu bekommen, um mein Buch zu lesen, zuckte ich wie ein Raucher, der nach Feuer giert.

Obwohl mein unbekannter Mailpartner Liverpool-Fan war, hatte er einen guten Buchgeschmack. Ich hatte vor ein paar Tagen mit *High Fidelity* angefangen und fand es großartig.

Endlich stiegen bei Charing Cross genügend Leute aus, und ich ließ mich auf einen Platz plumpsen. Als sich die Türen schlossen, las ich bereits wie gebannt im zweiten Kapitel.

Bei Waterloo war ich voll und ganz in das Vorstadtleben in den Siebzigern vertieft.

Kennington kam und ging.

Clapham North kam, als ich gerade vor mich hin kicherte, und lange bevor ich bereit war. Ich stopfte meinen Reader in die Tasche und verließ den Sommer 1976, schaffte es gerade noch rechtzeitig durch die Türen, um mich dem Strom von vornübergebeugten Leibern anzuschließen, die sich die Rolltreppe hoch in den bitterkalten Abend kämpften. Überraschenderweise hatten die winzigen Stecknadelköpfe aus kaum vorhandenem Schnee sich in richtige Flocken verwandelt, die wie Federn kreisend heruntergeschwebt kamen. Dennoch bezweifelte ich, dass der Schnee liegen bleiben würde.

Da Felix über Nacht weg war, konnte ich weiterlesen. Ich machte mir Bohnen auf Toast und rührte mit einer Hand die Bohnen im Topf um, während ich in der anderen meinen Reader hielt. Beim Essen blätterte ich nebenbei die Seiten auf dem Touchscreen um. Ich sparte mir den Abwasch, machte es mir auf dem Sofa bequem, wobei ich den Fernseher einschaltete, um ein Hintergrundgeräusch zu haben, und fuhr vollkommen gefesselt mit meiner Lektüre fort.

Die Versuchung juckte mich in den Fingern. Während ich mit halbem Auge eine sehr alte Folge von *Spooks* im Fernsehen anschaute, wechselte ich zur Mail-App auf meinem Reader.

Seit ich das letzte Kapitel beendet hatte, hatte ich in Gedanken die Nachricht formuliert.

Ich war bloß höflich und ließ einen anderen Leser wissen, wie sehr mir seine Empfehlung gefallen hatte.

An: Redsman@hotmail.co.uk
Von: Matilde@lmoc.co.uk
Betreff: Buch

Danke für die Empfehlung. *High Fidelity* ist top. Ich fand es wundervoll, obwohl ich auf dem Heimweg in der U-Bahn ein paar seltsame Blicke geerntet habe. Ich musste immer wieder laut lachen. Genau das, was ich an einem Winterabend wie heute gebraucht habe.

Danke noch mal,
Tilly

Mein Finger schwebte über der Schaltfläche für »Senden«. Hatte Alison so etwas gemeint, als sie sagte, ich würde mich Hals über Kopf in Sachen stürzen? Aber was schadete es schon?

Als einziger Nachteil fiel mir ein, dass er denken könnte, ich würde ihn stalken. Würde meine Meinung ihn interessieren? Andererseits hatte er mir das Buch empfohlen.

An seiner Stelle wäre ich hocherfreut gewesen zu hören, dass jemand ein Buch ebenso gern gemocht hatte wie ich.

Allerdings war er ein Kerl.

Ich stöhnte laut auf. Ich bekam davon Kopfschmerzen. Es war nur eine Mail. Er würde sie lesen, die Augenbrauen hochziehen und denken, *es ist das dumme Mädel, das den Virus geschickt hat,* sie löschen und sich nie wieder damit beschäftigen.

Dennoch … vielleicht würde er sich auch einfach über die Rückmeldung freuen.

Meine Unschlüssigkeit uferte langsam aus. Ich folgte meinem inneren Schiedsrichter und drückte auf Senden. So. Keine Reue.

Ich ließ den Reader sinken und widmete mich wieder *Spooks*. Gerade gab es eine äußerst spannende Szene, und ich blickte gebannt auf den Bildschirm. Der MI5 war im Begriff, zum fünften Mal in dieser Staffel London zu retten.

Zwei Minuten später unterbrach ein Aufblitzen auf dem Bildschirm meines Readers einen lapidaren Austausch zwischen dem Referatsleiter und seinem schießfreudigen Untergebenen – ich hatte Post.

An: Matilde@lmoc.co.uk
Von: Redsman@hotmail.co.uk
Betreff: High Fidelity

Freut mich, dass es dir gefällt. Eines meiner Lieblingsbücher. Und auch ein klasse Film.

Puh, er hielt mich offensichtlich nicht für eine irre Stalkerin.

Kennst du ihn? Das kann man nicht oft sagen, wenn sie einen einwandfreien englischen Schauplatz aufgeben. Das versteh ich echt nicht. Warum haben sie den Plattenladen nicht in England gelassen? Warum müssen Film- und Fernsehfirmen überhaupt die Schauplätze ändern? *Kommissarin Lund? Life on Mars?* Haben wir etwa ein englisches *Friends* gedreht? So was wie *Mates* oder *CSI – Southampton?* Zum Glück hat *High Fidelity* es überlebt. Ich würde den Film empfehlen, falls du ihn noch nicht gesehen hast. Eine der wenigen guten Romanverfilmungen.

R

Okay, er hatte nicht unrecht, was die Schauplätze betraf, aber es gab jede Menge andere Bücher, die die Adaption fürs Kino überlebt hatten. Augenzwinkernd tippte ich:

An: Redsman@hotmail.co.uk
Von: Matilde@lmoc.co.uk
Betreff: High Fidelity

Lieber R,

ich glaube, die Tatsache, dass du ein Liverpool-Fan bist, hat dir möglicherweise den Verstand getrübt. Es gibt massig gute Filme, die auf Büchern basieren:
Was ist mit *Stolz und Vorurteil, Sinn und Sinnlichkeit, Schokolade zum Frühstück, Abbitte?*

M

Sofort kam eine Antwortmail.

An: Matilde@lmoc.co.uk
Von: Redsman@hotmail.co.uk
Betreff: High Fidelity

Wie, keine Verfolgungsjagden im Auto?

Ich kicherte. Langsam klang er wesentlich weniger nach jemandem, der eine graue Strickjacke und Pantoffeln trug.

An: Redsman@hotmail.co.uk
Von: Matilde@lmoc.co.uk
Betreff: High Fidelity

Na gut, was ist mit *Die Bourne-Identität, Casino Royale, Die Stunde der Patrioten!*

Noch eine neue Nachricht.

An: Matilde@lmoc.co.uk
Von: Redsman@hotmail.co.uk
Betreff: High Fidelity

Kommt drauf an, welches *Casino Royale*. Die erste oder die zweite Verfilmung? Ich wette, du bist eines dieser Mädels, die auf Daniel Craig stehen, obwohl Lazenby der Kult-James-Bond ist.

Er hatte doch keine Ahnung.

An: Redsman@hotmail.co.uk
Von: Matilde@lmoc.co.uk
Betreff: High Fidelity

Daniel Craig??? Nein danke. Auf jeden Fall Timothy Dalton!

An: Matilde@lmoc.co.uk
Von: Redsman@hotmail.co.uk
Betreff: High Fidelity

Mir fehlen die Worte.

An: Redsman@hotmail.co.uk
Von: Matilde@lmoc.co.uk
Betreff: High Fidelity

Was stimmt nicht mit ihm?

An: Matilde@lmoc.co.uk
Von: Redsman@hotmail.co.uk
Betreff: High Fidelity

Das einzig Positive, was ich über ihn sagen kann, ist, dass er eines der besten Bond-Girls hatte.

An: Redsman@hotmail.co.uk
Von: Matilde@lmoc.co.uk
Betreff: High Fidelity

Welches?

An: Matilde@lmoc.co.uk
Von: Redsman@hotmail.co.uk
Betreff: High Fidelity

Die blonde Cellistin. Sie sind in ihrem Cellokasten einen Berg hinuntergeschlittert. Ich hab noch nie was von Ian Fleming gelesen – du?

An: Redsman@hotmail.co.uk
Von: Matilde@lmoc.co.uk
Betreff: High Fidelity

Ja, aber ich weiß nicht, ob ich es zugeben sollte. Ich habe einige Bond-Romane gelesen, als ich klein war (sehr frühreife Leserin) – absolut (extrem) unpassend für eine Zwölfjährige.

An: Matilde@lmoc.co.uk
Von: Redsman@hotmail.co.uk
Betreff: High Fidelity

Er hat immerhin *Chitty Chitty Bang Bang* geschrieben.

An: Redsman@hotmail.co.uk
Von: Matilde@lmoc.co.uk
Betreff: High Fidelity

Und du hältst das für einen angemessenen Titel für ein Kinderbuch? Wobei ich das Musical im Palladium großartig fand. Aber du magst bestimmt keine Musicals.

An: Matilde@lmoc.co.uk
Von: Redsman@hotmail.co.uk
Betreff: High Fidelity

Ich hab *Oliver* mal gesehen. Eindeutig kein angemessener Titel für ein Kinderbuch, obwohl ich in diesem Alter in meiner SF-Phase war. Z. B. Isaac Asimov und Ray Bradbury.

An: Redsman@hotmail.co.uk
Von: Matilde@lmoc.co.uk
Betreff: High Fidelity

SF … ach, du meine Güte. Und ich hätte fast gedacht … Allerdings hab ich *Die Frau des Zeitreisenden* gelesen.

An: Matilde@lmoc.co.uk
Von: Redsman@hotmail.co.uk
Betreff: High Fidelity

Die Frau des Zeitreisenden! Das ist doch keine SF.

An: Redsman@hotmail.co.uk
Von: Matilde@lmoc.co.uk
Betreff: High Fidelity

Wieso nicht? Es geht um einen Mann, der in der Zeit hin und her springt. Er ist vielleicht nicht Dr. Who, aber wie kann das keine SF sein?

An: Matilde@lmoc.co.uk
Von: Redsman@hotmail.co.uk
Betreff: High Fidelity

Okay, ich gebe zu, dass ich es nicht gelesen habe, aber es klingt für mich nicht sonderlich nach SF.

An: Redsman@hotmail.co.uk
Von: Matilde@lmoc.co.uk
Betreff: High Fidelity

Du hast *Die Frau des Zeitreisenden* NICHT GELESEN? Schande über dich, a) es ist so schön und b) es ist so schön.
Ich vergaß, dass du ein Kerl bist.
Ich finde, du solltest deinen Horizont erweitern und DFDZ lesen – es ist sehr originell. Falls du das nicht tust, könntest du immer noch auf den anderen Klassiker von Nick Hornby zurückgreifen – *Fever Pitch*.

Darüber musste ich grinsen. Er könnte sich davon angegriffen fühlen zu lesen, wie Arsenal 1992 das Double geschafft und sowohl den Liga- als auch den FA-Pokal gewonnen hatte, und wahrscheinlich war er auch kein Fan von Colin Firth, daher würde ihn die Verfilmung wohl nicht überzeugen.

Das hätte noch die ganze Nacht so weitergehen können, wenn nicht um neun das Telefon geklingelt hätte.

»Hey Frau, ich bin's.« Felix war schon mehrere Tage fort und übernachtete in irgendeinem Nobelhotel in Brighton. Ein Aufenthalt, den er noch um einen Tag verlängert hatte.

»Hi.«

»Alles klar mit dir?«, fragte Felix. Er klang dabei so munter wie immer.

»Ja. Sorry, war ein langer Tag.« Ich versuchte, etwas motivierter zu klingen und nicht so schuldig, wie ich mich fühlte. Ich hatte lediglich mit jemandem im Internet geschrieben, ich hatte nichts Falsches getan, aber ich wusste, dass ich es Felix gegenüber nicht erwähnen würde. »Wie geht's dir? Wann kommst du heim? Und schneit es da unten?« Ich hob den Vorhang und sah enttäuscht, dass nur wenige Flocken über den Himmel tanzten und gegen eine steife Brise ankämpften. Keine Spur mehr von dem leichten Schneefall von vorhin.

»Kein Flöckchen. Vielleicht bleibe ich für immer hier. Ich könnte mich an dieses Hotel gewöhnen. Fünf Sterne sind genau mein Ding«, schwärmte er. »Vielleicht bringe ich dir ein paar Handtücher mit. Herrliche weiße, flauschige.«

»Felix! Das kannst du nicht machen.«

»Die Leute machen so was andauernd«, begann er, mich zu beschwatzen.

»Nein! Lass um Gottes willen die Handtücher da, wo sie sind.« Bei Felix musste man manchmal deutlich werden.

»Dafür könnten wir dann was anderes auf die Hochzeitsliste setzen.«

»Denkst du, wir brauchen so was? In unserem Alter?« Nicht dass wir auch nur damit angefangen hätten, eine Hochzeitsliste zu erstellen. Wir erwähnten ab und zu, dass wir gern eine hätten, aber wir kümmerten uns nie darum. Gleiches galt für die Hochzeit.

»Ohne wäre schon schade.« Er hielt inne. »Ich hatte an so eine Weltraum-Orangenpresse von Philippe Starck gedacht.«

»Das sieht zu sehr nach *Krieg der Welten* aus. So was will ich nicht in der Küche. Ich hätte liebend gern eine von diesen Teasmade-Maschinen. Wir sollten uns Sachen aussuchen, die wir uns nie kaufen würden.«

»Oder benutzen!«, sagte Felix vernichtend. »Du bist doch nicht hundertdrei.«

Wir lachten beide.

»Wir brauchen keine Hochzeitsliste«, schloss ich. Wir hatten so ziemlich alles, was wir brauchten.

»Natürlich brauchen wir eine. Ist das nicht der Grund, warum man heiratet?« Er verstummte. »Vielleicht sollten wir es dann lieber abblasen.«

Stille erfüllte die Leitung.

»Und, wie war –«

»– die Präsentation lief gut.«

Wir unterbrachen einander.

»Oh, schön.«

»Was hast du Freitag vor?« Felix hielt inne. »Würde es dir was ausmachen, wenn ich noch eine weitere Nacht hier unten bliebe? Dann müsste ich mich nicht so durch den Verkehr quälen.«

»Ach, Felix. Am Freitag bin ich früh fertig, ich dachte, wir könnten zur Abwechslung mal was zusammen unternehmen.«

»Ich mach's wieder gut.«

»Das will ich hoffen. Ich muss an diesem Tag den IT-Typen treffen. Danach werde ich Aufmunterung nötig haben.«

Felix brach in Gelächter aus. »Ebenso wie er. Ich hoffe, sie zahlen ihm eine Gefahrenzulage.«

Sechstes Kapitel

Während ich meine Notizen und Skizzen zusammensuchte, schmunzelte ich die ganze Zeit wegen der Antwort hinsichtlich *Fever Pitch* vor mich hin, die heute Morgen eingetrudelt war. Fast eine Woche lang hatte Funkstille geherrscht, und ich hatte angenommen, dies markiere das Ende des Mailaustauschs, doch ich schien mich geirrt zu haben.

Noch ehe ich antworten konnte, war ich in die Arbeit des Tages vertieft. Jeanie wollte Neuigkeiten, wie weit wir mit den Haarteilen für die Ballettkompanie waren, und wir mussten uns beide auf ein Treffen wegen *Romeo und Julia* mit der Ballettleitung und dem Leiter der Kostümabteilung vorbereiten, bei dem wir unsere Maskenentwürfe vorstellen sollten, was bedeutete, dass ich eine vollständige Besetzungsliste und Einzelheiten zu den Farben der Leute sowie die Notizen der Kostümabteilung zur Hand haben musste.

Vince schien nicht stillsitzen zu können. Im einen Augenblick ging er für alle Kaffee holen, im nächsten bot er an, den Dienstplan für die Inszenierung in drei Monaten neu zu machen, dann setzte er sich an die Perücke, die er gerade herstellte, bis er aufsprang, um ein paar Pinsel zu waschen. Die ganze Zeit hielt er sich von mir fern.

Ich nahm mir die Zeit für einen Kaffee und brachte auch Jeanie einen ins Büro.

»Was zum Teufel ist denn mit ihm los?«, fragte sie und beobachtete Vince über den Rand ihrer Kaffeetasse hinweg zutiefst argwöhnisch.

»Ernsthaft?« Ich spähte zu ihm hinüber, er war jetzt damit beschäftigt, jemandem auf seinem Handy zu schreiben. »Offensichtlich hat er heute Abend ein heißes Date.« Obwohl wir normalerweise inzwischen an allen seinen Hoffnungen und Ängsten diesbezüglich teilgehabt hätten. Vince sehnte sich nach wahrer Liebe und ewiger Treue. Er war Romantiker durch und durch.

Jeanie seufzte. »Wer ist es diesmal? Ich mache mir Sorgen um diesen Jungen.« Ihre Finger entfernten einen unsichtbaren Fleck von der Porzellantasse. »Er muss mal zur Ruhe kommen. Er ist langsam ein bisschen zu alt für diese häufigen Partnerwechsel.« Sie war schon lange im Geschäft. Auch wenn es heute nicht mehr so häufig geschah, waren in den späten Achtzigern zu viele ihrer Freunde an Aids gestorben.

»Ich habe keine Ahnung. Das ist ja das Seltsame, er hat in letzter Zeit niemanden erwähnt.« Ich ging im Kopf noch mal unsere jüngsten Gespräche durch. Es hatte keine Hinweise gegeben. »Niemand vom Orchester, so viel weiß ich.« Vince hatte eine Vorliebe für Paukenspieler und Blechbläser. Jedes Mal, wenn ein tourendes Orchester vorbeikam, fand er einen neuen Freund, aber sie blieben immer nur kurz, bis sie zu ihrem nächsten Spielort weiterzogen.

Ich drückte ihr den Arm. »Wir haben ihm den Vortrag zum Thema geschützter Sex oft genug gehalten, alles, was wir tun können, ist für ihn da sein, wenn es in die Brüche gegangen ist.« Wir wünschten uns beide, er könnte »den einen« finden.

»Komisch, dass er nicht viel darüber erzählt hat, wenn es ein Date ist.« Jeanie stellte ihre Tasse ab und starrte nachdenklich zu ihm hinüber. Ich merkte anhand der einstudierten Bewegungen, mit denen er sein Handy überprüfte, dass er wusste, dass wir über ihn redeten.

»Vielleicht wird er langsam erwachsen?«, meinte ich.

Einen Augenblick später brachen wir beide in Gelächter aus. Vince schaute auf, seine Neugier war geweckt, und er sandte ein stummes: »Was?«, quer durch den Raum.

»Ja, und ich kauf mir ein paar Einhörner«, erwiderte Jeanie.

Da mir noch eine Viertelstunde blieb, bis ich runter in die IT-Abteilung musste, schlich ich mich hinüber zum Computer und loggte mich schnell in meine Mails ein. Ich wollte nur nachsehen, ob noch andere Leute auf die Virusmail reagiert hatten.

Wem wollte ich eigentlich etwas vormachen? Ich wollte Redsmans Mail beantworten. Es hatte ihm eindeutig nicht gefallen, dass ich ihm ein Buch über Arsenal empfohlen hatte. Jeanie war noch immer außer Sicht, daher tippte ich eine Antwort.

An: Redsman@hotmail.co.uk
Von: Matilde@lmoc.co.uk
Betreff: AW: !!!!!

Es kann sein, dass wir gerade über meine Leiche sprechen. Ich treffe gleich Seine königliche IT-heit, den Prinzen der Finsternis, den Businesstypen, der im untersten Stock wohnt. Ich soll Computerunterricht erhalten. Sie waren nicht allzu erfreut über den Virus.
Mir ist noch immer nicht ganz klar, wie er bei dir gelandet ist. Hier haben ihn jede Menge Leute erhalten … Du solltest mal meine Klopapier-Pyramide sehen. Die halten sich für einen Haufen Komiker. Was hab ich gelacht … nicht.
Ich muss los. Wenn du nie wieder von mir hörst, schick einen Suchtrupp los, um im Keller zu graben.

M

PS: Liverpool kann sich glücklich schätzen, wenn sie das Spiel diese Woche gewinnen, ganz zu schweigen von irgendeinem anderen.

Ich sah auf die Uhr, ich hatte noch ein paar Minuten Zeit. Ich schlenderte hinüber zu Vince' Besenkammer. Jeder von der Maske hatte eine. Sie war unser Arbeitsraum und mit Regalen, einem langen Arbeitstisch und einem Stuhl sowie einer kleinen Kommode ausgestattet.

»Hi Vince«, sagte ich demonstrativ, als er nicht aufsah.

»Oh, hi«, entgegnete er mit einem falschen strahlenden Lächeln und leuchtenden Augen, als er schließlich den Kopf hob, als hätte er keine Ahnung gehabt, dass ich da war.

Ich seufzte. »Wünschst du mir Glück?«

Vince' Mundwinkel bogen sich nach unten. »Ich bin froh, dass es dich getroffen hat und nicht mich.«

»Ja, er ist verdammt noch mal attraktiver, als gut für ihn ist«, sagte ich mutlos.

»Himmel, Mädchen, reden wir vom selben Mann? Attraktiv?«

»Ja, findest du nicht?«

»Du brauchst 'ne Brille. Er kann Felix nicht das Wasser reichen.« Vince klang ziemlich gekränkt.

»Ich habe nicht vor, untreu zu werden oder so, mir ist nur aufgefallen«, ich zuckte die Achseln, »weißt du, dass er ziemlich nett anzusehen ist.«

»Durchschnitt, Liebes, Durchschnitt.« Vince hob die Nase, hielt jedoch den Blick gesenkt, wobei seine Finger geschickt ein kompliziertes Haarteil flochten. »Es sei denn, du magst so was, schätze ich.« Durch seine strategisch löchrigen Jeans hüpfte sein Knie mit der hektischen Energie klappernder Zähne auf und ab. »Musst du nicht los?«

»Alles okay mit dir, Vince?«

»Ja, warum?«, blaffte er.

»Hast du am Wochenende was Schönes vor? Was machst du heute Abend?« Ich hoffte halb, dass er Zeit hatte. Da ich heute früh fertig war, hatte ich wenig Lust, wieder in der Wohnung alleine zu sein.

»Ich fahre weg.«

»Das hattest du gar nicht erwähnt.«

Vince schürzte die Lippen. »Was? Kontrollierst du jetzt etwa unser aller Sozialleben? Ich muss dir nicht alles erzählen. Es heißt aus gutem Grund Privatleben.«

Ich trat einen Schritt zurück.

Vince teilte wirklich alles aus seinem regen Sozialleben mit der Welt.

Ich hob abwehrend die Hände, sagte »Entschuldigung« und machte umgehend die Fliege.

Während meines strategischen Rückzugs wurde mir klar, dass ich inzwischen spät dran war.

Ich kam zur Tür hereingehetzt, nur um Marcus bereits wartend vorzufinden. Er schien sich alle Mühe zu geben, nicht mit den Fingern auf dem Schreibtisch zu trommeln. Dort standen allerdings zwei Tassen Kaffee.

»Bitte.«

Ich atmete den köstlichen Duft ein, als er mir eine rüberschob.

Mit seinem Kaffee hatte er sich eindeutig ein paar Pluspunkte verdient. »Tut mir leid, dass ich zu spät bin.«

»Ich habe damit gerechnet. Ich sollte wohl dankbar sein, dass Sie überhaupt aufgetaucht sind.« Das betrübte Schulterzucken, das seine Worte begleitete, nahm ihnen jegliche Bosheit. Eine simple Feststellung, die mich sogar noch mehr ärgerte.

»Ich habe meine eigene Arbeit.«

»Ich weiß, deshalb werde ich versuchen, es heute kurz zu halten. Und das hier wird Ihnen helfen, Ihre Arbeit schneller zu machen, sodass Sie mehr Zeit haben werden. Bereit für Ihre erste Unterrichtsstunde?«

»Nicht wirklich. Aber wer A sagt, muss auch B sagen.«

Seine grünen Augen funkelten plötzlich amüsiert, was sein Gesicht verwandelte, woraufhin mein Körper verrücktzuspielen begann. Meine Hormone kaperten jeglichen gesunden Menschenverstand, und mein Puls schoss augenblicklich in die Höhe. Verfluchte Hormone. Was wussten die schon?

Obwohl mir zugegebenermaßen schlagartig bewusst wurde, wie fit er aussah und wie braun gebrannt er war. Ich mochte ihn den Prinzen der Finsternis nennen, aber er war eindeutig sehr viel häufiger in der Sonne gewesen als ich. Mir fiel auf, dass ich zu viel Zeit entweder mit spindeldürren Tänzerinnen oder Sängern mit starkem Zwerchfell und kräftiger Brust verbrachte, sowie mit Leuten, deren Arbeitszeiten hauptsächlich nach Einbruch der Dunkelheit lagen. Die LMOC war meine ganze Welt, und was für eine Welt das war. Die meisten meiner Freunde arbeiteten hier. Jeanie war schon seit Jahren beim Theater und hatte Hunderte unglaubliche Geschichten zu erzählen. Sie hatte mit jedem zusammengearbeitet, der Rang und Namen hatte. Vince kam aus Provinztheatern und hatte weniger Erfahrung, doch er lebte fürs Theater, daher besaß er einen riesigen Bekanntenkreis und kannte viele Angestellte vom Bühnenbild, der Tontechnik und der Requisite. Meine Freunde im Orchester – Philippe, Guillaume, Karla und Angela – hatten schon gefühlt überall auf der Welt gewohnt und stammten aus verschiedenen Ländern und Kulturen, und Leonie und Sasha aus der Kostümbildnerei waren etwas alternativ und sehr unkonventionell. Es war leicht für uns, so viel Zeit zusammen zu verbringen, weil wir nicht nur die Liebe fürs Theater teilten, sondern auch zu ähnlichen Zeiten arbeiteten.

»Setzen Sie sich. Oder darf ich Du sagen?« Ich nickte. Er deutete auf den Stuhl neben sich, und ich merkte, dass er die Anordnung auf seinem Schreibtisch verändert hatte, sodass wir uns jetzt seinen Bildschirm teilen konnten, wobei ich am Rande des Schreibtisches saß. »Wer weiß, vielleicht lernst du ja etwas.«

Launisch wie ein Teenager sank ich auf den Stuhl. Es gefiel mir nicht, wie er mich auf dem falschen Fuß erwischte. Dadurch fühlte ich mich fehl am Platz. Das hier war meine Welt. Mein Platz. Ich fand es furchtbar, mich so zu fühlen. Es bewirkte, dass ich mich noch kindischer verhielt.

»Ich weiß schon. Ich werde nichts Nützliches lernen, weil es nicht nötig ist.«

Er lehnte sich zurück, verschränkte die Arme und hob arrogant eine Augenbraue. Ich fühlte mich, als wäre ich fünf.

»Okay, wie wäre es, wenn du mir ein paar Sachen beibringst?«

Ich witterte eine hinterlistige Chefstrategie, was hieß, dass er versuchte, mir Honig ums Maul zu schmieren. Ich war nicht blöd.

»Wie zum Beispiel?«

»Wie viele Perücken habt ihr in der Abteilung?«

Ich zuckte die Schultern. »Keine Ahnung.«

»Okay, wie viele sind es in der aktuellen Inszenierung von *Don Giovanni?*«

»Ich bin beeindruckt, du weißt, was gerade läuft.« Meine spitze Bemerkung saß, und ich sah, wie sein Auge ganz leicht zuckte. Es sorgte dafür, dass es mir etwas besser ging, und dann schämte ich mich dafür. Es war gemein. Er war neu in dem Job. »Es gibt acht Hauptrollen, jeder der Männer hat mehrere Perücken, und die Frauen haben Haarteile. Und manche aus dem Chor tragen ebenfalls eine Perücke. Speziell für diese Inszenierung haben wir schätzungsweise siebzehn für die Hauptdarsteller sowie ein paar als Ersatz, falls sie ein bisschen unordentlich werden und wir keine Zeit haben, sie neu zu machen.«

»Wie sieht es bei *Romeo und Julia* aus?«

»Du hast dich vorbereitet. Wir haben fünf für Julia, das heißt für die Primaballerina und ihre Zweitbesetzung, sowie fünfunddreißig Haarteile für die Ballettkompanie. Perücken für die älteren männlichen Hauptrollen und die Amme. Ich denke, wenn wir fertig sind, werden es etwa fünfzig sein.«

»Und führt ihr ein Verzeichnis eurer Sachen? Behaltet ihr alle? Werden sie wiederverwendet?«

»Wir haben früher immer Polaroidfotos davon gemacht und diese abgeheftet. Das war die einfachste Methode, obwohl es oft auch jemanden gibt, der sich an eine lange zurückliegende Inszenierung erinnert. In dem Fall gehen wir die alten Polaroids durch und schauen dann im Lagerraum nach. Leider hält sich die Farbe nicht allzu gut.«

»Polaroids?« Seine Miene sprach Bände. »Ihr habt keine Digitalkamera?«

»Oh doch«, sagte ich, plötzlich erleichtert, dass ich ihn in dieser Hinsicht beruhigen konnte. »Wir haben sie oft benutzt.« Scheiße. »Also, das heißt, bis sie voll war. Sagen wir einfach, das funktioniert für uns nicht.«

»Voll?« Marcus' Stimme klang misstrauisch.

»Ja, du weißt schon. Wenn da steht, es gäbe keinen Platz mehr.« Ich zog die Schultern hoch. »Als wir versucht haben, etwas Platz zu schaffen, haben wir versehentlich alles gelöscht, deshalb beschlossen wir, sie nicht mehr zu verwenden. Wir haben ein kleines Karteikartensystem, in dem wir Beschreibungen notieren.« Wenn wir daran dachten oder die Zeit hatten.

Marcus schloss die Augen und bewegte die Lippen. Vermutlich sandte er gerade ein Stoßgebet los. Doch vielleicht fluchte er auch einfach nur.

Nachdem er seine ziemlich passenden Manschettenknöpfe, die wie Pfundzeichen geformt waren, gründlich inspiziert hatte, schluckte er schwer und machte sich rasch ein paar Notizen.

»Und ihr stellt sie alle im Haus her?«

»Was?« Ich war immer noch auf den Stift und das Notizbuch konzentriert und fragte mich, was er aufgeschrieben hatte. Ich konnte mir nicht vorstellen, dass es etwas Positives war.

»Die Perücken. Stellt ihr sie alle selbst her?«

»Nein, nicht alle. Es kommt drauf an, wie viele benötigt werden. Wir haben Stückarbeiter, die einige übernehmen.«

»Also, wie regelt ihr das alles? Wer was macht? Bis wann es fertig sein muss? Was bereits fertig ist?«

»Hm, es ist manchmal schon etwas stressig.« Verdammt, jetzt hatte er mich. Aber ich würde nicht ausführlicher werden und zugeben, dass wir in der Vergangenheit schon einige größere Panikzustände erlebt hatten. Weil es keine Rolle spielte. Wir hatten schließlich immer alles rechtzeitig hingekriegt.

»Wirklich?« Er musterte mich so zweifelnd, dass ich das Gefühl hatte, er sähe direkt in mich hinein und würde erkennen, dass ich es vermied, die ganze Wahrheit zu sagen.

»Ja, okay«, gab ich nach. »Es ist *sehr* stressig, aber es klappt.«

»Aber es könnte besser klappen. Weniger stressig sein.«

»Wie, willst du etwa einen Zauberstab schwenken?«

»Nein, aber ich könnte mir ein System einfallen lassen, um euch zu helfen. Ein Projektmanagement-Paket.«

Es klang zu gut, um wahr zu sein. »Was hast du davon?«

Er legte seinen Stift ab und warf mir einen ernsten Blick zu. »Mit dir ist es, als wollte man eine Kiste zorniger Kätzchen hüten. Ob du's glaubst oder nicht, ich versuche, uns beiden zu helfen. Was ich davon habe? Dass du einen Computer vielleicht mit ein bisschen mehr Respekt behandelst, anstatt einfach den Stecker rauszuziehen, wenn er nicht tut, was du willst.«

»Das ist nur einmal passiert«, sagte ich. »Es war einfach Pech, dass du in dem Moment reingekommen bist. Ich hatte so was vorher noch nie gemacht.«

»Pech? Achtlosigkeit, würde ich sagen.«

Ich betrachtete ihn kurz mit zusammengekniffenen Augen. »Oscar Wilde, *Ernst sein ist alles?*«

»Ich war ein paarmal im Theater. Auch wenn du das vielleicht glaubst, bin ich kein totaler Kulturbanause.«

»Das habe ich nicht behauptet.« Obwohl, wenn ich so drüber nachdachte, hatte ich das vielleicht doch. Der Satz beschäftigte mich.

»Wir schweifen ab. Ob es nun das erste Mal war oder nicht, es hat deinen vollständigen Mangel an Respekt vor Computern oder an Verständnis dafür demonstriert.«

Jetzt war wohl nicht der richtige Zeitpunkt, um damit herauszurücken, dass ich das CD-Laufwerk oft als Halter für meinen Kaffee benutzte, wenn ich gerade an einem komplizierten Haarteil arbeitete. Wenn ich Kaffee über das teure Menschenhaar schüttete, das wir verwendeten, würde Jeanie mich umbringen.

Auf einmal stand er auf und verließ den Platz hinter dem Schreibtisch. »Erzähl mir von deinem typischen Tag.« Marcus' plötzlicher Kurswechsel brachte mich kurz aus dem Konzept, bis mir klar wurde, dass er nicht nach meinem morgendlichen Duschritual fragte, sondern nach meinem Arbeitstag.

»Wir haben Schichtdienst. Wir müssen erst ein paar Stunden vor Vorstellungsbeginn im Theater sein. Aber es gibt auch Proben und Nachmittags- und Abendvorstellungen, daher variieren unsere Zeiten. Wir arbeiten nicht streng nach der Uhr.«

Wir alle lebten für die Arbeit. Die meisten von uns hätten wahrscheinlich auch umsonst gearbeitet.

»Erzähl mir, was du gestern gemacht hast.«

»Die erste halbe Stunde habe ich damit verbracht, Haarbürsten zu reinigen, Schwämme auszuwaschen und Stifte zu spitzen.« Nichts, wobei ein Computer hilfreich sein konnte, und der Blick, den ich ihm zuwarf, drückte diesen Gedanken aus. Seine Lippen bogen sich zu einem kleinen Lächeln.

Ich verzog das Gesicht, als ich mich daran erinnerte, dass der gestrige Tag ein ziemliches Fiasko gewesen war. »Ich musste kurz weg, um hellen Pfannkuchen zu holen, weil er uns komplett ausgegangen war. Dann –«

»Kommt das öfter vor?« Sein Gesicht war ernst, als er die Frage stellte.

Ich hob die Schultern. »Nur sehr selten«, log ich. »Nur weil wir diesen eigentlich nicht allzu oft benutzen. Danach hatten wir eine Lieferung vom Großhändler, die ich zusammen mit Vince auspacken musste.« Von der wir vergessen hatten, dass sie kommen sollte, und die uns aufhielt, da die Kisten den Großteil unseres Arbeitsraums einnahmen, bis wir alles weggeräumt hatten.

»Was für eine Lieferung?«

»Zeug für die Haare. Du weißt schon, Haarklemmen, Haarnetze, Haarspray, Schaumfestiger. Wir verbrauchen massig davon.«

»Und wie bestellt ihr all das?«

»Die Leute vom Großhandel sind ganz gut darin, uns regelmäßig anzurufen, und dann geben wir einfach eine Bestellung auf. Was?«

Er verzog nicht direkt die Miene, dennoch sah ich genau, was in seinem Kopf vorging.

»Man kann nie zu viele Haarnadeln haben«, konterte ich.

»Es klingt einfach nicht sonderlich«, er ließ seinen Kuli klicken, »organisiert.«

Wäre ich eine Katze gewesen, hätte ich einen Buckel gemacht und ihn angefaucht.

»Willst du damit sagen, dass wir nicht professionell arbeiten?« Ich spürte, wie sich störrische Falten um meinen Mund legten. Was hatte dieser Mann nur an sich, dass ich in so ein kindisches Verhalten verfiel?

»Nein, ganz und gar nicht.« Er blickte entnervt drein. »Aber ich erkenne jetzt schon Möglichkeiten, wie ich euch helfen könnte. Der Computer ist nicht dein Feind, aber er ist nur dein Freund, wenn er tut, was du brauchst. Ihn zu benutzen, könnte sich als enorm hilfreich erweisen. Er könnte dir dabei helfen, die Sachen zu bestellen, die ihr braucht, sodass sie euch nicht mehr ausgehen.

Zum Beispiel könnte er euch rechtzeitig darauf hinweisen, wenn euer Pfannkuchen zur Neige geht … was ist das überhaupt?« Er lächelte selbstironisch, wobei seine grünen Augen auffunkelten. »Du meinst vermutlich nicht die Sorte, die man mit Ahornsirup isst.«

Mir sträubten sich kurz die Haare, und dann wurde mir klar, dass er wirklich keine Ahnung hatte, was ich meinte. Vielleicht war es an der Zeit, dass ich mit dem Kerl etwas nachsichtiger umging.

»Grundierung. Make-up-Grundierung. Sie wird nicht mehr aus Pfannkuchenteig gemacht, aber wir nennen sie immer noch so. Ich glaube, einige unserer Primadonnen würden ziemlich wütend werden, wenn wir versuchen würden, ihnen etwas ins Gesicht zu schmieren, das sich mit Ahornsirup kombinieren lässt.«

»Das dachte ich mir.«

Okay. Punkt für ihn. Ich sah ja, dass er helfen wollte, aber wirklich, bei uns lief alles prima.

»Wir sind tatsächlich ziemlich gut darin«, setzte ich an, »wobei es wahrscheinlich schon hilfreich sein könnte, irgendeine Liste der Dinge zu führen, die wir dahaben.«

»Hast du jemals eine Tabelle verwendet?«, fragte er grinsend.

»Jetzt versuchst du mich nur mit Wissenschaft zu blenden. Ich hasse die verdammten Dinger.«

Ich starrte auf das sehr edle, in Leder gebundene Notizbuch, als er schnell etwas mit einem silbernen Kugelschreiber der Marke Cross aufschrieb.

Es erinnerte mich an meine Mutter. Sie verwendete immer Kulis von Cross und Notizbücher von Smythson. Marcus würde ihr vermutlich gefallen.

»Du siehst schon wieder sauer aus«, bemerkte er.

»Tut mir leid, ich habe an meine Mutter gedacht, das hat immer diese Wirkung auf mich.«

Er sah verdutzt aus. »Hm. Okay. Ich habe ein paar Ideen für Software und Bestandsverwaltungsprogramme, um euch zu helfen, euer Inventar zu handhaben, die leicht zu implementieren wären und – das verspreche ich dir – auch einen praktischen Nutzen hätten. Sobald sie installiert sind und du weißt, wie man sie verwendet, wirst du dich fragen, wie du jemals ohne sie zurechtgekommen bist.« Er schenkte mir ein schiefes Grinsen. »Wir können einige Lösungen von der Stange betrachten, die sich rasch und mühelos installieren lassen.« Seine Miene wurde nüchtern. »Die schwierigen Aspekte werden dich betreffen, und du wirst dich dafür ins Zeug legen müssen. Letztlich hängt der Erfolg vollständig von dir ab. Es wird sehr viel Einrichtungsarbeit geben, Daten und Informationen müssen eingegeben werden. Es muss eine Bestandsaufnahme stattfinden.«

Ich setzte mich aufrechter hin und schüttelte den Kopf.

»Ich habe keine Zeit. Wie gesagt, verwalten wir unsere Lieferungen gut.« Und die Vorstellung, dass das alles meine Aufgabe sein sollte, jagte mir eine Heidenangst ein. Ich wollte das nicht übernehmen. »Zu dieser Jahreszeit haben wir sehr viel zu tun. In drei Wochen läuft *Der Nussknacker* an, wir sind total ausgelastet. Ich werde einfach nicht die Zeit finden.«

Seine Augen wurden schmal.

»Willst du das Alison Kreufeld erzählen?«

Siebtes Kapitel

Mein Tag wurde kein bisschen besser. Nachdem ich widerwillig einem weiteren *Informationsaustausch* mit Marcus in der nächsten Woche zugestimmt hatte, ging ich zurück in die Maske, wo Vince kaum ein Wort mit mir wechselte, und als Pietro für seinen Einruf auftauchte, schien er vollkommen neben sich zu stehen.

»Ist alles in Ordnung?«, fragte ich. Dumme Frage, denn jeder im näheren Umkreis konnte spüren, dass er nahezu vor Zorn sprühte.

Er warf sich in den cremefarbenen Lederstuhl vor den gut beleuchteten Spiegeln, und ein finsterer Gesichtsausdruck legte seine Stirn in tiefe Falten. Leonie eilte ihm in die Maske hinterher und versuchte noch, seine kunstvoll verzierte Brokatjacke zu schnüren. Sie warf mir einen besorgten Blick zu, als er sich ihr missmutig fügte, band die Bänder und richtete die aufwendigen Besätze an Hals und Ärmeln. Sie arbeitete mit abgehackten Bewegungen, verkniffenen Lippen und angespanntem Kinn. Pietro starrte sich wie versteinert im Spiegel an.

Oh Gott, ich musste ihn heute Abend pünktlich auf die Bühne bekommen. Mir war leicht übel, als ich mein Schwämmchen mit Grundierung betupfte. Es war, als müsste man einem Drachen, der jederzeit Feuer speien und einem die Augenbrauen absengen konnte, von Angesicht zu Angesicht gegenübertreten. Wenn er sonst nichts tat, würde ich mich glücklich schätzen. Noch eine Stunde, bis der Vorhang aufging, und er war längst noch nicht eingestimmt. Egal wie viele Tonleitern er im Aufzug anstimmte, es würde nichts bringen, wenn er nicht anfing, sich geistig in seinen Charakter zu versetzen. Schauspieler, Sänger und Tänzer bereiteten sich alle vor, ehe sie die Bühne betraten. Sie nutzten ganz verschiedene Methoden, um sich einzustimmen. Für manche war es sehr locker und eine Sache von fünf Minuten. Andere wiederum fingen schon an, über ihre Rolle nachzudenken, sobald sie das Theater betraten. Tänzer wärmten sich auf und dehnten ihre Muskeln. Sänger begannen, sich einzusingen, Atemübungen zu machen, gingen Tonleitern durch und trainierten mit dem Mund und den Wangen, um alle musikalischen Säfte in Fluss zu bringen.

Pietro bereitete sich normalerweise mit penibler Gründlichkeit vor. Beim letzten Mal hatte der Anruf ihn unterbrochen, aber da hatte er sich bereits in seinen Charakter hineinversetzt. Dieses zombiehafte, grüblerische Schweigen machte mich zunehmend nervös.

Ich näherte mich ihm mit großer Vorsicht und achtete auf seine Signale. Offensichtlich wollte er nicht reden.

Ohne Blickkontakt aufzunehmen, beschäftigte ich mich mit meiner Ausrüstung und machte mich dann ohne weitere Vorrede direkt an die Arbeit, wobei ich sein Gesicht mit raschen Bewegungen betupfte, die Grundierung verteilte, um meine leere Leinwand zu erschaffen, und mich dabei bis zu seinen Haarwurzeln vorarbeitete. Danach bürstete ich ihm die Haare und trug eine leichte Wachsschicht auf, ehe ich sie ihm aus dem Gesicht steckte, sodass die lange Perücke platziert werden konnte.

Er knurrte, als ich sie zurechtzupfte und dann Haarnadeln fest durch das Netz schob, um sicherzustellen, dass sie nicht verrutschte.

Er schloss die Augen und hielt sie weiterhin geschlossen, als ich mit der eigentlichen Arbeit begann, die Lider schattierte und mit Kajal umrandete.

Als er sie öffnete, verkrampfte sich mir vor Mitgefühl das Herz. Verzweiflung verdunkelte seinen Blick.

»Oh Pietro, ist mit dir alles in Ordnung?«, fragte ich zum wiederholten Mal, nicht in der Lage, mich zurückzuhalten. Ich hatte ihn noch nie so niedergeschlagen gesehen.

»Nein, mein bastardo Schwager hat gerade mehr Geld verlangt«, flüsterte er. »Und mein Agent meint, er kann keine einstweilige Verfügung erwirken. Ich werde den kleinen Drecksack erneut bezahlen müssen.«

Als Pietro schließlich auf die Bühne schritt, gesellte ich mich zu Jeanie und Vince auf der Seitenbühne und ließ einen gewaltigen Seufzer entweichen, wobei ich spürte, wie die Anspannung aus meinen Schultern wich. Ich hatte ihn dorthin gebracht, auch wenn ich mir nicht sicher war, ob ich ihm damit einen Gefallen getan hatte. Als sich der Vorhang hob, erhaschte ich einen Blick auf Alison, und sie nickte mir anerkennend zu. Es munterte mich kein bisschen auf.

Ich beobachtete beklommen, wie er sich mitten auf die Bühne stellte und zu singen begann.

»Gott, war das schrecklich«, murmelte ich Jeanie ins Ohr.

»Was war mit ihm los?« Ihre leise Stimme war kaum zu hören. »Ich glaube, ich habe ihn noch nie so gesehen.«

Ich schüttelte nur den Kopf, nicht in der Lage, den Blick von ihm zu wenden. Wir sahen zu, wie er sich auf der Bühne bewegte. Er traf die Töne nicht, und seine Bewegungen wirkten steif. Er verpasste ein paarmal seinen Einsatz, was dem Publikum wahrscheinlich nicht auffiel, doch ein Schauer der Beunruhigung durchlief die Leute auf der Seitenbühne.

Nach zehn Minuten waren es Pietros vollendete Professionalität und sein angeborenes Talent, die ihm die Haut retteten.

Als wir nach der Vorstellung den Bereich hinter der Bühne verließen, um auf eine Tasse Tee in die Kantine zu gehen, konnte ich schließlich erleichtert aufatmen.

»Scheiße.« Jeanie wandte sich mir zu. »Das war ganz schön brenzlig.«

»Er hatte ein paar schlechte Nachrichten erhalten«, wich ich aus. »Du weißt schon, ich habe dir doch von dem Porno erzählt.«

Ich informierte sie über seine jüngsten Befürchtungen.

»Der Drecksack. Seine eigene Familie«, sagte Jeanie, als wir uns in die Schlange stellten. »Aber es ist besser, wenn es nicht in der Zeitung landet. Die Nachricht würde sich im Internet verbreiten wie ein Lauffeuer.«

»Genau darüber macht er sich Sorgen. Dass er den Geist nie mehr zurück in die Flasche bekommt.«

»Du hast ihn auf die Bühne geschafft.« Jeanie klopfte mir anerkennend auf die Schulter. »Das ist die Hauptsache. Alles Teil unserer Arbeit. Du bist gut mit ihm umgegangen. Hast ihn nicht unter Druck gesetzt. Ich glaube, wenn irgendjemand anders das getan hätte, wäre er explodiert.«

»Kannst du das vielleicht Alison Kreufeld erzählen?«

»Sie hat es selbst gesehen.«

»Ja, und wahrscheinlich hat sie auch gesehen, wie schlecht er die ersten zehn Minuten war, und das wird sie ebenfalls mir anlasten.«

»Sie ist nicht so schlimm, weißt du. Sie bewertet dich bloß.«

»Ja, sicher. Könntest du also vielleicht mal mit ihr reden ...?«

Sie schaute mich nicht mal an.

»Du weißt doch noch gar nicht, worum ich bitten wollte«, heulte ich.

»Tilly, du kümmerst dich um diese Rechnergeschichte und damit basta.« Verflixt, ich hätte sie um alles Mögliche bitten können. Woher zum Teufel wusste sie, dass es diese Sache war, aus der ich mich herauswinden wollte?

»Aber es liegt mir nicht und wird Ewigkeiten dauern und total langweilig sein ... Ich will es nicht machen.«

Sie bedachte mich mit diesem ganz speziellen Blick. Ich schreckte zurück. »Der Virus war eine einmalige Angelegenheit. Das passiert mir nicht noch mal.«

»Nein, wird es nicht, weil du eine Schulung und Unterstützung von den IT-Leuten erhältst.«

»Warum kann Vince es nicht machen?« Ich wandte mich ihm zu. »Du hättest ziemlichen Spaß daran, oder?«

»Nicht wirklich, ich komme auch so prima klar.« Verschlossen konzentrierte er sich auf den Fußboden.

»Hmpf.« Ich verschränkte die Arme.

»Kommt, ihr zwei. Wir haben einiges aufzuräumen.«

»Aber heute haben wir früher frei«, protestierte Vince. »Nun … es ist …« Er verstummte, zweifellos wegen Jeanies eisigem Blick. »Ich habe … es ist …«

Jeanie machte auf dem Absatz kehrt und warf geradezu hoheitsvoll den Kopf zurück, ehe sie mit militärisch klackernden Schuhen vor uns den Gang entlangmarschierte.

»Jetzt hast du's geschafft«, flüsterte ich Vince zu. Wenn Jeanie erzürnt war, kam man nicht gerade schnell nach Hause.

»Nur weil sie seit fünfzigtausend Jahren keinen Sex mehr hatte, braucht sie mir nicht ein bisschen Spaß zu missgönnen.«

»Oooh, wo geht's hin?«

Er hielt inne, plötzlich wich er meinem Blick aus.

»Du hast ein Date«, beschuldigte ich ihn.

»Nein.« Er schürzte die Lippen zu dem auffälligen Schmollmund, der mir immer verriet, dass er log.

»Doch, hast du. Ich merke es.«

»Nein. Hab. Ich. Nicht.« Er verschränkte die Arme und sah mich wütend an, ehe er knurrend ergänzte: »Ich treffe mich nur mit einem Freund. Tilly, manchmal weißt du einfach nicht, wann es genug ist.« Er hielt inne, und ich sah Schmerz in seinem Blick aufblitzen. »Ich treffe mich mit einem Freund. Okay. Das ist alles.«

Ich trat zurück, als hätte er mich geschlagen. »Es … es tut mir leid.«

»Na, das sollte es auch«, fauchte er. »Für dich ist es leicht. Du weißt gar nicht, was für ein verdammtes Glück du hast. Du hast alles.«

Ich wartete einen Augenblick, als er durch den Gang davonging und Jeanie zum Aufzug folgte, fast versucht, einzuknicken und in Tränen auszubrechen.

An: Matilde@lmoc.co.uk
Von: Redsman@hotmail.co.uk
Betreff: Niederlage

Hi Tilly,

meine Güte, wahrscheinlich wünschst du dir jetzt, in einem tiefen Erdloch zu versinken.
Deine Jungs haben gestern ein katastrophales Ergebnis eingefahren. War miese Stimmung in deiner Straße in Camden?

Achtes Kapitel

Ich streckte mich, die Sehnsucht nach einer Tasse Tee war stärker als der Drang weiterzuschlafen. Es wäre wirklich schön gewesen, so ein Teasmade-Ding zu haben.

Ich stupste Felix an, der sich schlafend stellte.

»Es ist noch nicht mal sieben, Frau«, stöhnte er und vergrub sich wieder unter der Bettdecke.

Ich stupste ihn erneut an. Es war nicht meine Schuld, dass er bis in die Puppen unterwegs gewesen war.

»Du weißt, was heute für ein Tag ist, oder?« Ab und zu putzten wir sonntags die gesamte Wohnung, meist ehe Judith, Felix' Mutter, zu Besuch kam, aber manchmal auch um unserer eigenen Gesundheit willen, und heute war Letzteres der Grund.

»Ja, es bedeutet, dass du total ausflippst, über mich herfällst und nur noch an Gummihandschuhe denkst«, er lachte schläfrig, »das klingt aufregender, als es ist.«

»Im Ernst, Felix, wir müssen mal Klarschiff machen. Die Spinnweben hängen hier schon seit letztem Jahr vor Weihnachten.«

Es sah langsam ein bisschen verwohnt aus, als müsste ordentlich Hand angelegt werden. Der Wasserhahn in der Küche tropfte, eine Kochplatte war kaputtgegangen, und eine der Fensterscheiben im Wohnzimmer hatte einen großen Sprung.

»Wirf ein bisschen Glitzer rein, dann zählen sie als Deko.«

Meine Miene hellte sich auf. »Tolle Idee, aber es ist noch ein bisschen früh dafür.« Weihnachten war erst in einem Monat, was mir ewig vorkam, aber die Zeit würde schnell vergehen.

»Dann können wir ja im Bett bleiben und brauchen uns keine Sorgen zu machen.« Er machte Anstalten, sich umzuwälzen und sich wieder unter der Decke zu verkriechen.

»Felix, im Wohnzimmer liegen Wollmäuse so groß wie kleine Elefanten, die Spüle trotzt dem Konzept von Edelstahl, und der Boden im Flur ist so klebrig, dass die Leute von UHU demnächst vorbeikommen, um unser Geheimrezept herauszufinden.«

Er zog sich die Decke noch weiter über den Kopf.

»Wenn wir nicht aufpassen, nominieren sie uns noch für eine dieser schrecklichen *Wie sauber ist dein Haus?*-Shows.«

»Okay, okay. Ich hab ja verstanden. Ich stehe auf.«

»Ich fange mit Staubsaugen an, du übernimmst die Küche, und …«, ich warf einen kurzen Blick auf den Wecker, »ich mache den Flur, während du die Dusche putzt. Du bist dran.«

Er zog eine Augenbraue hoch. »Und dabei schaust du dir *Das Spiel des Tages* an?«

Ich versuchte, unschuldig auszusehen, und kroch schnell aus dem Bett. Erwischt. Die Wiederholungen riefen.

»Multitasking.« Ich zuckte die Achseln, wobei ich in ein Gammelshirt und Leggings schlüpfte. »Ich nehme es auf, damit ich die Höhepunkte erwische, während ich die marodierenden Elefanten zusammentreibe.«

»Ich dachte, Arsenal hätte verloren.«

»Das stimmt, aber …« Ich war einer dieser traurigen Gestalten, die das Fiasko mit ansehen mussten.

Als ich schließlich beim Flur war und mich schon leicht verschwitzt und schmuddelig fühlte, fand ich, dass ich etwas Fußball zur Belohnung verdient hatte.

Ich schaltete den Fernseher ein, während ich den Staubsauger mit allem erforderlichen Zubehör ausstattete, um mich über das riesige Spinnennetz herzumachen, das sich über die Zimmerdecke erstreckte und an der Bilderschiene hing.

Der Fußball deprimierte mich noch mehr, obwohl Redsmans frohlockende Mail mich zum Lächeln brachte. Liverpool hatte gestern sein Heimspiel mit drei zu null gewonnen. Ganz im Gegensatz zu Arsenal. Die Mannschaft hatte es zugelassen, dass sich ihr sicher geglaubter Sieg in der neunundachtzigsten Minute in eine Niederlage verwandelte.

An: Redsman@hotmail.co.uk
Von: Matilde@lmoc.co.uk
Betreff: AW: Niederlage

Schaust du zufällig *Das Spiel des Tages?* Du weißt ja, wie es so schön heißt, *»you only sing when you're winning«*.
Camden? Ich wohne in Clapham, das ist nicht so hipster.
Tilly

An: Matilde@lmoc.co.uk
Von: Redsman@hotmail.co.uk
Betreff: AW: AW: Niederlage

Würde liebend gern *Das Spiel des Tages* schauen, habe aber eine heiße Verabredung mit einer Harry-Potter-DVD und meiner Nichte und meinem Neffen, die seit 6.30 auf den Beinen sind.
Clapham? Schickes Schneckchen.

An: Redsman@hotmail.co.uk
Von: Matilde@lmoc.co.uk
Betreff: AW: AW: AW: Niederlage

Ich liebe eine nette Dosis Harry Potter, ich hab alle Bücher gelesen … und kann nicht mal als Ausrede behaupten, dass ich Nichten und Neffen hätte.

Clapham North, der weniger angesagte Teil. Trewgowan Road, entschieden unschick.
Tilly

An: Matilde@lmoc.co.uk
Von: Redsman@hotmail.co.uk
Betreff: Harry Potter

Zeit für ein Geständnis.
Ich gehörte zur großen Gruppe der Kritiker und habe die Augen verdreht, wenn ich in der U-Bahn Erwachsene mit den Büchern gesehen habe, bis ich erwähntem Neffen ein Kapitel aus *Harry Potter und der Gefangene von Askaban* vorlesen musste. Natürlich verstand ich überhaupt nichts, aber ich war so gefesselt von dem ganzen Hogwarts-Ding, dass ich losziehen und mir die ersten beiden Bände kaufen musste. Der Rest des Wochenendes war dahin (gut, dass ich allein lebe – ich hab zwei Tage lang das Sofa nicht verlassen). Und seitdem bin ich ein Fan (ich hab sogar in der Nacht, als *Die Heiligtümer des Todes* rauskam, bei Waterstones in der Schlange gestanden – obwohl das vielleicht auch was damit zu tun hatte, dass ich zu dem Zeitpunkt zufällig aus dem Pub gewankt kam).

Ich kicherte beim Lesen. Genau wie Jeanie vermutet hatte, wohnte er allein. Aber er klang nicht mehr ganz so langweilig, nicht dass er mir je so erschienen war. Ich las weiter und ignorierte die wartende Hausarbeit. Das hier machte mehr Spaß.

Schönes Wochenende – deins ist bestimmt besser als meins. Der zuvor erwähnte Neffe und die überaus altkluge vierjährige Nichte werden erst heute Nachmittag abgeholt. Heute Abend um sechs werde

ich nur noch ein Schatten meiner selbst sein. Das letzte Mal, als Meg (meine Nichte) da war, hat sie meinen gesamten Vorrat an aussortiertem Rasierwasser, das ich zu Weihnachten bekommen hatte, dazu benutzt, ihren eigenen einzigartigen Duft zu kreieren (man hätte ihn als *Gigolo's Boudoir* vermarkten können), den sie dann überall in meinem Schlafzimmer verteilt hat, weil »Mummy meinte, es riecht nach alten Socken und Unterwäsche«. (Tut es übrigens nicht.)
Ist ja witzig, ein Freund von mir wohnt auch in dieser Straße. Nummer 16, was ist deine Hausnummer?

Die Küche konnte noch ein bisschen warten. Ich zog den Sessel heran und schrieb ihm eine Antwortmail.

An: Redsman@hotmail.co.uk
Von: Matilde@lmoc.co.uk
Betreff: Harry Potter

Ich wollte gerade putzen und aufräumen, könnte sein, dass ich dafür einen Schutzanzug brauche. Alte Socken oder Unterhosen lauern nirgends, nur das Blut und der Schweiß eines ganzen Jahres von einer Spinnenarmee. Ich würde sehr viel lieber lesen. Hoffe, der Tag mit den kleinen Verwandten verläuft gut.
Die Welt ist wirklich klein, ich wohne gegenüber, Nummer 21, wer weiß, vielleicht komme ich jeden Tag auf dem Weg zur Arbeit an deinem Freund vorbei.

Mx

Ich hielt inne. Ohne nachzudenken, hatte ich das x dahinter geschrieben. X oder kein x?

Ich löschte es. Und tippte es dann wieder. Dann löschte ich es erneut.

Um Himmels willen, es war eine Mail an einen Freund. Ein freundliches x war völlig in Ordnung. Ich setzte es wieder ein und drückte auf Senden, ehe ich es mir anders überlegen konnte.

Ich schlenderte in die Küche, wo ich Felix auf seinem Handy schreiben sah. Er steckte es schnell in die hintere Hosentasche und setzte einen unschuldigen Blick auf. Ich konnte kaum etwas sagen, schließlich hatte ich selbst rumgetrödelt.

Ich grinste ihn an. »Wie läuft's bei dir?« Ich schnippte einen der Brotkrumen weg, die auf dem Küchentisch verteilt waren. »Mir ist langweilig.«

Er schenkte mir ein spitzbübisches Lächeln. »Was ist mit Frau ›Wir müssen für die Olympiade putzen‹ passiert?«

»Ich habe mich für Bronze qualifiziert, das muss reichen. Komm, ich helf dir.«

Zwanzig Minuten später, als die Küche ordentlich war, streckte ich mich und rieb mir den schmerzenden Rücken. Der Boden war sauber. Die Spüle freigeräumt und der Tresen abgewischt.

»Können wir jetzt in den Pub gehen?«, versuchte Felix, mich zu überreden, und machte ein albernes Gesicht. »Bitte, bitte, Frau Chefin.« Er nahm mich in die Arme und wirbelte mich durch die Küche. »Komm, wir holen uns ein Pint im *Windmill*. Lass uns ein bisschen Spaß haben.« Er vergrub das Gesicht in meinen Locken.

Ich schlang ihm die Arme um den Hals. »Wir könnten auch zurück ins Bett gehen.« Ich knabberte an seinem Hals.

Er schob mich weg und schüttelte den Kopf. »Nicht, Mädchen. Ich komme gerade aus der Dusche. Komm, lass das ... wir gehen aus!«

»Aber Felix, der Flur muss noch ...«

»Aber Tilly«, neckte er mich, »du weißt, dass du es willst ...« Seine dunklen Augen funkelten, als er das sagte, sein ganzes Gesicht drückte Heiterkeit aus. »Ein sauberes Haus allein macht auch nicht glücklich und lässt Tilly wie ihre Eltern werden.«

Ich dachte an das blitzblanke Zuhause, in dem ich groß geworden war. »Gib mir zehn Minuten, um mich zu duschen.«

Mit seiner üblichen quietschvergnügten Ausgelassenheit zog Felix mich mit sich zum Pub, ohne mir zu erlauben zu trödeln, und knuddelte mich, wann immer ich langsamer wurde, als wir an der Ladenzeile ums Eck von unserer Wohnung vorbeikamen.

Zum Glück waren wir früh dran und schafften es, einen Tisch zu ergattern. Felix hatte ein paar Freunden geschrieben, die sich zu uns gesellten, die übliche Truppe, bestehend aus seinem besten Freund Kevin und dessen Freundin Sarah sowie deren nächsten Nachbarn Jason und Kelly. Jason hatte ein paar Sonntagszeitungen dabei, die er auf dem leicht klebrigen runden Tisch ablud, ein seriöses Blatt und eine Klatschzeitung.

Felix ergriff sie und legte sie neben sich auf den Stuhl. »Wir sind hier, um Bier zu trinken und unter Leute zu kommen, nicht um die Zeitung zu lesen.«

»Alter, ich will den Spielbericht lesen«, sagte Kevin und holte sie sich zurück.

»Ich auch«, ergänzte ich.

Felix verschränkte die Arme und schmollte. »Nur Sport«, was darin resultierte, dass Kevin und ich ein kurzes Gerangel um die Sportteile hinlegten. Er war ein West-Ham-Fan, und wir machten einander regelmäßig nieder.

»Mieses Ergebnis gestern«, sagte er grinsend und schnappte sich die Klatschzeitung.

Ich zog eine Grimasse und nahm das seriöse Blatt. »Beklagenswert«, stimmte ich zu, während ich auf der Suche nach einem Spielbericht anfing, die hinteren Seiten durchzublättern.

Kelly, die von Natur aus rothaarig war, warf ihren Pagenschnitt zurück und verzog das kleine, sommersprossige Gesicht. »Ist es nicht ein bisschen komisch, dass du auf Opern und Fußball stehst? Und dass Felix Fußball nicht abkann, obwohl er ein Kerl ist.«

»Er ist schwul«, mischte Kevin sich ein und spähte über den Rand seiner Zeitung.

Felix grinste und schlug gegen die Zeitung, sodass die Seiten verknitterten. Kevin faltete sie zusammen und zog ihm damit eins über.

Ich ignorierte die beiden und wandte mich an Kelly, als Kevin anfing, die Zeitung durchzuschauen. Eine Nachricht ging auf Felix' Handy ein und erregte sofort seine Aufmerksamkeit.

»Mein Vater hatte keine Söhne«, erklärte ich. »Er sagte immer, der Einzige im Haus, der auf seiner Seite wäre, sei George, der Kater. Er hat mich zu ein paar Spielen von Leeds United mitgenommen, als ich klein war, und ich konnte mich dafür begeistern.«

»Warum dann Arsenal?«, fragte Kevin.

Ich verzog die Miene. »Leeds hat ständig verloren. Ist aus der ersten Liga geflogen. Doch Arsenal hat dauernd gewonnen. Es wurde eine Angewohnheit, und als ich dann nach London zog, habe ich eine Weile in Highbury gewohnt.« Ich zuckte die Schultern.

»Trotzdem kapiere ich nicht, wieso du die Oper ebenfalls magst ... Ich meine, es ist irgendwie, na ja, so hochtrabend.« Kelly setzte einen spöttischen Blick auf. »Für arrogante reiche Leute.«

Ich lächelte. Solche Bemerkungen hatte ich schon oft gehört. »Man lernt einfach die Musik und die Geschichten kennen, und sie unterscheiden sich gar nicht so stark von Seifenopern, nur dass sie eben einige Jahrhunderte früher spielen.«

Kelly kräuselte verwirrt die Nase. »Was, etwa wie *EastEnders* auf Italienisch?«

»Nicht direkt ...« Ich lachte. »Aber sie teilen universale Themen. Liebe, Eifersucht, Verrat.«

»Hey, Tilly. Schau mal. Gehört die hier zu deinen Leuten?«

Kevin hielt eine der Seiten hoch. »Die Schneekönigin.«

»Oh Gott, es ist Katerina. Was steht da?«

Ich flitzte um den Tisch herum, um mich neben ihn zu setzen.

Kevin las vor: »Da steht ›Primaballerina Katerina Petrova, 26 …‹ Warum müssen sie immer dazuschreiben, wie alt die Leute sind? ›… leugnet Kokainsucht, aber es sieht aus, als hätte der Star aus *Schwanensee* eine Schwäche für eine kleine Stärkung zwischen den Szenen.‹«

»Oooh, das ist nicht gut. Sie ist komplett kostümiert, und … oh Gott, das ist hinter der Bühne. Oh scheiße …« Das Bild kam mir mehr als bekannt vor. Jemand aus dem Backstage-Team hatte es aufgenommen und über Whatsapp geteilt. Jeanie war außer sich vor Wut gewesen, als sie erfahren hatte, dass Vince es mir und Felix auf dem Handy gezeigt hatte, eines Abends, als wir alle zusammen aus gewesen waren. Ich suchte Felix' Blick, aber er war immer noch in sein Handy vertieft.

»Du kennst sie also?«, fragte Kelly.

»Ja … das heißt, ich arbeite mit ihr zusammen.« Ich war für ihre Frisur und ihre Maske zuständig, kannte sie gut genug, um sie auf dem Gang zu grüßen, aber nicht viel mehr. »Ich kenne sie nicht näher.«

»Kokst sie oft?«

»Ja. Erzähl mal«, meldete Jason sich zu Wort.

»Bestimmt tut sie das, das tun doch alle Tänzer. Sie leben von Luft, ist doch logisch«, sagte Kevin wissend. »Jonno kommt auch noch, er kann uns die Infos geben. Er arbeitet beim *Mercury*. Er sagt, dass Koks für die Leute in den Medien und im Showgeschäft dasselbe wie ein Glas Wein ist.«

»Na ja, sie sind ja auch alle magersüchtig, oder?«, fügte Sarah hinzu. »Und Drogen haben keine Kalorien.«

Ich schwieg kurz, als die vier sich auf mich konzentrierten, meine Haut prickelte angesichts des gierigen Interesses, das in ihren Blicken glitzerte. Nur Felix wirkte vollkommen abwesend. Ich seufzte. Hinter den Kulissen hatte es Gerüchte gegeben, dass Katerina hin und wieder mal eine Line zog, aber dieses begierige Interesse bezogen auf jemanden, den sie nicht einmal kannten, fühlte sich falsch an, ebenso wie die wegwerfende Formulierung »alle Tänzer«, als gehörten sie einer anderen Gattung an und hätten daher keinerlei Anspruch auf Mitgefühl.

Da ich wusste, wie aufgewühlt Pietro neulich gewesen war, und mit eigenen Augen gesehen hatte, wie schon die Sorge, dass eine Geschichte über ihn erscheinen könnte, sich auf ihn ausgewirkt hatte, zögerte ich, ehe ich irgendeinen Kommentar abgab.

Die arme Katerina. Wie es ihr heute Morgen wohl gegangen war? Tänzerinnen wie sie arbeiteten ihr ganzes Leben, um es in eine Ballettkompanie zu schaffen, und brachten dafür enorme Opfer. Ich war den Tränen nah.

»Das ist furchtbar«, sagte ich. »Sie ist bestimmt völlig fertig.«

Wie war die Zeitung an dieses Foto gekommen? Ich schielte zu Felix hinüber und suchte seinen Blick. Es war bei WhatsApp herumgegangen. Jeder konnte es als MMS verschickt, gemailt, getwittert oder auf Instagram geteilt haben. Plötzlich wurde mir schmerzhaft bewusst, wie leicht etwas viral gehen konnte. Hunderte hätten dieses Foto an die Zeitung schicken können.

Felix zuckte die Achseln und mied noch immer meinen Blick. »Ich verstehe nicht, warum das ein Problem sein soll. Stars finden es super, wenn sie ihr Gesicht in die Zeitung kriegen. Es wird sie nur noch bekannter machen. Sie ist sicher begeistert.«

»Aber was ist mit ihrer Familie? Ihren Freunden? Ihren Fans?« Bestimmt sah Felix ein, dass es denen schaden konnte. »Ihrem Vertrag? Es ist nicht gut für ihr Image bei der Geschäftsführung.«

»Quatsch«, spottete Felix. »Es würde mich nicht wundern, wenn man es absichtlich hätte durchsickern lassen. Tolle Werbung für das Theater. Denk doch nur an all die Karten, die ihr mehr verkaufen werdet.«

Hatte er sie noch alle? »Karten sind bei uns wahnsinnig schwer zu bekommen … unsere Aufführungen sind immer ausverkauft, manchmal sogar schon ein ganzes Jahr im Voraus.« Ich konnte immer noch nicht glauben, dass er so dachte.

»Niemand hat dieses Foto durchsickern lassen. Irgendein käufliches Schwein hat es für schnelles Geld vertickt, darauf wette ich.« Angewidert warf ich die Zeitung zur Seite. Felix sah kurz auf, dann glitt sein Blick nach unten. Mir drehte sich der Magen um.

»Hallo, hallo, hallo«, ertönte eine näselnde Stimme mit einem deutlichen Essex-Akzent, als eine drahtigere Version von Kev mit demselben rotblonden Haar auftauchte.

Ich nutzte seine Ankunft, um mich auf die Toilette zu verziehen, wo ich mein heißes Gesicht an den kalten Spiegel drückte.

»Du bist also die von der Maske?«

Ich zuckte zusammen und fuhr herum. Kevins Bruder kam in die Toilette stolziert, in engen Jeans und Slippern, ein Pint Lager in der Hand. Der dünne, rötliche Oberlippenbart und seine rundschultrige, gekrümmte Haltung erinnerten mich an ein Wiesel.

»Hier ist das Damenklo, nicht dass es dich zu interessieren scheint.«

Er zuckte die Achseln und nahm dreist einen Schluck von seinem Getränk. Über den Rand seines Glases hinweg fixierte er mich.

»Also, Mädel von der Maske.« Er lehnte sich mit der Hüfte gegen eines der Waschbecken und überschlug die Beine, sodass ich über ihn hinweg hätte steigen müssen, um vorbeizukommen.

»Tilly«, fuhr ich ihn an. »Und du bist …?«, fragte ich, entschlossen, ihm nicht die Befriedigung zu geben, dass ich wusste, wer er war.

»Jonno.«

Als ich nichts sagte, ergänzte er: »Kevs Bruder«, und verdrehte die Augen, um auszudrücken, für wie dumm er mich offensichtlich hielt.

Ich trat von ihm weg, da seine Nähe mir unangenehm war, und bediente den Seifenspender, in der Hoffnung, dass die herabtropfende rosa Flüssigkeit mir helfen würde, mich wieder sauber zu fühlen, doch er beugte sich zu mir. Sein Atem war heiß an meinem Hals.

»Ich habe gehört, du sitzt an der Quelle, was einige unserer größten Opern- und Ballettpromis angeht.«

Nervös versuchte ich zurückzuweichen und schmierte mir die rosa Seife über den ganzen Ärmel. »Ich weiß nicht, was du meinst«, sagte ich, während mein Herz unangenehm zu pochen begann.

»Komm schon. Nette Geschichte über die Schneekönigin. Dank der wurde mein Name abgedruckt.«

»Du bist Journalist!« Mein Puls schoss in die Warpgeschwindigkeit, und mir sackte das Herz in die Hose.

»Jep. Promikorrespondent. Nachrichtenreporter. Immer auf der Suche nach einem guten Tipp.«

Bilder von Pietros angespanntem Gesicht, wie er in der letzten Szene von *Don Giovanni* sang, schossen mir durch den Kopf.

»Reporter?« Ich ballte die Fäuste und widerstand dem überwältigenden Drang, ihm in sein widerliches, selbstgefälliges kleines Gesicht zu schlagen. »Das sind keine Nachrichten. Das ist bloß Klatsch.«

Röte stieg an seinem Hals hinauf und breitete sich auf seinen Wangen aus. »Wir erweisen der Allgemeinheit einen Dienst«, blaffte er. »Die Leute tun miese Sachen – wir berichten darüber.« Seine schmalen Lippen, die einen Tick zu rot zu sein schienen, verfestigten sich zu einer zerknitterten Linie.

»Dienst an der Allgemeinheit?«, wiederholte ich und imitierte dabei seinen Ton. »Dreckiger Tratsch verkauft sich – und du profitierst.«

Er kniff die Augen zusammen und sah mich wütend an, schob das Kinn vor, als er knurrte: »Wir decken die Wahrheit auf. Es mag dir nicht gefallen, Fräulein, aber das tun wir.«

»Nein.« Ein heißer Schauer überlief mich. Wie konnten die Gefühle der Leute ihm so … so gleichgültig sein? »Ihr drangsaliert anständige Leute. Schießt Fotos von ihnen, wenn sie ihren alltäglichen Tätigkeiten nachgehen, und beschmutzt absichtlich und unnötigerweise ihren guten Namen. Ihr würdet die Wahrheit nicht mal erkennen, wenn …« Mir ging die Puste aus, ich war zu aufgebracht, um weiterzusprechen.

»So wie bei Katerina Petrova? Die hat wohl kaum eine weiße Weste.« Er kicherte.

»Sie ist ein Mensch. Niemand ist perfekt. Dieses Foto abzudrucken, war einfach gemein.«

»Gemein«, stichelte er mit hoher Stimme, boshaft wie ein Spielplatztyrann. »Die Öffentlichkeit hat das Recht, es zu erfahren, wenn Promis Unfug anstellen.«

»Nicht, wenn es ein privates Foto ist.« Sobald ich das gesagt hatte, wusste ich, dass ich mich auf dünnem Eis bewegte.

Feixend hob er eine Augenbraue. »So privat nun auch wieder nicht. Ich habe gehört, es wurde geteilt.«

Ich empfand tiefe Scham. Wie so viele andere, die hinter der Bühne arbeiteten, hatte ich das Bild gesehen und trug somit eine Mitschuld daran, dass es geteilt worden war. Waren wir auch nur einen Deut besser?

Seine Miene wurde verschlagen. »Ich hab gehört, einer eurer Jungs war ein bisschen ungezogen.«

Mir wurde kalt. »Ich habe keine Ahnung, wovon du sprichst«, sagte ich und kehrte ihm den Rücken zu, weil ich fürchtete, sonst etwas zu verraten.

Er packte mich am Arm und drehte mich zu sich, wobei sein Gesicht meinem gefährlich nahe kam. Ich hätte so gern dafür gesorgt, dass seiner Wieselvisage das Grinsen verging.

Widerlicher Bierdunst drang aus seinem Mund, als er sagte: »Oh, das glaube ich dir aber nicht. Mir ist da was zu Ohren gekommen.«

Ich schluckte und erstarrte wie ein Kaninchen, nicht in der Lage, seinem lauernden Blick zu entkommen. Was wusste er? Bluffte er? Mein Herz hämmerte so fest, dass es wehtat. Meine Wangen brannten vor Hitze.

»Ich weiß nicht, wovon du redest.« Ich reckte das Kinn und betete, dass der rasende Puls an meinem Hals mich nicht verraten würde.

»Ich glaube schon.« Jonnos Augen verengten sich zu Schlitzen, und seine Lippen verschwanden praktisch in einem unangenehmen Lächeln.

»Kein Kommentar«, sagte ich. Es war das Erste, was mir in den Sinn kam.

Er schmunzelte. »Ich könnte dir den Handel versüßen«, meinte er und hob die Augenbrauen wie Groucho Marx.

»Du glaubst, ich würde dir etwas erzählen … für Geld? Bist du etwa so an dieses Foto gekommen? Das von Katerina? Du kannst dich verpissen, ich würde dir niemals etwas erzählen. Ich würde dein Geld nicht wollen.«

Er lächelte böse. »Spielt keine Rolle, es gibt immer jemanden, der es will. Man braucht nur ein bisschen zu flüstern, und den Rest erledigen wir. Ein bisschen bohren. Es ist erstaunlich, was man alles zutage fördern kann.« Er zwinkerte.

Ich schloss die Augen. Pietros verzweifeltes Gesicht kam mir in den Sinn und dann das von Felix, so fröhlich und wissbegierig, als er gesagt hatte: »Es gibt keine schlechte Werbung.«

Jonnos Blick wanderte durch den Flur zurück in den Pub, und er lachte.

»Für den Tipp zu Katerina hab ich einen fairen Preis bezahlt – zwanzig Silberlinge.«

Neuntes Kapitel

Nichts für ungut, Tilly, aber du siehst heute Morgen echt scheiße aus«, sagte Jeanie, während sie vor mir stand und mein Kinn zum Licht neigte.

»Das würdest du auch, wenn du so eine Nacht wie ich hinter dir hättest«, knurrte ich. Ich konnte es nicht gebrauchen, dass sie mir sagte, wie schlecht ich aussah. Es war nichts im Vergleich dazu, wie ich mich fühlte.

»Soll ich deine Tränensäcke kaschieren?«

Ich schüttelte den Kopf, obwohl es mir schwerfiel, Jeanie abzuweisen, wenn sie helfen wollte und mal ihre innere Glucke zeigte. Ich hatte Angst, dass ich ihr am Ende alles erzählen würde, und das wäre eine Katastrophe.

»Ehrlich gesagt, Jeanie, hatte ich einen Riesenkrach mit Felix und bin innerlich noch immer am Kochen.«

Sie trat einen Schritt zurück und hob abwehrend die Hände.

»Okay, dann lass deine Wut nicht raus, ja?«

Das hatte ich in den letzten zwei Stunden bereits beherzigt, obwohl der Mann mittleren Alters, der mir den letzten Sitzplatz in der U-Bahn weggeschnappt hatte, das möglicherweise anders sehen würde. Vermutlich hatte er jetzt einen gebrochenen Zeh. Geschah ihm recht. Das hatte er davon, dass er sich mit einer zornigen Frau auf Kitten Heels angelegt hatte.

»Willst du den Schrank aufräumen?« Jeanie neigte hoffnungsvoll den Kopf. »Um elf gibt's Kaffee.«

»Gut.« Es war unwahrscheinlich, dass mein schwacher Versuch, zu lächeln, sie auch nur ansatzweise täuschte. Gott, ich hätte ihn umbringen können. »Ich schaue nur noch kurz in meine Mails.«

Ich hatte gehofft, von Redsman zu hören, und als ich meinen leeren Posteingang sah, wurde mir bei der zusätzlichen Enttäuschung schwer ums Herz. Oh Gott, es lag an dem Küsschen. Ich hätte diese Mail mit dem Küsschen nicht abschicken sollen. Sollte ich noch eine hinterherschicken und erklären, dass es nur aus Gewohnheit passiert und ein Fehler gewesen war … oder würde das nur alles verschlimmern? Vielleicht sollte ich ihm einfach eine weitere Mail schicken, diesmal ohne Küsschen. Ich könnte ihn um eine Buchempfehlung bitten. Quasi zu unseren Ursprüngen zurückkehren.

An: Redsman@hotmail.co.uk
Von: Matilde@lmoc.co.uk
Betreff: Harry Potter

Hoffe, das Wochenende mit den Kleinen ist gut gelaufen.
Ich suche noch eine Buchempfehlung, irgendwelche Vorschläge?

Tilly

So, kein Küsschen. Ich drückte auf Senden. Und bereute es sofort. War es schon so weit gekommen? Ich stützte mich auf jemanden, der kaum mehr als ein eingebildeter Freund war, um meine Laune zu bessern.

Ich warf dem Computer einen mürrischen Blick zu und stampfte davon, zu dem chaotischen, winzigen Raum mit seinem Durcheinander aus Haarfärbemitteln, Dauerwellenlösung und anderen giftigen Chemikalien. Es war bei Weitem die ätzendste Aufgabe hier, aber heute Morgen war sie für mich genau richtig. Als ich das fleckige Waschbecken mit einer uralten Bürste schrubbte, stellte ich mir vor, sie für Felix' strahlend weiße Zähne zu verwenden. Das würde ihm eine Lehre sein und sicherstellen, dass er nie wieder ein Geheimnis ausplauderte.

Oh ja, sobald er erfahren hatte, dass Jonno ausgepackt hatte,

hatte er sich wortreich entschuldigt, während er seine Frühstücksflocken gegessen hatte. Ich hatte im Gästezimmer übernachtet, hauptsächlich, um zu verhindern, dass ich der Versuchung nachgab, ihn irgendwann vor Sonnenaufgang zu erwürgen. Nichtsdestotrotz wusste ich, dass es allein meine Schuld war.

»Schau, Tilly, es tut mir wirklich, wirklich leid, dass Jonno …« Zusammengekauert am Küchentisch sitzend, spähte Felix zu mir hoch. Dabei erinnerte er mich an eine zaghafte Schildkröte, die das Terrain aufmerksam musterte und sich fragte, ob sie es wagen sollte, den Kopf aus dem Panzer zu strecken.

»Was tut dir leid?«, fuhr ich ihn an, wobei ich die Stuhllehne umklammerte und seine unterwürfige, entschuldigende Haltung ignorierte. »Dass er es mir erzählt hat?« Meine Stimme wurde mehrere Dezibel lauter. »Oder dass du … dass du ihm dieses Foto verkauft hast? Ich kann nicht glauben, dass du das getan hast. Du weißt, dass mich das meine Stelle kosten könnte?«

Und es wäre meine eigene Schuld, nicht seine. Es war egal, was er getan hatte. Ich hätte Felix nichts davon erzählen sollen. Das war eine Tatsache. Ich hatte den Kodex gebrochen. Ich hätte es besser wissen müssen, trotzdem würde ich ihn nicht so leicht vom Haken lassen.

Felix öffnete den Mund, um etwas zu sagen.

»Wenn ich dir Sachen von der Arbeit erzähle, ist das vertraulich. Eigentlich sollen wir niemandem davon erzählen. Das wusstest du …«

»Ich weiß … aber … es ist mir irgendwie rausgerutscht, weißt du … Ich hab ihm von dem Foto von dieser Tänzerin erzählt, und …« Er zuckte hilflos mit den Achseln, als hätte er keinerlei Kontrolle über die Angelegenheit gehabt.

Ich packte so fest zu, dass mein Ring sich in mein Fleisch drückte. »Wirklich? Und was ist mit dem Geld? Ich bin nicht blöd, weißt du.«

Ich hatte während meiner schlaflosen Nacht massig Zeit gehabt, mir die Zusammenhänge abzuleiten.

»Ich wollte nicht …« Felix' Augen weiteten sich, und sein Blick bat mich flehentlich, ihm zu glauben. »Das … das Gespräch hat sich einfach so entwickelt. Du *musst* mir glauben.« Ein weiterer Dackelblick begleitete seine Worte, doch an diesem Punkt nützte das bei mir nichts mehr.

»Schwachsinn«, fauchte ich. Ich wusste nicht, wen meine Heftigkeit mehr überraschte. Es kam so selten vor, dass wir stritten. Lag das daran, dass wir letztlich wenig teilten, über das wir uns hätten aufregen können?

»Schau. Es tut mir leid. Es ist mir einfach bei Jonno rausgerutscht …«

»Ach, und ein paar Hundert Kröten sind einfach in deine Tasche gerutscht, wie?«

Die Röte, die seine Wangen überzog, sagte alles. Ich hatte gehofft, er hätte es versehentlich ausgeplaudert. Dass er damit angegeben hatte, was er wusste. Aber noch während ich gesprochen hatte, war mir klar geworden, dass er es schon länger vorgehabt und mit voller Absicht getan hatte.

Ich starrte ihn an und fühlte mich orientierungslos. Meine Welt stand kopf. Ich wusste nicht mehr, wo oben und unten war.

Felix konzentrierte sich auf den Inhalt seiner Müslischüssel, sein Löffel rettete die letzten Flocken vor der schokofarbenen Milch. Über ihm zog ich ein grimmiges Gesicht. Er und seine verdammten Coco Pops. Herrgott noch mal, er war ein erwachsener Mann.

Es herrschte Schweigen, als Felix schluckte und dann wieder aufsah. »Niemand wird es herausfinden. Jonno wird seine Quelle nicht preisgeben.«

Ich starrte ihn an wie betäubt, während ich nach Worten rang. Wie konnte er glauben, dass das irgendwas besser machte?

»Tilly. Du reagierst total über.« Felix machte große Augen. »Niemand weiß, dass es von dir kam.« Er zuckte die Schultern. »Du bist fein raus.«

»Fein raus!«, wiederholte ich, setzte mich auf den Stuhl und schlug die Hände vors Gesicht. »Du kapierst es nicht, oder? Es geht um Vertrauen.« Meine Stimme war matt. Nein, es ging auch um persönliche Verantwortung, am meisten war ich von mir selbst enttäuscht. »Es geht um *uns*. Was bedeutet das für uns? Wie kann ich dir jemals wieder vertrauen?«

Felix' entsetzter Gesichtsausdruck legte nahe, dass ihm nichts davon bislang in den Sinn gekommen war.

Ich holte tief Luft. »Bitte, bitte sag mir, dass du ihm nichts von Pietro erzählt hast. Jonno hat Gerüchte über jemanden erwähnt.«

Felix' Blick begegnete meinem direkt, offen und heiter. Zu heiter, zu offen, zu erpicht darauf, es mir recht zu machen. »Nein, habe ich nicht.«

Ein winziger Teil von mir entspannte sich, doch sein nächster Satz machte das wieder zunichte.

»Aber du meintest, dass Pietros Schwager damit droht, an die Presse zu gehen. Wenn ich es also getan hätte, hätte es theoretisch keine Rolle gespielt. Die Geschichte wird herauskommen. Irgendjemand wird alles ausplaudern, es ist viel Geld im Spiel.«

Sein Lächeln wurde breiter, als ob er versuchte, mir die positiven Seiten vor Augen zu führen. »Seien wir ehrlich, wir könnten das Geld gut gebrauchen. Für die Hochzeit und …«

»Geld? Ist das alles, woran du denkst? Ich will keine teure Hochzeit.« Ich drehte meinen Verlobungsring und hätte ihm das verdammte Ding am liebsten entgegengeschleudert.

»Es war nicht nur für die Hochzeit, es gab auch noch andere Sachen.«

»Anderes! Wie zum Beispiel?«

Felix blickte finster, und ich hasste mich. Ich hatte nie ein Pfennigfuchser sein wollen, aber ich war gezwungen gewesen, die Verantwortung zu übernehmen. Auch wenn ich vor Wut kochte, musste ich fragen: »Was für andere Sachen?«

Er seufzte. »Ich hab ein bisschen zu viel beim Pokern verloren.«

»Wie viel?«, bohrte ich nach, obwohl ich mir nicht sicher war, ob ich die Antwort hören wollte.

Er zuckte die Schultern.

»Warum hast du mir das nicht erzählt?«, hakte ich nach und konnte nicht glauben, dass er mir all das verheimlicht hatte.

»Ich hatte bereits … Du weißt schon.«

Ja, ich wusste, dass er immer knapp bei Kasse war. Ich starrte ihn forschend an, sah zu, wie seine Hand an dem großen Knoten seiner seidenen Krawatte nestelte, ihn erst zur einen Seite zog und dann zur anderen.

Als ich sein Gesicht musterte, sah ich plötzlich jemanden vor mir, der mir fremd war. Was hatte er sonst noch für Geheimnisse? Die frisch rasierte Kinnlinie verkörperte plötzlich Schwäche, und obwohl sein Blick meinem begegnete, konnte ich weder Scham noch Demut in ihm erkennen.

Ich seufzte und rieb mir mit dem Handballen die Stirn. Erneut betrachtete ich ihn.

»Du hast das schon mal getan.«

Als er den Blick abwandte, erinnerte ich mich.

Der unerwartete Bonus vor sechs Monaten, etwa zur gleichen Zeit, als die Presse von Elvira Bennetinis streng geheimer Schwangerschaft Wind bekommen hatte. Damals war es nicht so schlimm gewesen. Sie hatte sich nicht allzu sehr aufgeregt, weil es nur eine Frage der Zeit gewesen war. Ich hatte den ganz leisen Verdacht, dass das Durchsickern kein Zufall gewesen war, fröhlich ignoriert.

Ich schloss die Augen, betäubt von dem Gefühl der Enttäuschung angesichts meiner eigenen naiven Angewohnheit, nicht zu stark nachzubohren.

Kein Wunder, dass er so viel Interesse an meinem Leben am Theater gezeigt hatte.

Mir krampfte sich das Herz in der Brust zusammen, und ich schluckte. Es gab nichts mehr, was ich sagen konnte, selbst wenn ich die Worte an dem Kloß in meinem Hals vorbeibekommen hätte. Ich konnte es keine weitere Sekunde mit ihm aushalten oder, um die Wahrheit zu sagen, mit mir selbst. Ich schnappte mir meine Jacke und floh die Treppe hinunter.

Ich hatte die Haustür so fest zugeschlagen, dass sie wieder aufsprang, und ich ließ sie so, als ich die Straße entlangstolzierte, wobei mein weiter Fünfzigerjahre-Rock wippte und die Absätze meiner Riemchenpumps wild klackerten.

Ich schaute hinunter auf meinen Rock, er würde ruiniert sein, wenn ich irgendetwas von dem Bleichmittel verspritzte, mit dem ich gerade das Waschbecken putzte. Ein Teil von mir wollte ihn kaputt machen, um mich selbst zu bestrafen. Die Putzerei hatte dafür gesorgt, dass es mir besser ging. Obwohl das relativ war. Der brennende Zorn von heute Morgen war verschwunden. Jetzt fühlte ich mich empfindungslos, betäubt von einem Gefühl des Verlusts. Nicht nur wegen Felix' Verrat, sondern auch wegen meines eigenen rückgratlosen Komplizentums. Ich hatte das verzweifelte Bedürfnis, mich jemandem anzuvertrauen.

Aber wem? Jeanie würde an die Decke gehen. Ich wagte es schon so kaum, ihr in die Augen zu schauen. Vince würde entsetzt sein. Er war vernarrt in Felix – es würde ihm ganz sicher das Herz brechen. Felix hatte das allererste Gebot in der Welt der Maskenbildner gebrochen. Und ich saß schon so tief genug in der Tinte. Wenn die Geschäftsführung es herausfinden würde … ich wollte gar nicht daran denken. Tränen des Selbstmitleids stiegen mir in die Augen. Gott, ich hatte es wirklich verkackt.

Ich aß einsam mein Mittagessen und wanderte dabei ziellos in Covent Garden umher, der Winterduft ließ mich kalt, ebenso wie die Hebebühnen, mit deren Hilfe Weihnachtsbeleuchtung, riesige künstliche Mistelzweige und silberne Christbaumkugeln so groß wie Abrissbirnen angebracht wurden.

Bei meiner Rückkehr ins Opernhaus spürte ich deutlich die angespannte Atmosphäre, sobald ich über die Schwelle des Bühneneingangs trat. Der fröhliche Charlie, unser Pförtner, hatte sein charakteristisches Verhalten abgelegt, stattdessen wirkte er ganz besonders grimmig, als ich meinen Mitarbeiterausweis vorzeigte. Als ich an einigen Bühnenbildnern vorbeikam, fiel mir auf, dass alle den Kopf gesenkt hielten.

In ihrem Büro hatte Jeanie das Telefon am Ohr, ihr Gesicht war in strenge Falten gelegt, und ihre Mundwinkel waren nach unten gezogen. Sie nickte mehrmals, bellte ein paar abgehackte Fragen und rieb sich eine Stelle im Nacken. Mit deprimierter Lethargie legte sie auf. Ich wollte den Blick abwenden, damit sie nichts in meinen Augen lesen konnte.

Sie straffte sich, und ich konnte geradezu sehen, wie sie die Chefin herauskehrte und sich ein ernstes und gewichtiges Auftreten angewöhnte.

»Unten auf der Bühne findet gleich eine Notfallsitzung statt. Um halb drei. Auf deinem Arbeitstisch liegt eine Mitteilung diesbezüglich.«

»Die gestrige Zeitung?«, fragte ich mit schwacher Stimme. Nach einer sehr schlaflosen Nacht fühlte sich jede Faser meines Körpers verspannt an.

»Du wirst bis zur Sitzung warten müssen. Die Abteilungsleiter sind nur in groben Zügen informiert worden. Und wo zum Teufel ist Vince abgeblieben? Er sollte heute um zwölf anfangen.« Sie tippte demonstrativ auf ihre Armbanduhr.

Ich nahm an, dass sie von mir keine Antwort erwartete, da ich a) nicht seine offizielle Zeitnehmerin war und b) es in Anbetracht der extrem unterschiedlichen Zeiten, zu denen Inszenierungen endeten, nie zu unserer Tätigkeit gehört hatte, auf die Uhr zu schauen.

»Er kommt bestimmt bald.« Mein Beschwichtigungsversuch stieß auf taube Ohren, als sie herumfuhr, um zu beobachten, wie er zur Tür hereintrottete. »Trotten« war die richtige Bezeichnung. Er machte einen traurigen und verlorenen Eindruck.

»Geht es dir gut?«, fragte ich. Mal wieder ein katastrophales Date? Normalerweise hätten Jeanie und ich ihn mit heißem, süßem Tee verarztet, und innerhalb einer halben Stunde hätte er auf seine übliche theatralische, lustige Art alles rausgelassen und mit uns über die Erinnerung an die vergangene Nacht gelacht.

Er kräuselte die Lippen und funkelte uns an. »Nein. Nur ein … schlechtes Wochenende.« Seine Buschbabyaugen füllten sich mit Tränen. »Tut mir leid, ich bemitleide mich gerade selbst.«

»Wo liegt dann das Problem?«, fragte Jeanie alles andere als freundlich und mit ungeduldig verkniffenem Mund. Sie hatte keine Zeit für Vince' Datingdramen, die zugegebenermaßen sehr häufig stattfanden, wobei offenbar eines größer war als das andere.

»Arnggg«, heulte Vince. Er brach in Tränen aus, drängte sich an uns beiden vorbei und floh den Gang entlang.

»Ach, du lieber Himmel. Ausgerechnet heute. Erspar mir die Geschichten.« Jeanie verdrehte die Augen. »Dieser Junge wird noch mein Tod sein.« Sie ließ fauchend den Atem entweichen und nahm sich dann mich vor. »Und du solltest ihn nicht auch noch ermutigen.«

»Ich! Was hab ich denn bitte getan?«

»Bis zur Sitzung müssen wir noch ein bisschen was geschafft bekommen.«

Ich arbeitete offiziell in einem Irrenhaus. Sowohl sie als auch Vince waren derzeit eindeutig psychisch labil. Das war die einzige Erklärung, die mir einfiel. Oder sie waren verliebt. Bei Vince lag das immer im Bereich des Möglichen, bei Jeanie hielt ich es jedoch für absolut ausgeschlossen.

Elizabeth Tansley, die Pressechefin, hatte einen charakteristischen eigenen Stil, der aus luftigen Midikleidern und Vierzigerjahre-Schuhen bestand, und war in etwa so PR-untypisch, wie man nur sein konnte. Mit ihrer tiefen, aufrichtigen Stimme, die wahrscheinlich die Journalisten hypnotisierte, sodass sie der LMOC jede Menge positive Publicity gaben, erinnerte sie mich an eine ziemlich adrette, vergessliche Hellseherin. Wenn etwas Negatives geschrieben wurde, nahm sie das sehr persönlich. Heute verzog sie immer wieder unglücklich das Gesicht, und ich wusste, dass es keine gute Sitzung werden würde, vor allem als ich sah, wer sie auf beiden Seiten flankierte, nämlich der Geschäftsführer, die Personalchefin und – zu meiner Überraschung – Marcus Walker.

Er trug heute einen edlen Nadelstreifenanzug und hatte eine ungerührte Miene aufgesetzt, als er in das versammelte Publikum blickte.

»Danke, dass ihr alle gekommen seid. Ich werde mehrere solcher Sitzungen mit verschiedenen Abteilungen abhalten«, begann Elizabeth. Ihre Stimme zitterte. »Bestimmt habt ihr dieses Wochenende alle die bedauerliche Geschichte in der Zeitung gesehen, die der armen, armen Katerina natürlich schrecklichen Kummer bereitet hat.« Sie stockte und spähte über ihre Brillengläser hinweg ins Publikum. »Die Vorstellung, dass diese Geschichte aus der LMOC stammen könnte, missfällt mir zutiefst«, sie schaute über ihre Brille hinweg auf die versammelte Mannschaft, und ihre Unterlippe zitterte, »aber …«, ich fürchtete, sie würde jeden Augenblick in Tränen ausbrechen, »es besteht eine s-sehr h-hohe Wahrscheinlichkeit …«

Ihr Mund arbeitete wie wild, und alle traten angesichts ihrer Bestürzung unbehaglich auf der Stelle. »Ich persönlich … kann nicht glauben, irgendjemand von euch könnte … würde es auch nur in B-Betracht ziehen, a-aber es gibt«, sie warf Marcus einen giftigen

Blick zu, »einige, die glauben, jemand hier drinnen könnte der Urheber sein.«

Ich schluckte schwer und bemühte mich um eine ungerührte Miene.

»Die Sache wird gerade untersucht, aber ich bin mir sicher, dass so was nicht noch einmal vorkommen wird. Ich wurde gebeten, euch alle an die Folgen zu erinnern, sollte sich herausstellen, dass jemand vorsätzlich Informationen an die Presse weitergegeben hat. Jegliches derartiges Vergehen zieht Disziplinarmaßnahmen und möglicherweise auch Strafverfolgung nach sich.«

Sowohl Marcus als auch der Geschäftsführer strafften sich wie zwei Soldaten im Wachdienst. Es verstärkte die Botschaft, ehe Elizabeth von der Bühne trat und verschwand. Sofort brach Gerede aus, ein Surren zorniger Wespen, als alle entsetzt die Tat verurteilten, erschüttert von dem Vorwurf, es könnte jemand von uns gewesen sein.

Dann trat die Personalchefin vor. Im Gegensatz zu Elizabeth war Marsha Munro in ihrem klassischen Kleid und Blazer ganz die typische Führungskraft. »Ich möchte euch alle daran erinnern, dass es einen offiziellen Verhaltenskodex gibt.« Verärgerung und Wut gingen in Wellen von ihr aus, und ihr Kiefer mahlte, als habe sie einen sehr unangenehmen Geschmack auf der Zunge. »Ihr solltet ihn zusammen mit eurem Vertrag erhalten haben, als ihr hier angefangen habt. Falls ihr ihn allerdings verlegt habt, würde ich jeden dringend bitten, sich heute ein Exemplar mit nach Hause zu nehmen. Wir werden zudem eine Verschwiegenheitsklausel für alle Verträge ausstellen.«

»Sie ist sauer, weil man sie erwischt hat«, raunte Leonie aus der Kostümabteilung mir ins Ohr.

»Wie meinst du das?«

»Keiner unserer Verträge enthält eine Verschwiegenheitsklausel … Jetzt, da das hier vorgefallen ist, sieht es nicht gut für sie aus. Hast du jemals einen Verhaltenskodex bekommen?«

»Soweit ich mich erinnere, nicht. Nur einen Brief …«

»Ja, ich wette, niemand hat einen gekriegt. Sie macht sich in die Hose …«

Jeanie blieb schweigsam, als wir uns wieder hinauf in die Werkstatt begaben, während Vince, der sich wie ein Stehaufmännchen von seiner Traurigkeit erholt hatte, in den Agatha-Christie-Modus verfiel und prompt die Verdächtigen durchging.

»Es könnte jemand vom Kartenschalter sein … oder aus dem Vorderhaus. Unter den Reinigungskräften könnte ein verdeckter Reporter sein.« Vince verzog nachdenklich das Gesicht.

Oder es könnte der Partner von jemandem sein, der hier arbeitete, und dachte, er könnte so schnelles Geld verdienen. Säure breitete sich in meinem Magen aus.

»Was ist mit versteckten Spionagekameras? Mitten in der Nacht angebracht.« Vince warf den Kopf zurück und posierte zur Decke hin. »Hallo, ihr Süßen.«

Jeanie blieb abrupt im Gang stehen und wandte sich mit wildem Blick um.

»Kein Wort mehr«, blaffte sie, ihre Augen glitzerten vor Wut.

»Was hab ich denn gesagt? W–«

Ich verpasste ihm einen Knuff, und er warf mir einen beleidigten Blick zu, während ich den Kopf schüttelte.

Er hob das Kinn und hielt dankenswerterweise die Klappe.

Als wir wieder in der Werkstatt ankamen, zog Jeanie sich in ihr Büro zurück. Ich war zu nichts anderem in der Lage, als mich hinzusetzen und Haarnadeln zu sortieren; die am wenigsten fordernde Tätigkeit, die mir einfiel, obwohl meine Hände zittrig waren.

Zehntes Kapitel

Harte Falten, die von jahrelangem Rauchen herrührten, umgaben Jeanies Mund, als sie mir eine Zimtschnecke hinüberschob. »Diese Sache ist widerwärtig. Ich arbeite seit zwanzig Jahren hier, und noch nie ist etwas Derartiges passiert. Die Sitzung am Montag … so was hab ich noch nie erlebt.« Sie sah sich kurz in der vollen Kantine um. »Ich hasse die Amplifikation, dass es jemand von uns gewesen sein muss.«

Leonie stellte ihre Tasse fest auf der Untertasse ab. »Wer sagt denn, dass dem so ist? Jeder hätte an die Presse gehen können. Dieses Foto ging monatelang herum.«

»Nein, die Zeitung besteht darauf, dass der Informant jemand von hier war.«

»Wirklich?«, fragte ich mit zittriger Stimme und hoffte, dass ich entsetzt und nicht verängstigt klang.

Zum Glück war Felix wieder weggefahren, ich konnte mich nämlich nicht dazu überwinden, mit ihm zu sprechen. Während der letzten drei Tage hatte ich die Ruhe und den Frieden zu Hause genossen.

Jeanie seufzte tief und wandte mir ihren scharfen Blick zu. »Sie haben eine umfassende Untersuchung eingeleitet.«

»Du meinst, es gibt einen Maulwurf!«, quietschte Vince unangemessen lebhaft. Verstohlen lugte er im Raum umher, als ob besagter Spitzel plötzlich erkennbar werden und ein großer Neonpfeil aufblinken könnte.

»Ich kann nicht glauben, dass *Don Giovanni* schon fast zu Ende ist«, wechselte ich wenig unauffällig das Thema, was eindeutig für alle eine Erleichterung darstellte, denn sie begannen, zustimmend zu nicken. »Es ist so schnell vorbeigegangen, auch wenn ich mich darauf freue, den *Nussknacker* zu machen.« Die beliebte Ballettinszenierung sollte wie üblich in der Weihnachtszeit anlaufen und würde keine allzu große Herausforderung sein.

»Ja«, nickte Leonie, wobei ihre kupferfarbenen Locken wippten, »und ich werde erleichtert sein, wenn wir diese brenzligen Kostümwechsel in Höchstgeschwindigkeit hinter uns haben. Herrgott, mein Puls normalisiert sich immer erst wieder, wenn die Vorstellung vorbei ist.«

»Gut, dass sie beschlossen haben, diese Szene nicht in die Weihnachtsgala aufzunehmen«, neckte ich sie.

»Oh, die ist ein Klacks. Nur Auszüge aus verschiedenen Opern, sodass wir einfach alte Kostüme wiederverwenden können.«

Ich war mir nicht sicher, ob ich ihr dahin gehend zustimmen wollte, dass die jährliche Weihnachtsgala ein Klacks war. Dieser besondere wohltätige Abend mit eingeladenen VIPs, Sponsoren und Freunden des Theaters war gewissermaßen ein Prestigeprojekt, das für die Geschäftsführung einen hohen Stellenwert hatte.

»Da hast du Glück, Liebes«, meldete sich Vince zu Wort. »Für uns ist diese Gala ein Albtraum. All diese Hauptdarsteller, die sich darum streiten, wer zuerst an der Reihe ist.« Er schauderte. »Das wird einen echten Zickenkrieg in der Maske geben. An solchen Abenden müssen wir noch ein paar Freiberufler an Bord holen. Es wird *ihr* eine Chance verschaffen, sich ranzuwanzen.« Mit einer Kopfbewegung deutete er an, dass sich jemand hinter uns befand.

Bemüht unauffällig drehte ich mich um. Die Kantine fing gerade an, sich über Mittag zu füllen, und heute war besonders viel los, da ein Großteil des Orchesters zur ersten Probe für den *Nussknacker* anwesend war. Ein paar Tische hinter uns saß Arabella Barnes, der Mensch, den ich im bekannten Universum am wenigsten ausstehen konnte. Sie war bei jedem Thema nervtötend munter und fröhlich, und ihre besondere Spezialität bestand darin, einen zuckersüß und zaghaft auf den winzigsten Fehler hinzuweisen, als würde sie einem damit entgegenkommen und wäre kein überhebliches, besserwisserisches Biest. Als feste Freie war sie auf eine Anstellung aus und verpasste keine Gelegenheit, ihre Nützlichkeit unter Beweis zu stellen.

Warum zum Teufel saß sie mit Marcus zusammen?

Sie unterhielten sich angeregt, wobei ihre blonde, seidige Mähne ganz besonders viel zu sagen schien, da sie sie sich alle paar Sekunden mit einem perlenden Lachen über die Schulter warf.

»Was macht sie hier? Und über was spricht sie mit ihm?«

»Schnüffelt zweifellos wegen deiner Stelle herum«, sagte Vince. »Du weißt, dass sie gestern ausgeschrieben wurde.«

Das wusste ich und hatte versucht, nicht allzu viel darüber nachzudenken. Jede Stelle musste intern und extern ausgeschrieben werden.

»Da hat sie ja keine Zeit verloren«, seufzte ich. »Bitte fordere das Schicksal nicht heraus.« Ich berührte den Tisch und dann ihn am Kopf. »Es ist nicht *meine* Stelle. Sie hat ebenso gute Chancen. Alison mag sie.«

»Alison vielleicht«, meinte Leonie freundlich, »aber die Hauptdarsteller nicht. Sie kann mit ihnen nicht richtig umgehen.«

»Mit ihm kommt sie offenbar prima klar«, bemerkte Vince, während er die beiden mit halb geschlossenen Augen beobachtete. »Da drüben wird ordentlich geflirtet.«

»Sie passen perfekt zusammen. Sehr professionell. Ehrgeizig.« Obwohl ich sie nicht mochte, musste ich zugeben, dass Arabella gut war. Organisiert. Effizient. Sie kleidete sich sogar so schick wie eine Führungskraft. Ich erhaschte einen weiteren Blick auf sie. Schwarzes Etuikleid. Modische Lederhandtasche und dazu passende Schuhe. Sie erinnerte mich an Christelle. So eine unbewusste Eleganz und ein derartiges Stilbewusstsein hätte ich nie im Leben nachahmen können.

»Ja, aber sie hat nicht so viel Erfahrung wie du, Tilly. Du machst wundervolle Perücken, und«, Vince' elfenhaftes Gesicht verzog sich zu einem boshaften Lächeln, »du wirst IT-Expertin.«

Ich betrachtete ihn mürrisch, während Leonie lachte. »Wie läuft der Unterricht?«

»Gar nicht. Tatsächlich«, ich duckte mich auf meinem Stuhl, »habe ich mich vor den letzten beiden Treffen erfolgreich gedrückt.«

Fast so, als hätte er meine Gedanken gelesen, warf Marcus uns einen Blick zu, als er und Arabella gerade aufstanden.

»Mist, er hat mich entdeckt.«

Die beiden lachten, und ich richtete mich wieder auf, als hätte ich mich überhaupt nicht versteckt.

Sie kamen direkt zu uns, wie zwei Exocet-Raketen, die ihr Ziel anpeilten.

»Tilly. Schön, dass ich dich erwische.« Marcus sah alles andere als erfreut aus. Eher verärgert, aber er überspielte es ganz gut mit einem kühlen Lächeln.

Ich rutschte auf meinem Stuhl herum, doch ehe ich irgendetwas sagen konnte, platzte Arabella dazwischen. »Und ich wollte gerade gehen, daher hallo und tschüs, Leute.« Mit der Handtasche am Arm winkte sie lässig in die Runde. »Bis bald.« Sie ging auf die Zehenspitzen, um Marcus ein Wangenküsschen zu geben. »Tschüs mein Guter, und vielen Dank, dass du dir die Zeit genommen hast. Es war sehr aufschlussreich. Ich habe jede Menge Ideen für Verbesserungen.« Sie ließ ein sonniges Lächeln in meine Richtung aufblitzen.

Ich wartete, bis sie weg war, und verdrehte dann die Augen, nur um festzustellen, dass Marcus finster auf mich herunterschaute. Ich verzog das Gesicht. »Oh … Mist, ich hatte dich vergessen, ich meine, tut mir leid, ich, ähm, habe neulich die Zeit vergessen.«

Er hob eine Augenbraue, wodurch ich mir schlagartig noch

kleiner vorkam. Ich hatte es wirklich vergessen, aber er dachte offensichtlich, ich würde ihn meiden.

»Ich hatte es mir nicht in den Kalender eingetragen.« Ich holte meinen abgegriffenen Terminplaner aus der Tasche und zeigte ihm die leere Seite.

»Du verwendest immer noch einen Terminplaner?« Er klang gequält, schien aber nichts anderes von mir erwartet zu haben.

»Ja.« Ich lächelte zu ihm hoch und stand dann auf, um ihm verschwörerisch ins Ohr zu flüstern: »Und das Schlaue an diesen Dingern ist …« Verdammt, ich hatte vergessen, wie sehr ich seinen Geruch mochte. Ich ignorierte das Gefühl, dass mein Puls einmal ausgesetzt hatte, und trat einen Schritt zurück, um ihm nonchalant zuzuzwinkern, während ich ergänzte: »… sie brauchen keinen Akku, und man muss sie auch nicht aufladen.« Ich fühlte mich kein bisschen nonchalant. Innerlich war ich ganz verwirrt und kribbelig. Was zum Teufel war nur mit mir los? Ich mochte Marcus nicht mal.

Seine Lippen krümmten sich zu einem widerwilligen Lächeln, und er streckte die Hand aus, nahm mir den Terminplaner ab, wobei seine Finger meine streiften, was dafür sorgte, dass mein innerer Temperaturregler aufs Maximum anstieg. »Und in diesem Planer steht für die nächste Stunde nichts drin, daher können wir getrost davon ausgehen, dass du Zeit hast, um dich wie geplant mit mir zu treffen.«

Jetzt hatte er mich. Jeanie und Vince sahen mit eifrigem Interesse zu, als würden wir extra für sie eine Show hinlegen. Als sie merkten, dass ich ihnen einen bösen Blick zuwarf, standen beide auf und verabschiedeten sich. Marcus und ich blieben zurück. Mit der Feindseligkeit zweier Boxer, die gerade vom Ringrichter getrennt worden waren, standen wir einander gegenüber.

»Also, nun, da du mich aufgespürt hast …«

Marcus seufzte – zwar nicht hörbar, doch ich sah, wie sein Kragen und seine Schultern sich hoben. Es verschaffte mir keinerlei Befriedigung.

»Okay, es tut mir leid, dass ich unser Treffen verschwitzt habe.« Ich war tatsächlich nicht die beste Planerin, doch ich sah, dass er unsicher war, ob er mir glauben konnte. »Was soll ich dir erzählen?«

Er schaute sich in der geschäftigen Kantine um und stieß ein unmotiviertes, selbstironisches Lachen aus, bei dem seine Mundwinkel weiterhin nach unten zeigten. »Wie wäre es mit allem?« Wenn ich nicht gewusst hätte, dass es ihm absolut nicht an Selbstvertrauen mangelte, hätte er ein klein wenig verletzlich auf mich gewirkt. Ich hätte es ignorieren können, aber ich machte den Fehler, auf seine Füße zu schauen.

Der Anblick seiner auf Hochglanz polierten schwarzen Budapester, deren glattes Leder im Licht einer Deckenlampe glänzte, neben den abgestoßenen Chelsea-Stiefeln eines der Musiker rechts von ihm sprang mir ins Auge, und schlagartig wurde mir der scharfe Kontrast bewusst. Auf einmal tat er mir leid.

In seinem edlen grauen Wollanzug, dem man ansah, dass er ein Vermögen gekostet haben musste, einem gestärkten weißen Hemd, das ziemlich sicher aus der Savile Row stammte, und mit der gediegenen Seidenkrawatte stach er hervor wie ein nagelneuer Ferrari in einem Verkaufsraum voller Gebrauchtwagen.

Schlimmer noch, er sah plötzlich aus, als sei er sich dessen unangenehm bewusst.

»Weißt du was«, ich stand auf, »wie wär's, wenn ich dich mal herumführen würde?« Er öffnete den Mund, und ich hob die Hand. »Ja, ich weiß. Du hast schon die offizielle Führung bekommen, die nur darauf abzielt, den Leuten zu zeigen, wie professionell und großartig wir sind. Und das sind wir auch, aber ich gebe dir eine Führung, die deutlich macht, wie wir alle zusammenarbeiten und wie die Abläufe hier wirklich funktionieren. Mit allen Höhen und

Tiefen, bei denen ich mir sicher bin, dass die Geschäftsführung sie nicht erwähnt hat, als sie dir diesen Ort schmackhaft gemacht hat.«

Sein Blick wurde schärfer, ein paar Falten erschienen auf seiner Stirn. Ich sah, dass ich sein Interesse geweckt hatte, und der Ausdruck von Respekt, der plötzlich über sein Gesicht huschte, ließ mich ein Stückchen wachsen.

Ich grinste ihn an. »Was hast du schon zu verlieren?«

»Eigentlich nicht viel. Aber sei nett zu mir, ja?« Das zaghafte, bittende Lächeln, das er mir zeigte, ließ auch die letzten verbliebenen Zweifel, ob ich wirklich Umgang mit dem Feind pflegen sollte, verschwinden.

Ohne noch einmal darüber nachzudenken, schob ich die Hand in seine Armbeuge und führte ihn auf den Ausgang zu. »Wenn du es nett haben willst, wirst du hier nicht überleben.« Nicht dass ich in dieser Hinsicht Bedenken hatte. Am Montag auf der Bühne mit der Führungsriege hatte er ziemlich robust gewirkt. Ich ignorierte das Unbehagen, das mich kurz überfiel, und lächelte ihm geschäftsmäßig zu. Ich würde jetzt nicht an die Sache mit der Zeitung denken.

Wir begannen mit dem Foyer, das wie bei den meisten Theatern relativ klein war, wenn man bedachte, wie viele Leute hindurchgingen. Ich stellte mir das Gebäude immer so ähnlich wie einen Eisberg vor. Was man an der Oberfläche sah, spiegelte in keiner Weise die riesigen Räumlichkeiten hinter der Bühne und unter der Erde wider.

Es waren etliche Leute anwesend, ein paar Touristen, die nur kurz hereinschauten und sich umsahen, wahrscheinlich weil sie keine Karten bekommen hatten, sowie einige um Unauffälligkeit bemühte Reinigungskräfte, die die georgianischen Türscheiben polierten. Eine Gruppe Requisiteure schmückte einen riesigen Tannenbaum, der in der Senke neben der Treppe aufgestellt worden war.

»Oooh, was ist dieses Jahr das Motto?«, fragte ich Dean, den leitenden Requisiteur, der gerade eine lange Papiergirlande entwirrte.

»Hey Tilly. Musik. Und ich muss sagen, die Bibliothek hat hervorragende Arbeit geleistet.« Er hielt einen glänzenden goldenen Notenschlüssel hoch und schwenkte eine Lichterkette, die Notenlinien nachempfunden war.

»Clever«, sagte ich, als einer seiner Kollegen uns eine Handvoll goldener Noten, Kreuze und Bes zeigte.

Ich wandte mich Marcus zu, der zur Baumspitze hinaufstarrte, die bis zur oberen Galerie der Treppe reichte. »Jedes Jahr ist eine andere Abteilung damit an der Reihe, den Baum zu schmücken.«

»Ich kann mir nicht vorstellen, dass so was in der Bank passieren würde«, erwiderte er und betrachtete die Ansammlung von Baumschmuck, die auf dem Boden aufgehäuft war.

»Es ist ein ziemlicher Wettbewerb. Letztes Jahr haben wir Zuckerfeen und Nussknacker gemacht«, sagte ich, ehe ich hinzufügte: »Ich frage mich, was die IT beitragen würde.«

Er schenkte mir ein träges Lächeln. »Irgendwelchen Hightech-Kram, vielleicht Blinklichter mit einem Binärzähler.«

Ich verdrehte die Augen. »Was auch immer das sein soll. Komm.« Ich neigte den Kopf und führte ihn zur Wand auf der anderen Seite. »Das Theater wurde 1822 erbaut, aber erst 1956 wurde es Sitz der London Metropolitan Opera.« Ich wies auf eine Marmortafel, die die Firmengründung feierte. »Wir sind nicht so alt oder berühmt wie das Royal Opera House, aber wir haben uns den Ruf erworben, innovative und avantgardistische Versionen bekannter Werke zu inszenieren.« Ich machte einen albernen Knicks. »Das ist die offizielle Darstellung. Jetzt kommt das Wesentliche.« Ich versuchte, seine Reaktion einzuordnen und herauszufinden, ob er an seinem steifen Auftreten festhielt oder sich mitreißen ließ. Als ich seine Lippen betrachtete, kam es mir vor, als ob sie ganz leicht zuckten. »In der Branche sind wir dafür bekannt, dass wir ein bisschen unkonventionell sind und auch mal etwas wagen.«

Ich führte ihn zu einem der Plakate an der Wand und deutete darauf.

»Manchmal ist es ein Erfolg, aber gelegentlich geht es spektakulär nach hinten los, und wir landen einen richtigen Flop. Sagt dir die *Seefahrer von Pompeji* was?«

»Ist das ein echter Titel?« Seinen geschürzten Lippen nach zu schließen, nahm er an, ich wolle ihn auf den Arm nehmen, doch er betrachtete das Plakat aufmerksam und gab mir so die Gelegenheit, in Ruhe sein ziemlich perfektes und sehr männliches Profil zu studieren. Mit diesem starken, straffen Kinn und der schönen Stirn hätte er ebenso gut eine Nachbildung irgendeiner griechischen Statue sein können.

»Oh ja. Es war eine absolute Katastrophe. Die Kritiker fanden es miserabel. Es gab keine einzige positive Rezension. Sie haben das Stück total zerrissen, und ironischerweise«, ich neigte mich zu ihm, ging auf die Zehenspitzen und flüsterte verschwörerisch, »haben wir dadurch keinen Verlust gemacht. Die Karten sind alle weggegangen, weil die Leute sehen wollten, ob es wirklich so schlecht war. Ich wette, davon hat die Geschäftsführung dir nichts erzählt.«

Da mein räumliches Denken nicht sonderlich ausgeprägt war, hatte ich offenbar die Entfernung falsch eingeschätzt und war etwas zu nah an ihn herangetreten, denn er wandte abrupt den Kopf, als mein warmer Atem sein Ohr streifte. Die überraschende Bewegung brachte mich ins Taumeln, und er ergriff meine Unterarme, um mich zu stützen, sodass seine Lippen mit meinen auf einer Höhe waren. Ein bizarrer Gedanke schoss mir durch den Kopf. Was er wohl sagen würde, wenn ich mich vorbeugen und ihn küssen würde? Möglicherweise begann ich mich gerade sogar vorzubeugen. Zum Glück war er damit beschäftigt gewesen, mich wieder hochzudrücken, und wirkte nicht so, als ob er es bemerkt hätte. Falls doch, war er viel zu höflich oder entsetzt, um es anzusprechen. Ich mied seinen Blick und beschäftigte mich damit, meinen Rock glatt zu streichen.

»Nein, sie haben nichts dergleichen erwähnt. Mein Guide betonte, dass es mehrere Millionen gekostet hat, dieses Foyer zu renovieren, und dass der reinweiße Marmor aus den Apuanischen Alpen in Nord- und Mittelitalien stammt. Und er hat mir detailliert die Finanzierung erklärt, nämlich dass die Sanierungskosten zum Teil der Staat übernahm und ein weiterer Teil aus einem großzügigen Nachlass bezahlt wurde.«

»Dachte ich mir«, sagte ich in geschäftsmäßigem Ton, erleichtert, dass er den Augenblick meiner Verunsicherung offensichtlich nicht mitbekommen hatte, und ging ihm voraus wieder durch die Türen und den langen Gang entlang.

Das »Pling« des Aufzugs verkündete, dass wir im zweiten Stock angekommen waren. »Die Kostümabteilung«, sagte ich, als wir in den Gang hinaustraten, der wegen der vielen Kleiderstangen an den Wänden sehr schmal war.

»Was ist das alles?« Er deutete auf die Reihe aus mindestens fünf Kleiderstangen, an denen wir uns vorbeizwängen mussten.

»Das?« Ich winkte ab und beschleunigte meine Schritte, doch er war stehen geblieben und sah die Kleider durch.

»Ja, das hier.« Lag ein Anflug von Belustigung in seinem Blick?

»Das«, ich zeigte ihm ein fröhliches Lächeln, »kommt wahrscheinlich ins Lager.« Das leuchtend rote Gefieder, das wir gerade gestreift hatten, stammte unverkennbar aus einer noch nicht lange zurückliegenden Inszenierung von *Der Feuervogel.*

»Und was passiert dann damit? Ich schätze, diese vielen Kleider hängen nicht einfach herum wie Patienten in der Notaufnahme, bis ein Zuhause für sie gefunden wird?« Er legte den Kopf schief.

»Sie sind herrlich, nicht wahr?« Ich suchte das Kostüm der Primaballerina heraus, zog den Traum aus Federn, Tüll und Pailletten von der Stange und hielt ihn ihm hin.

Einen Augenblick wirkte er desinteressiert, während ich völlig davon eingenommen war, in welch starkem Kontrast das leuchtende Rot zum dunklen Grau seines Anzugs stand.

»Du solltest dir eine Krawatte in dieser Farbe holen, sie würde zu diesem Anzug toll aussehen«, platzte es aus mir heraus.

Jep, jetzt war er eindeutig belustigt. Ich sah, wie seine Lippen zuckten, auch wenn er rasch den Kopf senkte, um es zu verbergen.

»Oder?« Wieder hielt ich ihm das Tutu entgegen.

Er streckte die Hand aus und strich über eine der vielen roten und schwarzen Federn, die majestätisch vom Mieder abstanden. »Das ist ...« Ich wartete ab, als sich seine Miene veränderte. »Es ist großartig. Und es wurde extra für dieses Stück geschneidert?« Er beugte sich vor, um die winzigen Nähte zu studieren, mit denen die vielen Schichten in Orange-, Rot- und Gelbtönen befestigt worden waren. »Sag bloß, das ist alles handgenäht?« Er trat einen Schritt zurück, als könnte das Kostüm ihn beißen.

Ich schüttelte den Kopf, er hatte noch so viel zu lernen. »Jep, und ganz ohne Computer.« Ich sah ihm in die Augen und verzichtete absichtlich darauf, zu erwähnen, dass die Kostümabteilung auch einige sehr hochwertige Nähmaschinen besaß, die wahrscheinlich Computerchips enthielten und alle möglichen schlauen Dinge konnten, zum Beispiel Überwendlichstich, Stickerei und Knopflochstich.

Die meisten Leute hätten sich vermutlich abgewandt, doch er nahm es mit mir auf und erwiderte meinen Blick direkt. Er nickte bedächtig. »Das kostet bestimmt eine Menge Zeit.«

Worauf wollte er jetzt hinaus?

»Ist es das wert?«, fragte er und betastete erneut die Federn. »Die sehen teuer aus. Kann man die von hinten aus dem Zuschauerraum überhaupt richtig sehen?«

Er hatte keine Ahnung, aber es war ziemlich süß, wie er alles so sorgfältig evaluierte.

Es gab sicher viele, die es für übertriebenen Aufwand gehalten hätten, die Federn zu beschaffen und in einem ganz bestimmten Rotton zu färben. Ich war daran gewöhnt, und ehrlich gesagt, hatte ich es noch nie rechtfertigen müssen, doch jetzt betrachtete ich das Kostüm aus einem neuen Blickwinkel.

»Finanziell gesehen vielleicht nicht … aber«, mir kam ein Gedanke, »wir fordern die Zuschauer auf, Inszenierungen mit den größten Talenten der Welt zu besuchen. Wenn die Darsteller versuchen, sich in ihre Rollen hineinzuversetzen, und dafür scheußliche, billige Nylonkostüme anziehen sollen, untergräbt das die Integrität ihrer Arbeit.«

Zynismus spiegelte sich auf seinem Gesicht wider, ausgedrückt durch eine dezent erhobene Augenbraue.

»Und danach, was passiert mit … all dieser Arbeit?«

Bestrebt, ihn zu beeindrucken, gab ich meine Zurückhaltung auf und ließ meiner Begeisterung freien Lauf.

»Das meiste davon wird eingelagert, allerdings nicht alles. Manchmal touren unsere Inszenierungen, dann werden die Kostüme wiederverwendet. Manche werden auch an andere Theater ausgeliehen.«

Einen Augenblick zu spät bemerkte ich, wie er all diese Informationen aufnahm.

»Ich höre fast, wie es bei dir rattert und die Schalter umgelegt werden.« Resigniert seufzte ich. »Und nein, ich habe keine Ahnung, wie sie den Überblick behalten.«

»Es wäre interessant, das zu erfahren.« Er zog die Augenbrauen hoch.

»Bestimmt.« Weil er so geduldig meinem Wortschwall gelauscht hatte, ergänzte ich grinsend: »Vielleicht können sie ja das eine oder andere System gebrauchen.«

»Ganz sicher. Ich werde zu ihnen gehen, sobald ich mit euch fertig bin.«

»Vielleicht solltest du mit ihnen anfangen«, sagte ich dreist, als hätte ich gerade erst diesen genialen Geistesblitz gehabt. »Schließlich werden all diese Kostüme schon bald abgeholt.«

»Nein.« Sein unerbittlicher Ton ließ mich zusammenzucken. »Ich glaube, ihr habt ebenso viel Bedarf.« Er wandte sich ab und schob das gefiederte Tutu wieder an seinen Platz, machte deutlich, dass ich bei diesem Spiel nur verlieren konnte, doch ich bemerkte, dass seine Lippen kurz zuckten.

»Wie du vorhin sagtest, Tilly, hat dieses Theater den Ruf, avantgardistisch und ein Vorreiter in Sachen Innovation zu sein. Es wäre eine Schande, wenn deine Abteilung das versäumen würde.« Die grünen Augen funkelten, und das unerwartete Lächeln bewirkte, dass mein Puls abrupt in fröhlichen Trab verfiel.

Dieser Mann war gefährlich. Das Allerletzte, was ich derzeit brauchte, waren eigensinnige Hormone, die undiszipliniert herumhüpften und alles verkomplizierten.

Auf dem Rückweg zum Aufzug trafen wir Alison Kreufeld, die eindeutig erfreut war, uns gemeinsam zu sehen.

»Ah, Tilly … und Marcus, du hast mir einen Anruf erspart. Wie läuft das IT-Projekt?«

»Gut«, sagte ich nickend und überkreuzte die Finger in der Tasche.

Sie strahlte. »Hervorragend, ich freue mich schon darauf, Ende der Woche einen Bericht zu erhalten. Marcus hat mir erzählt, ihr hättet ein potenzielles Projekt identifiziert, und meinte, er sei zuversichtlich, dass du die Implementierung für die Maske hinbekommst.

Hatte er das?

»Ja, wir haben gerade besprochen, wie wir am besten vorgehen, nicht wahr, Tilly?« Zum Glück klang er angemessen vage. »Wir treffen uns nächste Woche, Donnerstag, richtig?«

»Ja«, sagte ich noch immer nickend und betete, dass sie keine weiteren Informationen verlangen würde. Anstatt Marcus einen heftigen Tritt ans Schienbein zu verpassen, behielt ich den Fuß fest auf dem Boden.

»Es freut mich sehr, das zu hören. Ich kann es kaum erwarten, weitere Einzelheiten zu erfahren.« Sie lächelte warm. »Toll zu sehen, dass ihr die Sache anpackt. Gut gemacht, Tilly.«

Sie machte auf dem Absatz kehrte, und ging davon.

»Danke«, murmelte ich Marcus zu.

»Wofür?«

»Dass du mich nicht verraten hast.«

»Heißt das, dass du mir etwas schuldig bist? Wir sehen uns Donnerstag. Passt es dir um elf?« Er ließ ein schelmisches Grinsen aufblitzen, und ich wusste, dass er es mir gewaltig heimzahlen würde.

Elftes Kapitel

Frau, du bist daheim.« Schuldbewusst lächelte Felix mir zu und kam wie ein enthusiastischer Labrador in die Küche gehüpft. An seiner Hand baumelte eine schicke Tüte mit einem Griff aus Seidenband.

»Ich hab dir ein Geschenk gekauft, und«, er hob die andere Hand, als wolle er jeden Widerspruch unterbinden, »ehe du was sagst, es tut mir wirklich leid. Ich hab Riesenmist gebaut.« Seine Miene wurde nüchtern, und er kam zu mir, legte mir die Hand unters Kinn und sah mich eindringlich an. »Ich hätte nicht auf Jonno hören sollen. Ich schwöre, dass ich das nie wieder tue. Ich bin ein Idiot, das weiß ich. Und du bist viel zu gut für mich.«

Die letzten Worte sagte er mit einem so traurigen, süßen Lächeln, dass sich mir vor Bedauern das Herz zusammenzog.

Er umschloss mein Gesicht mit den Händen und sah mich so innig an, dass ich hätte weinen können. »Tilly, du bist das Beste, was mir je passiert ist. Ich hab dich nicht verdient. Ich verspreche, dass ich niemals wieder irgendjemandem etwas weitererzählen werde, was du mir erzählt hast. Bitte, bitte, liebste Tilly, verzeih mir. Ich liebe dich so sehr. Du bist meine beste Freundin auf der ganzen weiten Welt.«

Mein Herz schlug holprig.

Er ließ die Tüte vor mir baumeln, einen flehenden Ausdruck in den großen braunen Augen, Sorge und Reue standen ihm ins Gesicht geschrieben.

»Los, pack es aus.« Er drückte mir die Tüte in die Hand. »Ich bin mir sicher, dass es dir gefallen wird.«

Ich schlug eine Schicht Seidenpapier auseinander und zog eine wunderschöne handgenähte Tasche heraus. Sie war aus schwerem violettem Samt, und das Futter bestand aus fuchsienrosa marmorierter Seide. Der Stoff glitt mir durch die Finger, weich und sinnlich. Sie war einfach hinreißend – und sie passte *so* gut zu mir. Ich schaute hoch zu Felix und biss mir auf die Lippe. Das extravagante Geschenk erinnerte mich unwillkürlich an den schwermütigen Klang eines Liedes aus *Chess, I Know Him So Well*. Dieser Satz war mir immer außerordentlich treffend erschienen.

»Sie ist wunderschön«, flüsterte ich. Ich konnte nicht widerstehen und strich über den prächtigen Stoff.

Felix kannte mich nicht nur, er verstand mich auch. Wusste, wie ich tickte. Sobald meine Oma mir das Geld für die Wohnung hinterlassen hatte, damals, als ich bei der Werbeagentur gearbeitet hatte und furchtbar unglücklich gewesen war, hatte er zu mir gesagt, dass er mich rausschmeißen würde, wenn ich nicht in die Gänge kam und mich für eine Maskenbildner-Ausbildung anmeldete. Und als meine Eltern das missbilligt hatten, war er für mich da gewesen. Es gab nur uns beide. Er hielt mich nicht für flatterhaft.

Ein Teil der Verantwortung für diese Sache lag bei mir, es war meine eigene Schuld. Ich hatte ihm unerlaubt Dinge verraten, weil ich mir dann groß und wichtig vorkam. Beschämt erkannte ich, dass ich das aus kleingeistiger Unsicherheit heraus getan hatte. Um mich aufzuwerten angesichts der geringen Wertschätzung, die meine Eltern mir für meine Leistungen entgegenbrachten.

Hatte er noch eine Chance von mir verdient? Er hatte falsch gehandelt, doch zuvor hatte ich einen viel größeren Fehler begangen.

Ich richtete mich auf, lächelte und küsste ihn auf die stoppelige Wange. Er war so lange mein bester Freund gewesen, das wollte ich nicht verlieren. »Danke, sie ist absolut traumhaft.« Ich hängte mir die Tasche über die Schulter, und der Samt schmiegte sich an meinen Hals.

»War mir ein Vergnügen, Frau.« Er grinste, seine Zähne leuchteten weiß in seinem gebräunten Gesicht. »So, was willst du zu Abend? Der Kühlschrank ist leer. Wollen wir essen gehen?«

Im Vorratsschrank war noch genug, um einfach ein paar Nudeln mit Soße zu machen, aber ich wusste aus Erfahrung, dass er Einfaches nicht mochte.

Entschlossen, die Stimmung nicht wieder zu trüben, scherzte ich: »Wie wär's dann mit einem Ausflug zu Sainsbury's?«

Ich verdrängte meinen leichten Unmut, dass er so schnell zum nächsten Thema übergehen konnte, doch andererseits gehörte das zu seinem Charme. Er besaß einfach einen unverwüstlichen Optimismus.

»Muss das sein? Können wir uns nicht was vom Imbiss holen?«

»Nein. Es ist erst Viertel nach acht. Der Supermarkt ist günstiger.« Vor allem, da die Tasche im Seidenpapier, das mit dem Logo einer noblen Boutique verziert war, ihn mindestens hundert Pfund gekostet haben dürfte. Er hätte lieber einen Glaser bezahlen sollen, damit dieser das Fenster im Flur reparierte, oder einen Klempner, der dafür sorgte, dass der Wasserhahn an der Spüle nicht mehr tropfte.

»In einer halben Stunde können wir mit allem fertig sein.« Ich fuhr ihm durch die Bartstoppeln und fühlte, wie er sich von mir zu lösen begann. »Kopf hoch, ich zaubere auch das grüne Thaicurry, das du so magst.«

Nun hatte er sich mir ganz entzogen, und einen Augenblick lang wollte ich ihn wieder an mich ziehen und herausfinden, ob ich die Nähe spüren konnte, die wir früher geteilt hatten, doch er geriet sofort in Fahrt. »Was, mit Jasminreis und Papadams? Und Chutney. Oh, und diesen Frühlingsrollen?«

Ich lachte, als er mit gefräßiger Aufregung herumhüpfte und diese für ihn so charakteristische Lebensfreude versprühte.

»Jaaa. Los jetzt, ehe ich es mir anders überlege.«

Damit war alles wieder beim Alten. Doch eine leise Stimme in meinem Hinterkopf fragte, ob es wirklich die richtige Entscheidung war, zur Normalität zurückzukehren.

»Gib mir fünf Minuten, ich muss noch mal kurz für die Arbeit telefonieren.«

»Okay, aber wenn es länger als fünf Minuten dauert, kannst du Bohnen mit Toast essen.«

Während ich auf ihn wartete, zog ich meinen Reader aus der Tasche und musste lachen. Meine Entgleisung mit dem digitalen Küsschen in meiner letzten Mail hatte eindeutig keinen Schaden angerichtet.

An: Matilde@lmoc.co.uk
Von: Redsman@hotmail.co.uk
Betreff: Buchempfehlungen

Die Anatomie von Liverpool – Eine Geschichte in zehn Spielen von Jonathan Wilson
Die rote Maschine – Der FC Liverpool in den 1980ern von Simon Hughes
Zur Erinnerung an ehemalige Rote von Steven Speed
Rot oder Tot von David Peace

Darauf konnte ich nicht nicht antworten!

An: Redsman@hotmail.co.uk
Von: Matilde@lmoc.co.uk
Betreff: AW: Buchempfehlungen

Lol! Für Horrorgeschichten würde ich Stephen King lesen.
Du bist für die Comedy, was Liverpool fürs Toreschießen ist. Jämmerliches Ergebnis gestern.
Tilly

»Komm, Frau, hör auf zu lesen. Wir müssen einkaufen.« Felix kam hereingehüpft, entwand mir meinen Reader und schob mich eilig aus der Wohnung.

Nachdem wir das thailändische Hühnchencurry mit allem Drum und Dran verspeist hatten, machte ich es mir auf dem Sofa bequem und überließ Felix, der noch immer im Wiedergutmachungsmodus war, den Abwasch.

»Lust, in den Pub zu gehen?«, fragte er und erschien an der Tür, das Handy in der Hand. »Die Jungs sind unten im *Windmill.*«

Ich hätte wissen müssen, dass er einen Plan ausheckte, angesichts des verräterischen Ausdrucks in seinen Augen, als sein Handy während des Essens immer wieder gepiepst hatte.

»Nicht wirklich«, seufzte ich. »Ich hab's hier warm und gemütlich. Da draußen ist es eisig.« Diese Woche hatte es einen Wetterumschwung gegeben, und ein scheußlicher Wind aus Sibirien war über London hinweggefegt und um die Häuser gewirbelt. Die Böen erwischten einen unvorbereitet und raubten einem den Atem, wenn man um die Ecke ging oder leeseitig den Schutz eines Gebäudes verließ.

»Es macht dir doch nichts aus, wenn ich gehe?«

Seltsamerweise tat es das tatsächlich nicht. Nach dem hektischen Einkauf bei Sainsbury's war ich erschöpft. Felix hatte die Kassiererin mit einem ewig andauernden Kommentar zu unseren Einkäufen unterhalten, angefangen mit »Haben Sie die mal probiert?«, wobei er eine neue Sorte Schokohaferfinger hochhielt. »In Tee getunkt.« Er zwinkerte ihr zu. »Lecker.«

»Schmeckt nach Pappe, wissen Sie«, ließ er kurz darauf verlauten, schüttelte die Schachtel Shreddies und nickte in meine Richtung, ehe er die Nase rümpfte und sich mit gesenkter Stimme zu ihr beugte. »Aber offenbar besser für mich als Coco Pops, wenn Sie wissen, was ich meine.« Er hob die Augenbrauen in Groucho-Marx-Manier.

Als alles gescannt war, lachte die in ihre Nylonuniform gequetschte Kassiererin mit ihm, wobei ihr Mehrfachkinn vor Heiterkeit bebte, und ich kam mir vor wie eine fiese alte Spielverderberin.

»Nein, geh ruhig. Ich hab ein gutes Buch hier.« Ich raffte mich zu einem Lächeln auf. »Ich bin todmüde.«

»Machst du etwa schlapp?«

»Wahrscheinlich werde ich erwachsen.«

»Niemals«, erklärte Felix und schüttelte energisch den Kopf, woraufhin sich ein paar Haarsträhnen aus seiner modischen Tolle lösten. Schnell klatschte er sie zurück, mit einer vertrauten Geste, die mir einen kleinen Stich versetzte. Vielleicht gab ich mir nicht genug Mühe.

Ich schwang die Beine vom Sofa. »Bin ich eine langweilige alte Schrulle? Willst du, dass ich mitkomme?«

»Nein«, er wedelte mit der Hand, als wollte er mich auf meinen Platz zurückschieben, »du bist gut so, Liebes. Es könnte spät werden. Vielleicht gehen wir noch in die Stadt.«

Ich ließ mich wieder aufs Sofa plumpsen.

»Wirklich? Meintest du nicht, ihr würdet in den Pub gehen?«

»Ja, aber vielleicht haben die Jungs noch was vor.«

Ich hätte angenommen, dass Kev und Jason, die beide im Baugewerbe arbeiteten und zu einer unchristlichen Uhrzeit aufstehen mussten, auf dem Weg ins Bett waren und sich nicht gerade darauf vorbereiteten, noch einen draufzumachen.

»Na, ich weiß nicht, ob ich da mithalten kann. Weck mich nicht, wenn du heimkommst.«

»Mach ich … Ich meine, mach ich nicht.« Er sprang zu mir herüber, schlüpfte in seinen Mantel, den er bereits in der Hand gehalten hatte, und drückte mir rasch einen Kuss auf den Scheitel. »Du bist die Beste, Tilly.«

Nachdem er gegangen war, konnte ich mich nicht zurückhalten und schaute in meine Mails.

An: Matilde@lmoc.co.uk
Von: Redsman@hotmail.co.uk

Du solltest es gewohnt sein, herzhaft zu lachen. Deine Mannschaft besteht echt aus einem Haufen Komiker. Ich schätze, dir steht morgen Abend eine Enttäuschung bevor. Zwei von euren Stürmern auf der Bank … ihr habt nicht die geringste Chance, Chelsea zu besiegen.
Stephen King – sein bestes Buch ist *Sie*. Hast du es gelesen?

Leider war ich geneigt, ihm beizupflichten, auch wenn ich ihm das selbstverständlich nicht verraten würde.

An: Redsman@hotmail.co.uk
Von: Matilde@lmoc.co.uk

Nur ein kleiner Durchhänger in der Mitte der Saison, wir berappeln uns bald wieder. Und warte erst mal euer Ergebnis ab, ehe du anfängst zu singen.
Ich hab noch gar nichts von Stephen King gelesen, obwohl ich *Sie* geschaut habe (ich mochte es) und *Shining* (mochte ich nicht – hab mir vor Angst fast in die Hosen gemacht).
Tilly

Zwölftes Kapitel

Ufff.« Ich stieß gegen Marcus' Brust, als ich um die Ecke flitzte. Er trug wieder einen seiner edlen Wollanzüge, von dem ich hätte wetten können, dass er mein gesamtes Monatsgehalt gekostet hatte, und wieder erinnerte er mich an einen eleganten Schwan unter widerspenstigen Entlein. Heute hatte ich mich modisch am Look von Audrey Hepburn in Paris orientiert, mit einer weißen Bluse und einem schwarzen Bleistiftrock – allerdings nicht von der ordentlich geschnittenen Sorte aus reiner Wolle, wie meine Schwester ihn vermutlich tragen würde –, akzentuiert von einem gestreiften Halstuch.

»In Eile?« Seine Lippen pressten sich zu einem festen Strich zusammen, der Geringschätzung ausdrückte.

»Ja«, keuchte ich.

»Tilly, das ist nicht gut genug.«

»Was?« Ich runzelte die Stirn, und dann fiel es mir wieder ein. »Oh scheiße … Ich meine, tut mir leid. Ich hab's schon wieder verschwitzt. Wirklich.« Mein Fuß wippte, als ich in Stress verfiel, weil ich mich an Alisons gestrige Kommentare erinnerte. »Wir können es morgen machen. Ich vergesse es nicht, versprochen.«

»Wo willst du hin?«

»Ähm …« Ich studierte die Wände. Mir fiel keine Ausflucht ein, daher gestand ich es ihm. »Ich muss kurz zu Fox's, ein paar Vorräte kaufen. Also, eigentlich nur eine Sache. Diesen besonderen hypoallergenen Kleber, den wir für Gesichtsbehaarung benutzen. George Fordingbridge kommt für eine Werbeaufnahme vorbei, und er hat sehr empfindliche Haut, deshalb brauchen wir das nicht-allergene Zeug.«

»Was? *Der* George Fordingbridge? Der Schauspieler?« In seiner Stimme schwang Fanboy-Begeisterung mit.

Ich konnte mich mühsam davon abhalten, die Augen zu verdrehen.

»Das ist ein Theater. Bei uns gehen ziemlich viele von diesen Schauspielertypen ein und aus.«

Mein trockener Tonfall bewirkte, dass er sich straffte und an seinem Hemdkragen rieb, und sofort sagte ich: »Entschuldige. Ich schätze, er ist ein ziemlich großer Name, und ich bin einfach daran gewöhnt.«

»Ja.« Sein reuevoller Blick bewirkte, dass ich froh war, die Entschuldigung hinterhergeschoben zu haben. »Ja. Mit dem Besuch des Staatssekretärs vom Ministerium für Wirtschaft, Energie und Industriestrategien kann man nicht ganz so gut angeben. Das war bei meiner letzten Stelle das Highlight. Wobei es hier offensichtlich keine Angeberei ist. Es ist etwas gewöhnungsbedürftig. Ihr geht alle so locker damit um.«

»Bald gibst du auch an wie ein Alter.« Ich drückte seinen Arm, und als er zurückzuckte, wurde mir klar, was ich getan hatte. Wahrscheinlich war er uns körperbetonte, emotionale Typen ebenso wenig gewohnt.

»Weißt du was ...« Oh Gott, ich würde das bestimmt bereuen. »Komm doch einfach mit.«

»Da das die einzige Möglichkeit zu sein scheint, wie ich dich heute erwischen werde.« Er grinste plötzlich, wie eine Katze, die mit einem Happs sowohl einen Kanarienvogel als auch die goldene Gans verschlungen hatte. »Ja. Ich könnte etwas frische Luft vertragen. Und vielleicht können wir darüber sprechen, wie wir ein System entwickeln, das verhindert, dass euch Sachen ausgehen. Morgen können wir das Thema dann in einer richtigen Besprechung vertiefen.«

Verdammt. Ich war ihm geradewegs in die Falle getappt.

Ab Ende November ist Covent Garden ein magischer Ort, und sobald der Dezember beginnt, ist es absolut zauberhaft. Es herrscht eine allgegenwärtige Weihnachtsatmosphäre, die jeden Winkel der historischen Gebäude und Gehwege zu erfüllen scheint. Nirgendwo sonst in London gibt es einen vergleichbaren Ort, mit seinem Kopfsteinpflasterplatz, den Säulen und Kolonnaden und den alten Häusern, die sich alle perfekt für traditionelle Weihnachtsdekoration eignen. Wo man auch hinschaut, ist es, als habe jemand einen Zauberstab geschwungen und hier einen Vorhang von Immergrün, da eine Spur roter Stechpalmenbeeren und so gut wie überall schimmernden Goldstaub hinterlassen. Die Krönung war dieses Jahr ein riesiger, aus einer Hecke zurechtgeschnittener Hirsch, der die Nordseite des Platzes dominierte und mit zur Seite gewandtem Kopf auf die Einkaufenden und Touristen hinausblickte wie der König eines weit entfernten Waldes, hierher versetzt, um ein paar Wochen lang über das Stadtgebiet zu herrschen. Diamantenbesetzt und von einer blinkenden Lichterkette umschlungen, wirkte der Hirsch auf mich, als könne er jeden Augenblick einen gewaltigen Satz machen und dorthin zurückspringen, wo er herkam.

Weihnachten weckte meine fantasievolle Seite. Ich konnte nicht anders. Ich liebte diese Zeit und die ansteckende Stimmung auf den Straßen.

»Komm«, sagte ich und huschte um die Touristen herum, die damit beschäftigt waren, Selfies von sich und den Straßenkünstlern zu schießen. Ich wollte einen Umweg machen und mir die neue Lego-Installation anschauen, von der ich hoffte, dass sie inzwischen enthüllt worden war.

»Wohin gehen wir?«

»Offiziell zu Charles Fox. Inoffiziell«, ich strahlte ihn an, »nehmen wir den etwas längeren Weg.«

Ich beobachtete die hin und her rutschenden Planen jetzt schon seit einigen Tagen und konnte es kaum erwarten, dass die Installation fertiggestellt wurde.

Ich führte ihn durch die ruhigeren Straßen, um die Touristenmassen zu meiden, und überquerte den Platz dann am Eck, wobei meine Absätze vor lauter Hektik auf den Pflastersteinen rutschten. Ich hatte es zwar eilig, aber dafür war immer Zeit.

Ich blieb stehen und wandte mich mit einem breiten Lächeln Marcus zu, wobei ich ihn am Arm packte. »Sie ist fertig.«

Er sah ein wenig verdutzt aus, und ich ließ seinen Arm los, um näher an die Absperrung zu gelangen und die unglaubliche Szene aus leuchtend bunten Steinen zu betrachten. Es gab Elfen mit Pantoffeln, deren Spitzen sich krümmten, Geschenkkartons mit Schleife sowie einen Weihnachtsmann mit rundem Bauch und Rauschebart. Seinen scharlachroten Mantel säumte ein Zierstreifen aus Hermelin. Es begeisterte mich jedes Mal, wie man aus kleinen, quadratischen Bausteinen so vielfältige Formen erschaffen konnte.

Selbst Marcus, der größte Kulturbanause, beugte sich vor, um die unglaubliche Detailliertheit in Augenschein zu nehmen.

»Das muss ich meinem Nef… meiner Familie zeigen«, sagte er.

Als wir uns entfernten, blieb ich plötzlich stehen, legte die Hand an seinen Ärmel und schaute hoch.

»Oh!«

»Was?«

Enttäuscht schüttelte ich den Kopf. »Ich dachte, ich hätte eine Schneeflocke gespürt. Der Wettermoderator meinte, es könnte heute Schnee geben.«

»Vielleicht im schottischen Hochland, aber nicht hier unten.«

Während ich einen letzten hoffnungsvollen Blick in den Himmel warf, führte ich ihn durch den alten Apple Market, wobei ich rasch die Stände inspizierte und mental abhakte, beruhigt, dass alle da und am richtigen Platz waren. Lederne Clutches in hellen Pastelltönen an der Ecke, Dévoré-Schals am dritten Stand, die Neue am Ende mit diesen wunderschönen Blumenbroschen aus Filz, wie üblich der Kerl mit der Leinenmütze, der Silberschmuck aus altem Besteck verkaufte, und die seltsamen, tollen Uhren in der Mitte der Gasse.

Ich blieb kurz stehen, während Marcus an mir vorbeischoss, bis ihm klar wurde, dass ich nicht mehr neben ihm lief. Mir war ein neuer Stand mit traumhaft schönen Seidenschals ins Auge gesprungen, und, was noch wichtiger war, mit *dem* perfekten Geschenk. Ich griff nach einer der Seidenbahnen, die ein Wirbelmuster in Petrol, Rosa und Schwarz aufwies und mit kleinen dunkelgrauen Stiftperlen verziert war, welche das Muster auflockerten und dem Schal zusätzliches Gewicht verliehen. Er war wie gemacht für meine Schwester. Die Farben würden ihr ausgezeichnet stehen, und was noch besser war: Der Schal würde ihre kleinen schwarzen Kostüme ohne Ende aufpeppen und außerdem auch zu ihren mondänen Schuhen und ihrer Handtasche passen.

»Ähm, Tilly?«

»Tut mir leid, ich habe gerade den hier entdeckt. Ist er nicht herrlich?«

»Dein Ernst?« Er hob die Augenbrauen, offensichtlich bestürzt, dass ich ihn nach seiner Meinung fragte oder auch nur annahm, dass er etwas dazu zu sagen hatte. Ich war zu sehr daran gewöhnt, mit Felix shoppen zu gehen. »Er ist nicht ganz mein Fall, aber …« Er zuckte die Achseln.

Ich beäugte sein wie üblich weißes Hemd. »Nein, ich sehe, dass du es nicht so mit Farben hast. Hältst du mal kurz?« Ich zog mein Portemonnaie aus der Tasche und drückte es ihm in die Hand.

Ehe er sich beschweren konnte, hatte ich den Preis von fünfunddreißig auf siebenundzwanzig Pfund heruntergehandelt und auch schon einen Schal für mich im Visier, sobald ich mein nächstes Gehalt bekam.

Ich tänzelte fast an den anderen Marktständen vorbei und schwang die weiße Papiertüte an den Kordelgriffen hin und her.

»Du bist wirklich sehr zufrieden mit dir, was?«, bemerkte Marcus.

»Jep. Es ist das perfekte Geschenk. Ich liebe es, wenn das passiert. Man sieht etwas, und es passt genau. Die besten Geschenke sind Dinge, von denen man nicht wusste, dass man sie wollte – aber man liebt sie.«

»Nein, die besten Geschenke sind nützliche Sachen.«

»War ja klar, dass du so was sagst. Ich wette, du bekommst liebend gern Sachen wie Strümpfe, Pantoffeln und Unterhosen geschenkt.«

»Unterhosen?« Er hob eine Augenbraue. »Pantoffeln? Na, du hast ja ein trauriges Bild von mir.«

»Was ist denn das beste Geschenk, das du je bekommen hast?«

»Ähm … Wie, jemals?«

»Okay, letzte Weihnachten. Was war das Beste, das du bekommen hast?«

Er machte ein langes Gesicht. »Eine ziemlich coole Krawatte.«

»Cool? Ich habe deinen Krawattengeschmack kennengelernt.« Extrem langweilig, in verschiedenen Grautönen.

»Ich trage sie nicht mehr.« Seine knappe Antwort legte nahe, dass er zu viel gesagt und es sofort bereut hatte.

Und ich konnte es nicht einfach auf sich beruhen lassen. »Oh nein. Ein Geschenk von einer Ex?«

»Ja.«

»Okay.« Sein abweisender Ton empfahl mir, das Thema nicht zu vertiefen. »Was ist das schlimmste Geschenk, das du je bekommen hast? Abgesehen von den Unterhosen und Pantoffeln. Du hast bestimmt eine komische Tante oder so, die immer blöde Geschenke kauft.« Ich blieb an meinem Lieblingsschmuckstand stehen, beschloss jedoch, seine Geduld nicht weiter zu strapazieren. »Meine Tante Jane, väterlicherseits, hat mir eine Reisedecke mit Schottenkaromuster gekauft. Ich hab nicht mal ein Auto. Wobei sie auch eine für Christelle gekauft hat, und die fand ihre klasse. Sie hatte eine schönere Farbe als meine.«

»Ah, also das kann ich toppen. Meine Tante hat mir eine Decke mit Ärmeln geschenkt.«

»Eine Decke mit Ärmeln?« Ich verlangsamte meine Schritte und warf ihm einen ungläubigen Blick zu. Er war ganz und gar nicht der Typ für so was.

»Ja. In Lila.«

Ich presste die Lippen aufeinander, aber ich konnte das Gekicher nicht unterdrücken. »Aber … du …« Ich fing an zu lachen, während er mich anstupste, weiterzugehen.

Ich versuchte, ein neutrales Gesicht zu machen, jetzt, da ich mein Kichern einigermaßen im Griff hatte, und sagte: »So hast du wenigstens immer ein Kostüm zur Hand. Du kannst als Barney der Dinosaurier gehen.«

»Das merke ich mir«, sagte er mit einem ernsten, trockenen Ton, bei dem mein Inneres sich interessiert zusammenzog. Obwohl er echt nicht mein Typ war, hatte er etwas ziemlich Anziehendes.

»Mag sie dich etwa nicht?«

»Hmm, das hab ich mich noch nie gefragt … vielleicht liegst du da gar nicht mal falsch. Oder sie macht sich Sorgen, dass ich die Heizkosten nicht bezahlen kann, seit ich von zu Hause ausgezogen bin und meine eigene Wohnung habe.«

»Wann bist du denn von zu Hause ausgezogen?«

Wieder zeigte er dieses plötzliche Lächeln. »Vor über zehn Jahren.«

Ich brannte darauf, ihn zu fragen, ob er sich diese eigene Wohnung mit irgendjemandem teilte, aber das würde so klingen, als ob ich an ihm interessiert wäre, und das war ich nicht. Er war nur ein Kollege. Und wenn dieses lästige Projekt erst einmal vorbei war, würde ich nichts mehr mit ihm zu tun haben müssen. Der Gedanke erfüllte mich mit weniger Freude, als ich vermutet hatte.

»Schau, es schneit tatsächlich«, sagte ich, als wir den Platz verließen. Weiße Flocken wirbelten und tanzten am Himmel, und ich blieb abrupt stehen, hob das Gesicht und schloss die Augen.

»Was machst du da?«

Ich hörte die Verwirrung in seiner Stimme.

Ich wartete noch ab, bis ich merkte, wie sich eine Schneeflocke auf meinen Lidern niederließ. Ich blinzelte. »Engelskuss. Wenn eine Schneeflocke auf deinen Augen landet, ist es wie ein Kuss von einem Engel. Sobald es schneit, muss man auf den ersten Kuss warten, ehe man sich bewegen darf. Meine Schwester und ich haben das früher immer gemacht.«

»Davon hab ich noch nie gehört.« Sein Blick drückte aus: *Ich hör mir das zwar an, aber du bist echt bescheuert.*

»Natürlich nicht, es ist ja auch eine Familiensache. Aber ich liebe den Schnee. Er ist märchenhaft, oder?«

»Nein, er ist kalt, nass, und beim ersten Anzeichen, dass er liegen bleibt, kommt alles zum Stillstand.«

Ich warf ihm einen mitleidigen Blick zu, der Mann hatte wirklich keine Seele.

Das Geschäft war schon für Weihnachten herausgeputzt worden, und das Schaufenster zeigte eine Szene aus *Aschenputtel,* wobei Aschenputtels Haut von glitzernden Kristallen überzogen war, die hässlichen Stiefschwestern Haarverlängerungen mit Tierfellmuster und die Mäuse aufsehenerregende falsche Wimpern in Regenbogenfarben trugen. Mit der üblichen freudigen Erwartung stieß ich die Tür auf und schüttelte mir die Schneeflocken aus dem Haar.

»Kommt das regelmäßig vor? Dass euch Sachen ausgehen?«, fragte Marcus, als ich stehen blieb, um eine Palette mit pastellfarbenem Lidschatten zur Hand zu nehmen, offenbar eine kleine Vorschau auf die neue Frühjahrskollektion.

»Nein«, sagte ich leichthin und legte schnell die Palette zurück. »Nur manchmal. Nur Spezialsachen.«

»Tilly! Du kommst gerade rechtzeitig. Schau mal, was eben reingekommen ist.« Ava, die junge Frau, die seit achtzehn Monaten hier arbeitete, kam herübergeschossen, nahm mein Handgelenk und betupfte es in einem schillernden Blau. Die feuchte Farbe schimmerte in strahlendem Glanz.

»Wunderschön.« Ich hielt meinen Arm ins Licht.

»Und das gibt es in acht Farben, unter anderem Perlmutt und Kupfer. Ist es nicht unwiderstehlich?«

»Ja.« Mit nackter Begierde betrachtete ich die Auslage von kleinen Töpfen, die in einer Reihe vor einem Plakat standen. Es zeigte eine Frau, der man mit demselben Blau eine Schlangenhaut gemalt hatte. Dann fiel mir ein, dass Marcus noch neben mir stand und mich aufmerksam beobachtete. »Ich komme nur vorbei, um ein bisschen Hautkleber zu holen, den nicht reizenden.«

Sie zog die Flasche aus dem Regal. »Auf Rechnung?«

»Ja, bitte.« Ich sah, wie sie Marcus einen abschätzenden Blick zuwarf. Ihr schien zu gefallen, was sie sah.

»Sonst nichts?« Das Lächeln, das sie in seine Richtung zeigte, war nun geradezu kokett.

»Nein. Heute nicht«, sagte ich und versuchte, professionell zu klingen, wobei ich einen merkwürdigen Drang unterdrückte, mich vor ihn zu stellen und ihn vor ihrem regelrecht unverblümten Interesse zu schützen.

»Das sagst du immer … und dann fallen dir jede Menge Sachen ein, wenn du hier bist.« Sie wandte sich an Marcus. »Die LMOC gehört zu unseren besten Kunden.«

Ich zeigte ihr etwas, das halb Grimasse und halb Lächeln war und so etwas wie »Bitte hör auf zu reden« bedeuten sollte. »Das ist mein Kollege Marcus. Er hat gerade erst an der LMOC angefangen, in der IT.«

»IT, ja? Schade, dann werden wir dich nicht so oft zu Gesicht bekommen wie Tilly.« Sie zwinkerte ihm sehr auffällig zu. »Ihnen gehen ständig Sachen aus.«

Es war einer dieser Augenblicke, in denen man einfach nur den Kopf auf den Tisch hauen und »Nein!« rufen wollte.

Wir waren erst drei Schritte die Straße entlanggegangen – der Schneefall hatte so plötzlich aufgehört, wie er eingesetzt hatte –, als Marcus sagte: »Sollen wir uns über ein System zur Bestandskontrolle unterhalten?«

Dreizehntes Kapitel

Pure Wonne. Das heiße Wasser umspielte meinen Körper und löste die Verspannung im Nacken. Früher hätte ich vielleicht versucht, Felix dazu zu überreden, zu mir in die Wanne zu steigen. Nun sah es so aus, als wäre ich mit einem guten E-Book allein. In letzter Zeit fühlte meine Libido sich sehr vernachlässigt. Was für ein Vermögen hatte ich im letzten Monat – nein, schon vor längerer Zeit, im September – ausgegeben, als ich einen neuen Push-up-BH für einen absurd teuren Preis erworben hatte. Er besaß den versprochenen Balkon, nur leider schien mein Romeo nicht das geringste Interesse daran zu haben, ihn zu erklimmen.

»Trink, Frau.« Felix erschien mit einem Gin Tonic, das kalte Glas kondensierte augenblicklich in der dampfenden Atmosphäre. »Kerzen?«

»Warum nicht?« Ich erhob mich aus dem Schaum und versuchte, einladender auszusehen, als ich mich fühlte. »Kommst du rein?«

»Ich schau nur kurz in meine …«

Ehe ich noch ein weiteres Wort sagen konnte, war er auch schon verschwunden, und ich wäre fast erstickt, weil mein Drink überwiegend Gin enthielt.

Ein kleiner Teil von mir ließ den Kopf hängen. Okay, vielleicht war ich trotzig, aber sah mein Hintern im Bad etwa fett aus oder so? Als Frau konnte man da schon einen Komplex bekommen. Er spielte eindeutig lieber mit seinem Computer als mit mir. Ich strengte mich wenigstens an. Vielleicht hatte er gemerkt, dass ich nicht mit dem Herzen dabei war. Zurzeit hatte es seine eigenen Vorstellungen und versetzte mein System in helle Aufregung, wann immer Marcus in meiner Nähe auftauchte. Wie war das nur passiert, wenn ich mir nicht einmal sicher war, ob ich ihn überhaupt mochte?

Ich grübelte eine Weile und griff dann nach meinem Reader, um mich in einen alten Roman von Sophie Kinsella zu vertiefen, den ich schon einmal gelesen hatte. Ich las sehr gerne Bücher mehrfach. Ob Redsman das auch tat? Als ich mit dem Kapitel fertig war und mein Glas geleert hatte, wechselte ich zur Mail-App.

An: Matilde@lmoc.co.uk
Von: Redsman@hotmail.co.uk

Ich würde doch nicht wollen, dass du dich umziehen musst und am Ende vielleicht ohne Unterhose unterwegs bist ;-)
R

Was! Ich setzte mich so schnell auf, dass Wasser über den Wannenrand schwappte. Das war Neuland, und selbst als ich zu meiner vorherigen Mail mit der Bemerkung zu *Shining* zurückscrollte, war ich mir nicht sicher. War das ein Flirt?

Als Antwort tippte ich nur zwei Worte.

An: Redsman@hotmail.co.uk
Von: Matilde@lmoc.co.uk

Wie frech

Mein Finger schwebte über dem Touchscreen. Überschritt ich damit eine Grenze? Ich ließ mich vom Gin beeinflussen und drückte auf Senden.

Er antwortete sofort:

An: Matilde@lmoc.co.uk
Von: Redsman@hotmail.co.uk

Das wäre es, wenn du es dir zur Gewohnheit machen würdest.
R

An: Redsman@hotmail.co.uk
Von: Matilde@lmoc.co.uk

Ich bin eine sehr anständige junge Frau mit einer ausgezeichneten Auswahl an Unterhosen, nur dass du's weißt.

An: Matilde@lmoc.co.uk
Von: Redsman@hotmail.co.uk

Mich würde durchaus interessieren, was eine ausgezeichnete Auswahl an Unterhosen ausmacht.
R

Das war definitiv ein Flirt, und mit ihm kam leichte Aufregung. Ich konnte mich nicht zurückhalten und erwiderte:

An: Redsman@hotmail.co.uk
Von: Matilde@lmoc.co.uk

Und hierbei belassen wir es heute Abend, Freundchen.
Tx

Oh Scheiße, ich hatte es schon wieder getan, ein weiterer Kuss. Und das zusammen mit der Andeutung, dass es mir gefiel, wenn er über meine Unterwäsche sinnierte.

Felix war völlig abwesend, seine Finger tippten auf seinem Tablet herum.

Schuldgefühle plagten mich. Es waren nur Mails, es war nicht so, als würde ich irgendjemandem schaden, und Felix würde es nicht stören, er würde es wahrscheinlich sogar lustig finden.

»Ich dachte, du wolltest zu mir in die Wanne kommen«, sagte ich und ließ ein verschmitztes Lächeln folgen, um das Gespräch heiter zu halten.

»Oh, tut mir leid. Ich habe es … ähm, vergessen.«

»Reizend. Magst du mich etwa nicht mehr?« Schon als ich die Worte aussprach, fühlten sie sich falsch an. Seit er mir die Tasche geschenkt hatte, versuchte ich, mir wirklich Mühe zu geben, obwohl er an diesem Abend mit den Jungs so viel getrunken hatte, dass er letztlich bei Kevin übernachtet hatte, was mich eigentlich hätte ärgern sollen. Stattdessen hatte ich Erleichterung empfunden.

»Niemals, Tilly. Mein wunderbarer Liebling. Komm her und lass dich knuddeln.« Er schnüffelte. »Mmm, du riechst gut. Was ist das?«

»Das teure Rosenschaumbad, das Jeanie mir zum Geburtstag geschenkt hat.«

»Wie geht es dem Giftzwerg?«, fragte er grinsend. Er und Jeanie teilten eine Art Hassliebe, wobei sie einander um meinetwillen tolerierten.

»Sei nicht so gemein.«

»Tut mir leid. Ich hab mich nur gefragt, ob ihr Krach hattet oder so.«

»Nein, warum?«

»Du warst schon lange nicht mehr bei ihr.«

Daran brauchte er mich nicht zu erinnern. Früher hatte ich Jeanie mindestens alle paar Wochen abends in ihrem winzigen Häuschen in Hammersmith besucht, meistens um dem Pokerabend hier zu entkommen, aber in letzter Zeit hatte sie mich nicht mehr eingeladen.

»Sie ist sehr beschäftigt«, sagte ich und konzentrierte mich darauf, in mein Glas zu schauen. Doch was beschäftigte sie nur so?

Felix grinste und hob schalkhaft eine Augenbraue. »Sag bloß, sie hat einen Freund.«

»Meinst du?«, fragte ich und verbiss mir ein Lachen. »Sie hat seit fünfzehn Jahren nichts mehr mit Männern am Hut. Ich glaube kaum, dass sie das nun geändert hat.«

»Ein bisschen wie Mum«, sagte Felix und schüttelte den Kopf.

Seine Mum war allein, seit Felix' Vater sie wegen einer Tänzerin aus dem Arbeiterklub verlassen hatte, woraufhin sie allen Männern abgeschworen hatte, bis auf Felix, in den sie auf eine Art vernarrt war, die beinahe ungesunde Züge annahm.

Sie war zwar überzeugter Single, doch seit unserer Verlobung war sie entschlossen mitzumischen und hatte uns sogar zu einem Besuch im Gideon Hotel mitgenommen, das sich fünf Kilometer von ihrem Haus entfernt die Straße hinunter befand. War das eine Tortur gewesen – Tod durch Nachmittagstee; Porzellantassen, die drei Schluck wässrigen Tee enthielten und auf hauchdünnen Untertassen balanciert wurden, hochnäsiges Personal, das mein Vintage-Kleid misstrauisch beäugt und sich gerade so davon abgehalten hatte, die Nase zu rümpfen. Dazu typische Bridgespieler, die demonstrativ mit ihrem *Telegraph* raschelten, wann immer jemand Neues den Aufenthaltsbereich durchquerte.

Es hatte alles dargestellt, was ich hasste. Zu viel Förmlichkeit und gekünsteltes Benehmen. Meine Eltern wären sicherlich hin und weg gewesen.

»Und da wir gerade von Mum sprechen, hast du dich wegen

Weihnachten schon entschieden? Sie hat gestern Abend noch mal nachgefragt.«

Oh Gott, sie würde wieder auf die Hochzeit anspielen. Ich sah schon vor mir, wie Felix klein beigab und vergaß, dass wir direkt nach unserer Verlobung relativ vage davon gesprochen hatten, dass es bei unserer Hochzeit Himbeermojitos, Paso doble und keine Verwandtschaft geben sollte.

Dieses Jahr hatte ich keine Ausrede. Meine Niedergeschlagenheit wuchs. Weihnachten mit Felix' Mutter. Mir fiel nichts ein, worauf ich weniger Lust gehabt hätte.

Vierzehntes Kapitel

Die heutige Besprechung mit Marcus fand in unserer Abteilung statt, und ihm zu Ehren hatte ich um den Computer herum Ordnung gemacht oder vielmehr die Beweise für seinen Missbrauch versteckt, indem ich den leeren Becher von Costa Coffee weggeräumt und das CD-Laufwerk geschlossen hatte. Ich entfernte die Haarsträhnen, die über den Bildschirm hingen, und wischte schnell mit einem feuchten Tuch den Tisch ab, um die vielen Kaffeetassenabdrücke zu entfernen. Es wäre schließlich ein Unding, wenn er Kaffeeflecken, seien es alte oder frische, an seine makellosen weißen Ärmelaufschläge bekam. Ich fragte mich schon länger, ob er überhaupt irgendetwas außer weißen Hemden besaß. Das heutige Indiz legte nahe, dass dem nicht so war. Schon wieder strahlend weiß. Besaß er Anteile an einer Waschmittelfirma?

»Na hallo.« Jeanie schenkte ihm ein willkommen heißendes Lächeln. Womit hatte er das verdient? Sie hatte dieselbe Einstellung gegenüber Rechnern wie ich, andererseits war sie nicht abkommandiert worden.

Vince verdrehte die Augen in meine Richtung, und ich tat es ihm gleich. »Hier, um unsere Tilly auf Spur zu bringen.«

»Nun, ich werde es versuchen.« Fairerweise schloss sein warmes Lächeln mich ein, und so versaute er es sich nicht gleich wieder bei mir. »Auch wenn Wunder nicht zu meinen Arbeitsanforderungen gehören.«

»Du gibst ganz sicher dein Bestes.« Mit einer Spur Boshaftigkeit grinste Jeanie mich an.

Ich wippte ungeduldig mit dem Fuß.

»Wollen wir loslegen? Zeit ist Geld«, fauchte ich Marcus an, der heute mit jeder Zelle Unternehmensbanker zu sein schien. Meine

Libido drohte sich erneut zu melden. Was fand ich nur an diesem Mann? Er war absolut nicht mein Typ.

Da plötzlich Adrenalin durch meinen Organismus floss, fühlte ich, wie ich etwas weiche Knie bekam. Ich richtete mich auf und deutete auf den Tisch in der Ecke, der den einsamen Rechner beherbergte.

»Du kannst es ja kaum erwarten.«

»Nein, ich will bloß fertig werden. Ich hab heute noch richtige Arbeit.« Ich warf einen sehnsüchtigen Blick auf die halb fertige Perücke auf meinem Arbeitstisch.

»Ich habe ein Programm zur Bestandsverwaltung gefunden, das sehr intuitiv funktioniert, daher wird es leicht zu bedienen sein. Ich bin ziemlich zufrieden damit. Ich habe es auf meinem Laptop installiert, da der antiquierte Dinosaurier dort die Frustration vermutlich noch vergrößern würde.«

»Das lässt sich leicht vermeiden.« Hoffnungsvoll lächelte ich ihn an.

»Willst du dir … Notizen machen?«

»Nein, ich kann es mir bestimmt merken. Du meintest doch, es sei intuitiv.«

Er warf mir einen scharfen Blick zu. Dann klappte er seinen Laptop auf, und mithilfe eines durchgehenden Redeschwalls erklärte und demonstrierte er mir die nächste halbe Stunde das Bestandsverwaltungssystem, das er eingerichtet hatte, wobei er mit Ausdrücken wie »Ansprechschwelle«, »voraussichtliche Exaktheit« und »Metriken zur Inventaroptimierung« um sich warf.

Man musste anerkennen, dass Marcus eine unglaubliche Geduld an den Tag legte, und nach einer halben Stunde war tatsächlich ich diejenige, die den Lebenswillen verlor.

»Ich habe erst die Hälfte von dem eingegeben, was wir benutzen.« Grob übersetzt, hieß das genau vier Posten. »Es wird ewig dauern.«

»Du wirst mit der Zeit schneller.«

»Ich würde nicht drauf wetten«, murmelte ich. »Muss ich wirklich jedes einzelne Produkt einpflegen? Reicht es nicht, wenn ich mich auf die Sachen beschränke, die wir häufig brauchen?«

»Nein, weil das nicht Sinn der Sache ist. Wenn es erst mal getan ist, ist es getan und wird euch in Zukunft viele Stunden sparen. Soll ich uns Kaffee holen? Da du … eine ziemlich gute Schülerin warst.«

Als er zurückkam, war ich kurz davor, den Rechner zum Fenster hinauszuwerfen.

»Was ist?«

»Alles ist weg. Der blöde Laptop hat's gefressen.«

»Es ist ein Computer, Tilly. Der frisst keine Sachen. Das ist ja das Tolle. Sie tun nur, was du ihnen sagst.«

»Dieser nicht, er hat eine Abneigung gegen mich.«

»Nein, du hast eine Abneigung gegen ihn. Du hast das Sagen. Wenn du die Daten eingegeben hast, müssten sie auch noch da sein. Ich hab dir doch gezeigt, wie man ein Produkt speichert. Hast du das getan?«

»Ja, ich bin schließlich keine Vollidiotin.«

Mit einem ungeduldigen Seufzer nahm er mir die Maus weg und bewegte sie mit der Leichtigkeit eines Taschenspielers. Nach ein paar Klicks hatte er verschiedene Fenster geöffnet und saß vor einem vollkommen leeren Bildschirm.

Sein Gesicht verzog sich zu einem verwirrten Stirnrunzeln. »Sie sollten alle hier sein, was hast du gemacht?«

»Siehst du, ich hab's dir gesagt. Er frisst sie.« Ich warf dem Computer einen unheilvollen Blick zu.

»Das ist nicht möglich. Sie müssen irgendwo sein. Das System hat mehrere Absicherungen, und wenn man auf Speichern klickt, wird es auch irgendwo gespeichert.«

Ich verzog die Lippen zu einem Schmollmund.

»Zeig mal, was du gemacht hast.«

Ich zeigte es ihm.

»Jetzt kapier ich's.« Schnell und ruhig zeigte er es mir noch einmal. Er war ein sehr guter und unglaublich geduldiger Lehrer. Jedes Mal, wenn Felix versuchte, mir etwas zu zeigen, was auch nur im Entferntesten mit Technik zu tun hatte, lachte er in der Regel am Ende brüllend über meine Unfähigkeit, half mir kein bisschen und zog schließlich mit einem Wutanfall von dannen, weil er keine Geduld mehr hatte.

»Oh Gott, es tut mir leid. Ich bin ein Depp. Danke. Ich hol mir was zu schreiben und notiere mir das.«

Man musste ihm anrechnen, dass er eine unglaublich ausdruckslose Miene beibehielt, als er nickte und sagte: »Das ist wahrscheinlich eine gute Idee.«

Ich stieß ihn sacht in die Rippen. »Das hätte ich gleich tun sollen.«

Er presste die Lippen zusammen. »Es wäre nicht sehr gentlemanlike, dir zu sagen: Ich hab's dir doch gesagt.«

»Es wäre aber ehrlich.«

»So, Marcus.« Jetzt wusste ich, was ich tat, und die Aussicht, Unmengen von Daten einzugeben, war todlangweilig. »Kennst du eigentlich irgendwelche Opern?«

»Ja.« Er zeigte auf den Bildschirm. »Schau, du kannst, basierend auf früheren Datensätzen, Bestellungsprofile für die Zukunft anlegen. Ordner für jede zukünftige Inszenierung erstellen, an der du arbeitest.«

»Im Ernst, wie viele Opern hast du gesehen?« Ich schaute mich im Raum um. Die meisten Wände waren mit Fotos vergangener Inszenierungen geschmückt, mit Hauptdarstellern in ihren Kostümen und Werbeaufnahmen.

Ich sah, wie sein Kiefer sich anspannte.

»Was meinst du? Wäre es sinnvoll, sie beispielsweise nach der Inszenierung zu sortieren? Wenn ihr zum Beispiel gerade *La Bo-*

hème machen würdet, könntest du eine Liste von Produkten anlegen, von denen du weißt, dass du sie dafür verwenden willst.«

»Du magst *La Bohème,* oder?«

»Was?« Er hatte eine gespielt verwirrte Miene aufgesetzt. »Tilly, hörst du mir überhaupt zu?« Obwohl er versuchte, streng zu sein, ganz verkrampft und professionell, erkannte ich eindeutig Belustigung in seinem Blick.

»Weißt du, wie oft du dieses Stück schon erwähnt hast?«

Er wurde reglos. »Nein, aber es ist eine berühmte Oper.«

»Dasselbe gilt für *Carmen, Die Zauberflöte, Der Barbier von Sevilla, La Traviata* und *Tosca,* aber seltsamerweise hast du bisher immer nur *La Bohème* erwähnt. Hast du die Oper mal gesehen? Kennst du überhaupt die Handlung?«

Körpersprache verrät einem viel, und seine wirkte plötzlich ausweichend.

»Hast du überhaupt schon mal eine Oper gesehen?«

Wie unter Geschwistern, die beieinander den wundesten Punkt anpeilten, machte ich weiter.

»Nein, oder?«

»Nicht in letzter Zeit.« Er rutschte auf seinem Stuhl herum. »Also.« Er zeigte auf den Computerbildschirm. »Schau. Wir haben eine Liste angelegt ...«

»Nicht in letzter Zeit? Wann, denkst du, hast du das letzte Mal eine Oper gesehen?«

»Schau, wenn du es so machst, kannst du sehr viel Zeit sparen, indem du ...«

»Oper? Was war die letzte, die du gesehen hast?«

Plötzlich schien er eine Stelle an der Decke hochinteressant zu finden.

»Wie steht's mit Ballett?«

Er stieß einen mürrischen Seufzer aus und murmelte: »Ich bin nicht der Typ für Ballett.«

»Marcus, du bist noch nicht mal der Typ für die Oper, oder?« Ich fing an zu lachen, weil er sich wie ein Schuljunge wand, obwohl ich es eigentlich ziemlich süß fand. »Warst du überhaupt schon mal im Theater?«

»Natürlich … Ich bin nur …«

»Was war das Letzte, was du dir angeguckt hast?«

»Vor etwa fünf Jahren hab ich meine Mum in *Oliver* mitgenommen.«

»Unter Duldung?«

Ich sah, wie er an der Tastatur herumspielte, sein Zeigefinger strich in einer kreisenden Bewegung über die Tasten, was bewirkte, dass mir plötzlich ziemlich heiß war.

»Ich steh nicht wirklich auf Theater.« Er warf mir ein etwas schüchternes Lächeln zu, das meine Temperatur um weitere tausend Grad ansteigen ließ.

Ich verschränkte fest die Arme vor der Brust, die fehlgeleitet und völlig unangemessen auf seine Handbewegungen reagiert hatte. »Und ich steh nicht wirklich auf Computer.«

Treffer, Mr IT.

Er grinste, und sein Gesicht hellte sich auf. Junge, Junge, diese funkelnden grünen Augen und die damit einhergehende Verwandlung von Marcus in ein menschliches Wesen hatten eine gewaltige Wirkung auf mich. Ich überschlug die Beine und presste die Oberschenkel zusammen. »Pech! Es ist nicht meine Aufgabe, mich mit der Oper auszukennen, ich muss nur dafür sorgen, dass die Computer hier richtig funktionieren, um sicherzustellen, dass die Show weiterläuft.«

»Das ist nicht fair«, sagte ich und konnte den Blick nicht von ihm wenden.

Er lächelte nur ein weiteres Mal. Mein Herz tat einen seltsamen Hüpfer.

»Sollen wir diese Unterordner und Listen anlegen? Hier, mach du es. Und erklär es mir dabei.«

Alles wäre vollkommen okay gewesen, und ich hätte meine eigenwillige chemische Unausgeglichenheit wieder im Griff gehabt, wenn er sich nicht genau diesen Moment ausgesucht hätte, um seine Hand auf meine zu legen, während sie auf der Maus ruhte. Ich hätte ebenso gut meinen Finger in die Steckdose halten können. Fünftausend Volt purer Lust zischten durch meinen Organismus.

»Man klickt auf dieses Symbol.« Ich versuchte, nicht zu stottern. »Und dann auf Speichern unter?«

»Zeig es mir.«

Ich packte die Maus fester, und erneut bewegte er meine Hand. Ich betrachtete seinen Kiefer, während er konzentriert auf den Bildschirm blickte. Ich roch sein Rasierwasser.

»Was?«

»Speichere die Liste, aber leg eine neue Listenvorlage an, in die du sie reintust.«

»Okay. Die Liste speichern.« Ich konnte mich nicht dazu durchringen, die Maus zu bewegen. Es würde seinen Arm näher an meinen bringen, und ich hätte jetzt schon jeden Augenblick an ihm dahinschmelzen können.

Mein gesamter Körper vibrierte. Bestimmt spürte er es.

Ich zwang mich, reglos zu bleiben, versuchte, mich auf den Computerbildschirm zu konzentrieren und das leichte Gewicht seines Armes an meinem nicht zu beachten, aber ich konnte nicht anders, als ihn verstohlen zu mustern. Einige sehr lange Sekunden starrten wir einander an, und seine grünen Augen verdunkelten sich, als würde ihm plötzlich etwas klar werden.

Ich schluckte, und er zog seine Hand von der Maus, richtete sich auf und rückte den Stuhl weg, um etwas Abstand zwischen uns zu schaffen. Ich ließ einen winzigen Seufzer entweichen.

»Ich glaube, wir sind für heute so weit durch.« Er stand auf und zupfte an seiner Krawatte.

»Super«, rief ich mit vorgetäuschter Begeisterung, sprang von meinem Stuhl auf und wischte mir dabei unsichtbare Fussel vom Rock.

Er nahm ein paar Papiere vom Tisch. »Komm schon, so schlimm war es doch gar nicht.« Er lächelte. »Als du erst mal angefangen hattest, richtig zuzuhören, anstatt zu versuchen, mich abzulenken.«

Wenn er wüsste. Wer hätte gedacht, dass der Hals und die Kehle eines Mannes eine solche Ablenkung darstellen könnten?

Ich zuckte die Schultern, und er nickte, entsetzlich förmlich und professionell. Es war, als hätte ich mir diesen kurzen Augenblick nur eingebildet.

»Wie wär's, wenn du mich hier oben mal ein bisschen herumführen würdest, damit ich ein Gefühl dafür bekomme, bei was euch der Computer sonst noch behilflich sein könnte?«

Neeein. Ich wollte, dass er ging. Ich wollte diese verwirrende anbrandende Lust, Faszination oder was auch immer nicht verspüren. Sie versetzte mich ziemlich in Panik.

»Ich glaube, es braucht noch ein bisschen Unterricht, bis ich den Versuch wage, dich auf eine Tabelle loszulassen. Lass uns das Ding einfach herunterfahren.«

»Hallo Marcus. Und, wie bist du mit unserem hiesigen Techniktrottel zurechtgekommen?«

Ich öffnete den Mund und funkelte sie entrüstet an. Mit einem unbekümmerten Schulterzucken warf Jeanie den Kopf zurück.

»Gar nicht mal schlecht. Obwohl Tilly weiterhin Daten eingeben muss. Es ist leider ziemlich arbeitsintensiv.« Er wandte sich mir zu. »Jede Menge Hausaufgaben.«

Ich verzog das Gesicht. »Und wenn ich was lösche?«

»Es lässt sich alles wiederherstellen.«

Schön, dass er so zuversichtlich war. Ich war nicht überzeugt, dass ich ohne ihn nicht totalen Mist bauen würde.

»Es gibt sicher noch weitere Bereiche, in denen ich eurer Abteilung helfen kann, effizienter zu werden.«

Jeanie nickte lebhaft. »Ausgezeichnet. Es wird Zeit, dass wir uns der modernen Welt öffnen. Vielleicht kann Tilly dich herumführen, damit du eine bessere Vorstellung davon bekommst, was wir tun. Bestimmt hast du ein paar Ideen, was wir anders machen könnten.«

War eine Außerirdische in ihren Körper geschlüpft? Normalerweise mochte sie Veränderungen ebenso wenig wie ich. Tatsächlich waren sie, Vince und ich zuvor einhellig der Meinung gewesen, dass Technik hier oben keinen Platz hatte. Was hatte ihre Einstellung geändert?

»Ich muss mich beeilen, ich habe eine Besprechung.« Damit flitzte sie belustigt schmunzelnd zur Tür hinaus. Sie sollte nur warten, bis ich sie später in die Finger bekam.

Meine Führung begann in Jeanies Büro. Im Laufe der Jahre hatte sie den Raum immer mehr nach ihrem Geschmack gestaltet und ihn mit bunt gemischten Möbeln und aus der Requisite gerettetem Krimskrams ausgestattet, darunter eine Sturmlaterne aus Messing, eine altmodische Schultafel, die versteckt in der Ecke stand und mit Fotos und Stoffmustern bedeckt war, sowie eine Sammlung von Gehstöcken und Schirmen, die wie riesige Mikado-Stäbchen in einem falschen Elefantenfuß steckten.

Ich war die Papiere und Bücherstapel gewohnt, die jede verfügbare ebene Fläche bedeckten, aber ich fragte mich dennoch, was Marcus davon halten würde. Erst recht von der leuchtend violetten Samtchaiselongue, die eine gesamte Wand einnahm. Vince und ich hatten sie sehr gern, vielleicht weil wir von Jeanie abkommandiert worden waren, sie aus einem Müllcontainer zwei Straßen weiter zu retten. Wir hatten das Gefühl, dass sie deshalb uns beiden gehörte und uns auf Wunsch volle Liegerechte zustanden, allerdings nur, wenn Jeanie nicht da war.

Als ich ihn zur Tür hineinführte, beobachtete ich, wie er eine höflich betrachtende Miene aufsetzte und dabei verzweifelt versuchte, das Entsetzen zu verbergen, das blitzartig über seine Züge huschte.

»So schlimm ist es doch gar nicht.« Zugegeben, verglichen mit seinem Arbeitstisch, erinnerte meiner eher an die Folgen eines Orkans auf einer Müllhalde.

Er schaute mich nur an.

Vielleicht hatte er nicht ganz unrecht. Einige der Papiere waren schon vergilbt, und obwohl wir oft etwas in den Büchern nachschlugen, konnte ich mich nicht erinnern, wann Jeanie das letzte Mal irgendeinen der Papierstapel auch nur angerührt hatte. Immer wenn sie zu groß wurden, verschoben wir sie einfach und fügten sie der staubbedeckten Sammlung unter der Chaiselongue hinzu.

»Ihr haltet hier doch nicht etwa Besprechungen ab?«

Den vollgestellten, unordentlichen Raum zu betrachten, löste bei mir schon ein Zwicken im Rücken aus.

»Manchmal.«

Er schüttelte nur den Kopf und verließ an mir vorbei wieder das Büro. Ich stand einen Augenblick da und betrachtete alles mit einem geschärften Blick. Wenn wir hier drinnen aufräumten, die Chaiselongue loswurden und einige anständige Bücherregale aufstellten, wäre jede Menge Platz, um an einem Schreibtisch zu sitzen, auf dem man die Bücher ausbreiten konnte, ohne auf dem Boden kauern zu müssen.

Ich betrachtete zornig Marcus' breites Kreuz. Nein, ich würde sicherlich nicht zur dunklen Seite überlaufen. Meine Hormone hatten einiges zu verantworten. Jetzt beeinträchtigten sie auch noch mein Gehirn.

Plötzlich hatte ich es eilig, ihn loszuwerden, und beschleunigte das Ganze. Unbestimmt deutete ich in die vier Ecken der Abteilung. »Da drüben ist das Schminklager. Vince, Jane, Sasha, Jason dort. Färbebereich hier.« Ich deutete auf ein Industriewaschbecken und Gestelle zum Trocknen.

»Färben?«

»Haarfarbe.« Ich machte mir nicht die Mühe, das näher zu erläutern.

»Mein Arbeitsbereich dort.« Ich gestikulierte erneut und ging schneller. Wir waren auf der Zielgeraden, noch zwei Sekunden, dann konnte ich ihn zur Tür hinausdelegieren.

Und meine Fresse, da machte er doch noch einen Umweg. »Sieht aus wie aus einem Horrorfilm, Stephen King wäre stolz«, sagte er, drückte gegen eine der Nadeln, die in dem hölzernen Perückenkopf auf meinem Arbeitstisch steckten, und warf mir einen fragenden Blick zu. »Ist das eine Perücke?«

Er hatte verflucht schöne Hände.

»Ja«, sagte ich mit wachsender Ungeduld in der Stimme. Was dachte er denn, das wir hier oben taten? Flohhüpfen spielen?

»Ihr macht sie komplett selbst?« Verdammt, er klang beeindruckt.

»Jep.« Ich war immun gegen Schmeichelei, selbst bei einer so tiefen Schokoladenstimme.

Er berührte das Haar. »Ist das echtes Haar?«, fragte er und ließ die Hand wieder sinken.

»Ja, wir holen es uns von frischen Leichen drüben im Krankenhaus.« Den Spruch hätte ich mir doch wirklich verkneifen können.

Natürlich lachte er, ganz wie beabsichtigt, und natürlich sah er dabei sogar noch attraktiver aus. Seine Augen waren nun von Lachfältchen umgeben, und sein Lächeln lenkte meinen Blick auf seine perfekten, blendend weißen Zähne. Wie ein Sonnenstrahl, der ungebrochen seine Wärme auf einen richtet, widmete er mir nun seine gesamte Aufmerksamkeit. Und wie ein Gänseblümchen, das für reine fotosynthetische Wonnen die Blüte hob, reagierte ich, und all die Barrieren, die ich aufrechtzuerhalten versucht hatte, lösten sich in Luft auf.

Er lachte erneut und sagte: »Irgendwie glaube ich dir das nicht.«

»Verdammt.« Ich erwiderte sein Lächeln. »Einem Typ hab ich das monatelang erzählt.« Ich glättete das Haar dort, wo seine Finger es gerade berührt hatten. »Es ist echtes Haar, aber wir kaufen es ein.«

»Ist das nicht sehr teuer? Warum benutzt ihr kein Kunsthaar?« Er klang ehrlich interessiert.

»Schon, aber echtes Haar legt einen besseren Auftritt hin.«

»Wirklich?« Er hob eine Augenbraue und lehnte sich mit der Hüfte an den Tisch. »Einen Auftritt? Singt und tanzt es etwa mit?«

»Nein.« Ich lachte und knuffte ihn unwillkürlich. »Nicht diese Art von Auftritt. Es hält länger und bewegt sich besser – was für Tänzer ziemlich wichtig ist. Man will keinen schön fließenden und gefühlvollen Tanz mit statischem Haar, das sich nicht mitbewegt und mitfließt. Es würde das Gesamtbild verderben. Und ich verspreche dir, dass das Publikum so etwas bemerkt.«

»Daran hatte ich nicht gedacht.« Nachdenklich griff er nach einer Haarsträhne und ließ sie hin und her schwingen, wobei er der Bewegung mit faszinierter Intensität zusah.

»Schau.« Ich zog ein langes Haarteil aus Nylon aus einer der Schubladen und hielt es ihm hin.

»Es geht nicht nur um Ästhetik. Echthaar kräuselt sich auch nicht so schnell und nimmt nicht so schnell Schaden wie synthetisches. Zusätzlich benutzen wir sehr viel Yakhaar, als Alternative zu Menschenhaar.«

»Yakhaar, von den Rindern aus dem Himalaja?« Marcus schüttelte den Kopf. »Jetzt verarschst du mich aber wirklich.«

»Nein. Wirklich.« Ich erhob mich und ging zu einem anderen Schrank, um ein Muster zu finden. »Hier, fühl mal. Wie weich es ist. Wir verwenden es häufig. Bei den meisten hochwertigen Weihnachtsmann-Kostümen verwendet man Yakhaar für den Bart und das Haar. Außerdem nimmt es Farbe gut an.«

Marcus betastete die weichen Strähnen und sah etwas verwirrt aus. »Ich hatte keine Ahnung … dass du all das machst.«

»Was? Dachtest du etwa, ich stecke bloß eine Perücke fest, klatsche ein bisschen Schminke ins Gesicht und schicke die Leute schwuppdiwupp auf die Bühne?«

»So in der Art.«

Es gefiel mir, dass er es direkt zugab und gar nicht erst versuchte, zu bluffen oder mir Mist zu erzählen.

»Auf die Details achten. Das tun wir hier. Kein Detail ist so klein, dass man es übersehen darf.«

»Aber es ist, versteh mich nicht falsch … aber warum? Ich meine, es ist nur …«

»Nur eine Aufführung?«, fragte ich.

»Mir war nicht klar, wie viel Arbeit hinter den Kulissen stattfindet. Ist es das alles wert?«

»Warst du schon in vielen der anderen Abteilungen?«

»Nein.« Offen sah er mich an. »Ich dachte, das hier wäre die schlimmste, deshalb wollte ich hier anfangen.«

Mit einem gespielten Schniefen warf ich den Kopf zurück. »In der Kostümabteilung sind sie ganz genauso schlimm.«

»Das bezweifle ich nicht.« Wieder dieses kleine Lächeln. »Spüre ich da etwa eine gewisse Rivalität zwischen euch und den Kostümbildnern?«

Mit einem sittsamen Lächeln riss ich die Augen auf. »Wir sind alle eine große, glückliche Familie. Nun, es mag ein bisschen professionelle Rivalität geben und hin und wieder auch kleine Seitenhiebe gegeneinander, aber die sind überwiegend scherzhaft gemeint, und wir kommen miteinander klar. Das müssen wir auch. Wir arbeiten ziemlich eng zusammen, vor allem hinter der Bühne. Wenn es einen schnellen Kostümwechsel gibt, muss er zeitlich genau geplant sein. Wie bei einem Boxenstopp in der Formel 1. Es gab eine Inszenierung, bei der wir genau dreißig Sekunden Zeit hatten, um die

Hauptdarstellerin in jemanden zu verwandeln, der geschlagen worden war und die Hände abgehackt bekommen hatte …«

Er blinzelte. »Klingt ein bisschen gruselig.«

»Ja, nun, das soll es, und so sah es auch aus. Aber das ist ganz wesentlich. Das gehört alles zur willentlichen Aussetzung der Ungläubigkeit. Es würde das Ganze für die Zuschauer ruinieren, wenn sie nur mit ein paar Flecken Ketchup rauskäme. Sie müssen es glauben. Wenn wir es nicht richtig hinbekommen, ist es weder gegenüber den Zuschauern noch gegenüber den Darstellern fair, weil wir sie aus ihrem Auftritt reißen. Es *muss* authentisch sein.«

An seinem ernsten Gesichtsausdruck las ich ab, dass all das für ihn Neuland war.

»So habe ich es noch nie betrachtet.«

»Wenn du einen Film schaust, würdest du auch nicht wollen, dass eine der Figuren plötzlich die Kamera umdreht und sagt: ›Übrigens, ich steh hier nur vor einem Greenscreen, diese Gebäude hinter mir sind alle computergeneriert.‹ Du weißt wahrscheinlich, dass es so ist, aber du glaubst es trotzdem.«

»Du hegst wirklich eine große Leidenschaft dafür, nicht wahr?« Die von Bewunderung erfüllten Worte bewirkten, dass mir ein bisschen warm ums Herz wurde.

»Ja. Ich liebe meine Arbeit, aber ich bin nur ein kleiner Teil des Ganzen. Die Leute zahlen einen Haufen Geld, um sich hier eine Inszenierung anzuschauen. Manche Plätze kosten mehrere Hundert Pfund. Sänger, Tänzer, Darsteller – sie alle üben jahrelang. Der Konkurrenzkampf um Rollen ist extrem. Jedes Mitglied des Orchesters gehört zu den besten seines Fachs. Weltberühmte Musiker. Die Dirigenten sind die besten der Welt. Um das zu unterstützen, müssen wir ebenfalls unser Bestes geben.«

»Woran arbeitest du hier?«

»Das wird eine Perücke für Julia Capulet. Die Inszenierung wird im Regency angesiedelt sein, was ziemlich aufwendige Frisuren erfordert. Es ist leichter, eine Perücke zu verwenden, als jeden Abend das Haar der Tänzerin zu frisieren, und in manchen Szenen, zum Beispiel in der Sterbeszene, will die Regisseurin, dass Julia das Haar offen trägt. Zwischen den Szenen die Frisur zu ändern, ist nicht machbar, deshalb haben wir für sie unterschiedliche Perücken.«

»Besteht nicht die Gefahr, dass sie beim Tanzen herunterrutscht?«

Ich schnaubte halb und bedeckte schützend den Ohrenbereich am Perückenkopf. »Sag das bloß niemals, wenn Jeanie dabei ist. Sonst hält sie dir einen Vortrag.«

Ich ahmte ihren abgehackten Ton nach und sagte: »Mir egal, ob jemand blutet, Hauptsache, die Perücke bleibt an ihrem Platz.«

»Aua.«

»Ich verspreche dir, da stecken genug Haarklammern und -nadeln drin, um ein Linienschiff am Kai zu verankern. Jede verrutschte Perücke ist hier ein Kapitalverbrechen.«

Er berührte das seidene Perückennetz. »Also, wie gehst du vor?«

»Willst du das wirklich wissen?« Felix war ein paarmal mit mir auf der Arbeit gewesen, doch er hatte nie so viel Interesse gezeigt. Er hätte sich jetzt gelangweilt und wäre abgeschwirrt, um mit Vince zu plaudern.

»Ja. Es sieht faszinierend aus.«

Ich nahm ein Bündel Haar und die Perückennadel zur Hand, mit der ich die Haare immer in das Netz knüpfte. Ich winkte Marcus heran und teilte sorgfältig genügend Haare ab, dann zeigte ich ihm, wie ich diese, in eine Schlaufe gelegt, mithilfe der Perückennadel in das festgesteckte Netz und wieder herauszog, ehe ich sie fest verknotete.

Das Knistern zwischen uns hatte nachgelassen, doch ich stellte fest, dass ich diesen bedächtigen, professionellen Austausch genoss. Angesichts des ruhigen Respekts, den er mir entgegenbrachte, hielt ich mich ein bisschen aufrechter.

»Wow, das sieht mühsam aus. Wie lange brauchst du, um eine fertigzustellen?«

»Mindestens eine Woche, je nach Komplexität und Größe. Es hängt auch davon ab, ob ich in dieser Zeit hinter der Bühne arbeite. Diese Woche endet *Don Giovanni,* und dann beginnt *Der Nussknacker*. Dort bin ich nicht so stark involviert, ich kümmere mich um keinen der Hauptdarsteller, daher wird der Großteil meiner Arbeit hier oben stattfinden. Ich werde an Perücken und mit den Gestaltungsleuten zusammenarbeiten, um sicherzustellen, dass bei der nächsten Inszenierung alles aufeinander abgestimmt ist und die richtige Atmosphäre vermittelt wird.«

»Aufeinander abgestimmt?«

»Ja. Unsere Version von *Don Giovanni* ist zum Beispiel sehr traditionell. Sie spielt in der Originalepoche, daher sind die Frisuren und Kostüme durch Ort und Zeit vorgegeben. Aber wie schon erwähnt, soll *Romeo und Julia* im Regency spielen, und wir haben bereits festgelegt, wie Julias Haare aussehen sollen, aber wir müssen dafür sorgen, dass die Ballettkompanie ebenfalls zur Epoche passende Frisuren hat, auch wenn sie nicht ganz so aufwendig sein werden. Ein Teil unserer Arbeit besteht darin, die richtigen Frisuren zu recherchieren und dann unsere Ideen und Vorschläge beim Produktionsteam, dem Regisseur und der Intendantin einzureichen, zusammen mit den Ideen der Kostümabteilung und der Requisite, sodass alles zusammenpasst.«

»Mir war nicht klar, dass es so komplex ist.« Mit nachdenklichem Blick studierte er den Raum, als nehme er ihn zum ersten Mal richtig wahr.

»Du solltest mal während einer Aufführung hinter die Bühne kommen.« Ich hatte keine Ahnung, warum ich damit herausplatzte. Versuchte ich etwa, ihn zu beeindrucken? »Oder … ich habe Fred versprochen, ihn diesen Samstag für die Comic Con zu frisieren und zu schminken.«

»Wirklich?« Seine Augen leuchteten auf, und mir war, als sei mir etwas entgangen.

»Ja.«

»Das hat Fred nicht erwähnt. Ich begleite ihn.«

»Was? Zur Comic Con?«

Er schenkte mir ein verlegenes Lächeln, das sein ganzes Gesicht verwandelte und ihn komplett entwaffnend aussehen ließ.

»Du verkleidest dich?«, fragte ich skeptisch.

Er errötete. »Normalerweise nicht … Fred und Leonie haben mich dazu überredet.« Seine plötzlich steife Haltung ließ annehmen, dass ihm nicht ganz wohl dabei war, er es aber ausprobieren wollte.

Ich starrte ihn an und versuchte, mein Herzflattern zu ignorieren. So menschlich und selbstkritisch, wirkte Marcus auf einmal wie ein ganz neuer Mann. »Als was gehst du?«

Er schluckte schwer, weiße Zähne kauten auf der Unterlippe. »Wolverine.«

Oh ja, das konnte ich mir vorstellen.

»Das Kostüm war das leichteste.« Er fuhr sich mit einer Hand durch das dunkle Haar. »Glaubst du, du könntest etwas machen? Wenn … wenn du schon Fred machst.«

»Aber ja. Wolverine ist ziemlich leicht.« Ich hielt inne und schluckte. Berufsbedingt starrte ich dauernd Leuten ins Gesicht, aber mit einem Mal fiel es mir richtig schwer, sein Kinn zu betrachten.

»Ähm … äh.« Ich nickte in Richtung seines Gesichts. »Rasierst du dich?«

Verwirrt runzelte er die Stirn und sah einen Augenblick entsetzt aus. »Wo?«

»Am Kinn?« Oh Gott, jetzt war ich mit Rotwerden dran, was dachte er denn, was ich meinte?

Sein Gesicht glättete sich, aber er schaute immer noch zweifelnd, als er antwortete: »Jaaa.«

»Ich meine, wie … wie oft. Ich meine, äh, kannst du, ähm, du weißt schon, dir die Koteletten und, äh, einen Bart wachsen lassen? Wächst er … du weißt schon … schnell?«

Meine Güte, es fühlte sich so intim an, bohrende Fragen bezüglich seiner Rasiergewohnheiten zu stellen, anders als bei jedem anderen bisher. Was zum Teufel stimmte nicht mit mir? Aber Bärte, Gesichtsbehaarung und dergleichen hingen nun mal mit Männlichkeit und Testosteron zusammen.

Er strich sich übers Kinn und schüttelte den Kopf. »Ich würde lieber … nicht aufs Rasieren verzichten, wenn ich in dieser Woche arbeite.«

»Kein Problem.« Ich war erleichtert, fortfahren zu können. »Ich kann problemlos Koteletten und die Form von Wolverines Bart nachbilden. Und dein Haar ist wahrscheinlich gerade lang genug.« Ich musterte es. Das würde schwierig werden. »Es ist ein bisschen kurz, aber das kriegen wir hin. Was ist mit den Klingen?« Ich wackelte mit den Händen. »Ein paar Buttermesser?«

Er lachte ein bisschen zu laut. »Hast du eine bessere Idee?«

»Ich denke mal drüber nach, aber wenn wir mit Prothetik anfangen, sind wir stundenlang zugange.«

Mit ernstem Nicken stimmte er mir zu, doch sein unbewegter Blick weckte in mir den Verdacht, dass er keine Ahnung hatte, wovon ich redete. Mir wurde klar, dass das seine übliche Reaktion war, wenn er etwas nicht verstand. Nicht weil er versuchte, sein Unwissen zu kaschieren, sondern eher aus einem gewissen Respekt heraus, als ob er das Gefühl hatte, er hätte es eigentlich wissen sollen.

»Prothetik wie bei Arm- und Beinprothesen. Alle möglichen falschen Teile, die wir anbringen können, in der Regel aus Latex oder Ähnlichem, die wir dann optisch angleichen, sodass sie absolut realistisch aussehen. Falsche Nasen, schlimme Narben.«

Das Lächeln kehrte zurück, und ich sah, wie er sich entspannte.

»Natürlich. Ja. Das klingt nach viel zu viel Aufwand. Buttermesser reichen, glaube ich. Und hinter die Bühne zu kommen, ist eine gute Idee. Es wäre sinnvoll, alle Aspekte des Gesamtablaufs zu sehen.«

Ich verdrehte die Augen. Ich hatte es vorgeschlagen, damit er sich einen Eindruck von unseren Tätigkeiten verschaffen konnte, und nicht, damit er über die Lenkung der Abläufe nachdachte.

»Dafür wirst du Jeanie fragen müssen …« Ich wies mit dem Kinn auf sein wie üblich reinweißes Hemd. »Und Schwarz tragen.«

»Schwarz? Nimmst du mich wieder auf den Arm?«

»Nein, das ist in jedem Theater so. Auf der Seitenbühne soll man niemanden erkennen können.«

»Die Räume an den Seiten.«

»Genau. Siehst du, du lernst hier wirklich so einiges, und ich dachte, du solltest mir was beibringen!«

»Hmm.« Er schaute auf die Uhr. »Verdammt, ich bin schon seit Stunden hier oben. Ich muss zurück.«

Er streckte sich, zog den Ärmel über die Armbanduhr und verwandelte sich wieder in Mr IT.

»Danke für die Führung. Sehr erhellend.« Mit zerfurchter Stirn hielt er inne. »Ja. Ich melde mich wegen deiner nächsten Unterrichtsstunde und dem Besuch hinter der Bühne.«

»Und wegen deiner Maske?«

»Richtig.«

Wir standen einander gegenüber. Schüttelte ich ihm die Hand? *Sag Auf Wiedersehen.*

Ruckartig drehte er sich um und ging, ohne einen Blick zurückzuwerfen.

Fünfzehntes Kapitel

Empfand ich Erleichterung oder Enttäuschung, als ich mich mittags in meine Mails einloggte?

An: Matilde@lmoc.co.uk
Von: Redsman@hotmail.co.uk

Nachdem du neulich meine großartigen Empfehlungen abgelehnt hast, frage ich mich, wie du zu gerichtsmedizinischen Thrillern stehst. Ich habe gerade ein Buch von Kathy Reichs angefangen, und es gefällt mir sehr. Schon mal was von ihr gelesen?

R

Keine Spur von seinem früheren neckenden Ton. Ich feilte gerade an meiner Antwort, als Vince in einer Nadelstreifenweste, dazu passenden Hosen und mit einer lindgrünen Punktekrawatte vom Mittagessen zurückkam. Er hatte eindeutig gerade sein Gehalt bekommen und war damit groß einkaufen gewesen.

»Sehr hübsch. Du warst shoppen?« Er hatte so viel mit Felix gemein, der auch alles immer sofort anziehen musste, nachdem er es gekauft hatte. »Gehst du noch weg?« Das eigenartige Ensemble funktionierte fast. Wenn die Krawatte nur etwas weniger grell gewesen wäre, hätte das Outfit vermutlich vornehme Exzentrik angedeutet anstatt durchgeknalltes Geprotze.

»Kann sein.«

Mann, zurzeit war er wirklich zugeknöpft.

»Du siehst sehr schick aus. Die Krawatte ist toll.«

»Schau runter, Liebes.« Er zeigte mit beiden Händen auf seine

Füße und drehte sich kurz. »Guck dir die mal an. Sind sie nicht einfach umwerfend?«

Ich starrte auf die gelben Budapester aus Krokodilleder. »Nein.«

»Nein?« Vince' Stimme ging mehrere Oktaven hoch. »Sie sind der letzte Schrei.«

»Ich würde schreien, wenn ich das Krokodil wäre, das so eingefärbt wurde.«

»Tilly, jetzt bist du echt gemein.«

»Nein, Vince, das bin ich wirklich nicht. Sie sind tatsächlich einfach scheußlich.«

Er schmollte wie ein Fünfjähriger. »Nicht einfach fabelhaft?«, fragte er mit sichtlich zitternder Lippe.

»Tut mir leid, Vince, nicht mal *Cherry Peach Bombay*.« Unser Lieblingslied aus *Chitty Chitty Bang Bang*, das wir uns fünfmal zusammen angesehen hatten, ehe es im West End abgesetzt worden war.

»Aber sie sind sooooo fein.«

»Vince.« Ich stemmte die Hand in die Hüfte. »Hat der Verkäufer dir das erzählt?«

Er nickte.

»Du weißt, dass er dir alles Mögliche erzählt. Hattest du sie schon mal draußen an?«

Er schüttelte den Kopf. Ich hätte mich ebenso gut mit einer Marionette unterhalten können, er hatte sogar glasige Augen bekommen.

»Zieh die Schuhe aus.«

Verdrossen ließ Vince sich auf den nächstbesten Stuhl plumpsen und beschäftigte sich damit, die cremefarbenen Schnürsenkel aufzuknoten. Im Ernst, aus diesen Schuhen wurden Modealbträume gemacht.

»Wirst du sie zurückbringen?«

Er schob die Unterlippe zu einem ausgewachsenen Schmollmund vor.

»Schau mich nicht so an, Vince. Wir hatten eine Abmachung, weißt du noch?«

Mit einem sehr traurigen Nicken stimmte er mir zu. »Ich erinnere mich. Du bist die fiese alte Modepolizei, die das gute Zeug beschlagnahmt und mir den ganzen Spaß verdirbt.«

»Nein, Vince, ich bin die liebe Freundin, die dich davon abhält, dich vollkommen zum Affen zu machen, und dafür sorgt, dass du dein Geld zurückkriegst, von dem skrupellosen Scharlatan um die Ecke, der sich als Schuhverkäufer ausgibt.«

»Bernie ist okay.«

»Ja.« Ich rieb mir die Hände wie Fagin aus *Oliver Twist.* »Er muss sich seine Brötchen verdienen. Was, haben Jeanie und ich dir gesagt, sollst du tun, wenn du alleine shoppen gehst?«

»Sie per Video anrufen und dir schreiben, ehe ich irgendwas kaufe?«, betete er herunter wie ein braves Lämmchen. Wenn er das nur gewesen wäre.

»Und was ist passiert? Hast du dein Handy verloren? Es vergessen?«

Mit der Anmut einer Herzoginwitwe und dem dazu passenden Schniefen hielt Vince mir die schrecklichen Schuhe hin, damit ich sie mir näher ansehen konnte. Sie waren die Leder gewordene Beulenpest. »Schau, bist du sicher, dass sie dir nicht gefallen? Echtes italienisches Leder.«

»Quittung.« Ich streckte die Hand aus.

Schon das Widerstreben, mit dem er mir den weißen Zettel reichte, verriet mir alles, was ich wissen musste.

»Dreihundert Pfund!«, kreischte ich und griff mir mit einer Hand an die Brust.

»Ich finde sie wirklich wundervoll«, sagte Vince bittend.

»Du fandest auch den blauen Gladstone-Koffer aus Lackleder wirklich wundervoll, den du nur einmal benutzt hast und der fünfhundert Pfund gekostet hat. Ebenso wie den authentischen australischen Viehzüchtermantel von Driza-Bone, der dir geklaut wurde, als du ihn das erste Mal anhattest. Dasselbe gilt für die Vintage-Gamaschen, von denen du mir nicht verraten wolltest, wie viel sie gekostet hatten, und dann bist du von irgendeinem Deppen verprügelt worden, dem sie offensichtlich ein Dorn im Auge waren. Und auch wenn ich Gewalt nicht billige, ist nicht auszuschließen, dass eine Jury sich womöglich auf seine Seite geschlagen hätte.«

»Du bist gemein.« Er sah aus, als hätte ich sein nagelneues Hündchen eingesperrt.

»Nicht so gemein, wie Jeanie wäre. Sie würde dich zwingen, sie mit ihr zusammen zurückzugeben.«

»Trotzdem gemein«, brummelte Vince, während er die Schuhe zurück in den Karton legte.

Ich schloss die Augen und zählte bis zehn. Gemein oder vernünftig? Ich berührte meinen Ringfinger. Es war ja schön und gut, zur Verlobung einen Diamantring im Prinzess-Schliff von Tiffany zu bekommen, aber die große Geste ist gleich viel weniger glanzvoll, wenn man diejenige ist, die jeden Monat den Kredit abbezahlt.

»Tilly! Vince!« Mit dem Klackern eines Maschinengewehrs spie Jeanie die Worte aus. Keiner von uns hatte bemerkt, dass sie die Werkstatt betreten hatte.

Sie schnappte sich den Karton, schaute hinein und schreckte augenblicklich zurück.

»Grundgütiger, der Himmel möge uns bewahren. Was hast du dir dabei nur gedacht? Sie sind …«

»Siehst du!« Ich zeigte auf Vince.

Sie schauderte kurz, ehe sie den Schuhkarton wieder schloss. »Ich hoffe inbrünstig, dass sie bereits retour gehen.«

»Ja«, sagte Vince übertrieben heiter. »Ich bin schon auf dem Weg.«

»Ehrlich, ihr zwei. Wenn ich euch nur einen Moment aus den Augen lasse.« Sie hielt inne und schaute argwöhnisch. »Augenblick mal. Das sind doch Fick-mich-Schuhe, oder?«

Jeanie war so viel mehr auf Zack als ich. Natürlich handelte es sich darum.

Er erstarrte und erinnerte mich an eine Trickfilmfigur, die am Rande eines Abgrunds stand, wobei er extrem kleinlaut aussah. »Ich weiß nicht, was du meinst.«

»Eine scharfe Verabredung«, sagten Jeanie und ich völlig unisono. Wir grinsten einander an, und dann machte ich ein langes Gesicht, als Vince errötete und sich wand.

»Ich treffe mich nur mit einem Freund«, wich er aus, überschlug die Füße und sah aus wie ein inkontinenter Pinguin.

»Was für ein Freund? Wir sind deine Freunde. Wir kennen keine anderen.«

»Niemand, den ihr kennt«, sagte Vince mit einem lässigen Lächeln, doch sein fest angespanntes Kinn sagte etwas anderes aus.

Jeanie und ich sahen ihm nach. »Er führt nichts Gutes im Schilde«, mutmaßte Jeanie mit schmalen Lippen.

»Lass ihn«, sagte ich. »Offensichtlich will er nicht, dass wir Bescheid wissen. Letztlich können wir nur die Scherben einsammeln, wenn es sich wieder mal als Katastrophe herausstellt.«

Sechzehntes Kapitel

Zu dieser Uhrzeit am Wochenende war London stets ein Vergnügen. Keine Touristen, keine Pendler, keine überfüllten Bürgersteige und leere Straßen. Selbst die Taxifahrer schienen sich mehr Zeit zu lassen als sonst. Es dauerte nur wenige Sekunden, einen Kaffee bei Costa zu bekommen, da es keine Schlange gab, und so war ich fünf Minuten vor Fred am Bühneneingang.

Während ich vorsichtig an meinem Kaffee nippte, sah ich zu, wie Lieferungen ausgeladen und mehrere Hintersetzer durch den riesigen Bühneneingang manövriert wurden, und hörte Lkw-Türen zuschlagen, als neue Kulissen und Requisiten in das Gebäude getragen wurden.

»Morgen.«

Ich wandte jäh den Kopf in die Richtung, aus der die leise Stimme kam.

»M-Morgen.« Gott, sah er gut aus.

Er hatte ebenfalls einen Kaffee in der Hand, mit dem er mir zuprostete, und dann stand er da und trank hin und wieder einen Schluck, während er interessiert den Lieferanten zusah. Er hatte den Wolverine-Look – harter Typ in Lederjacke und Jeans – perfekt getroffen. Rein objektiv betrachtet, sah sogar ich, dass er ihm ganz genau entsprach, was von einigen vorbeikommenden jungen Frauen bestätigt wurde, die kurz über die Schulter blickten, um ihn zu mustern.

»Hast du eine Ahnung, was sie da machen?«, fragte er, nachdem er einige Minuten lang die Bühnenarbeiter beobachtet hatte.

»Sie bauen das Bühnenbild ab und lagern es ein.«

»Okay«, sagte er, gefolgt von dem ernsten Blick, an den ich mich langsam gewöhnte.

»Viele der Kulissen können noch mal verwendet werden oder werden benötigt, wenn das Ensemble mit der Inszenierung auf Tournee geht, aber hier ist nicht genug Platz, um alle aufzubewahren. Wir haben ein riesiges Lager draußen in Elstree.«

Er nickte, und wir verfielen in unbehagliches Schweigen.

»Freust du dich schon auf …«, fragte ich.

Marcus hätte meine Befangenheit lindern sollen, indem er die entsprechende Pause füllte. Doch das tat er nicht, stattdessen nickte er nur höflich, als warte er auf meine nächsten Worte.

Ein schauerliches, schrilles Lachen direkt an meinem Ohr zerriss die peinliche Stille.

»Stimmst du dich schon auf deinen Charakter ein?«, fragte ich und funkelte Fred an, wegen dem ich so zusammengezuckt war.

»Sorry, Liebes.« In seinem violetten Anzug mit orangefarbenem Hemd und grüner Weste entsprach er schon weitgehend der Rolle. »Hey Chef.«

»Schönes Kostüm, Fred.« Marcus beugte sich zu ihm und betastete den Stoff. »Wo hast du das denn her?«

»Die gute Leonie hat es für mich angefertigt.«

»Ja, aber das ist reine Wolle. Es ist ein richtiger Anzug.«

»Sie ist großartig«, meldete ich mich zu Wort. »Im Oktober hat sie mir einen Rock genäht. Hat ein Vintage-Teil kopiert, das ich schon hatte.«

»Leonie hat das geschneidert?«, fragte Marcus und beäugte immer noch den violetten Anzug. Sein Gesichtsausdruck legte nahe, dass er sich nicht entscheiden konnte, ob er bestürzt oder beeindruckt sein sollte.

»Die aus der Kostümabteilung.«

Wer sonst? Was glaubte er, was wir alle taten?

»Aber er sieht aus, als hätte ihn ein richtiger Schneider gefertigt. Savile Row oder Armani oder so.«

»Sie ist eine richtige Schneiderin«, sagte ich in einem spitzen

Tonfall. »Was glaubst du, wo wir die Kostüme herbekommen? Von eBay?«

Er schaute mich zornig an.

»Na los, Leute, kommen wir in die Gänge«, schaltete Fred sich ein. »Wir müssen um halb elf beim ExCeL sein. Ich hab meinem Kumpel versprochen, mich mit ihm zu treffen. Die Touris in der U-Bahn werden uns klasse finden.«

»Sie werden dich für einen Irren halten«, bemerkte Marcus.

»Sie werden nicht unrecht haben«, murmelte ich.

»Und warum mussten wir so früh hier sein?« Marcus blickte finster und nahm noch einen Schluck Kaffee. Ich musterte ihn verstohlen. In Freizeitkleidung war er sogar noch beeindruckender und wirkte durch und durch männlich. Es regte mich furchtbar auf. Ich mochte dieses blöde Gefühl nicht, die Kontrolle verloren zu haben. Man sollte entscheiden können, ob man auf jemanden stand oder nicht. Ich schaute ihn noch böser an, was er gekonnt ignorierte, falls es ihm überhaupt auffiel.

Er sah auf die Uhr. »Du bist schon angezogen. Bestimmt dauert es nicht so lange, ein bisschen Make-up und Lippenstift aufzutragen. Oder ein Paar Koteletten anzukleben.«

Fred wandte Marcus den Rücken zu, als müsse er sich fremdschämen, und zwinkerte mir zu. »Tut mir leid, er weiß nicht, was er –«

»Ein bisschen Make-up und Lippenstift aufzutragen nicht«, sagte ich bissig und mit einem aufgesetzten Lächeln. »Anständige Arbeit abzuliefern, wird ein bisschen länger dauern. Koteletten. Na, mal schauen.« Wenn er nicht aufpasste, ähnelte er am Ende mehr einem Werwolf als einem Superhelden.

»Ooh, das gefällt mir.« Fred ließ sich auf einem der thronartigen cremefarbenen Lederstühle nieder und drehte sich. »Da fühlt man sich wie ein richtiger Star.«

Ich zog eine Auswahl von Bildern und Skizzen hervor, die ich angefertigt hatte, und legte sie vor ihm auf die Bank. »Mach es dir noch nicht zu bequem. Erst muss ich noch wissen, was du willst.«

Im Spiegel erwischte ich Marcus dabei, wie er die Stirn runzelte, doch ich beachtete ihn nicht. Das hier war mein Bereich, er konnte so skeptisch sein, wie er wollte.

»Ich hab ein bisschen recherchiert. Klar gibt es den Joker von Heath Ledger. Richtig gruselig, und es kann sein, dass du in der Aufmachung kleinen Kindern in der U-Bahn einen Schrecken einjagst. Dann gibt es noch den richtigen DC-Joker aus der Originalserie, der eher dem Aussehen entspricht, das sie Jack Nicholson im älteren *Batman*-Film verpasst haben.«

Fred nahm sich Zeit, um die Bilder zu betrachten. »Ich wäre für Jack Nicholson, den eher klassischen Joker. Was meinst du?«

Marcus' Aufmerksamkeit galt den gerahmten Bildern und Fotos an den Wänden.

»Was auch immer dazu beiträgt, dass wir loskommen«, sagte er und zog dabei demonstrativ den Ärmel seiner Lederjacke zurück, um auf seine Uhr zu zeigen.

Fred grinste. »Mr Effizienz. Er steht auf diese Arbeitsablaufsachen.«

»Hmm«, machte ich verhalten.

Egal was Fred sich aussuchte, ich würde weiße Grundierung, roten Lippenstift, Kajal, Pinsel und ein bisschen dunklen Lidschatten benötigen, um seine Augen zu betonen, ebenso wie das grüne Haarspray. Auf meine übliche pedantische Art legte ich die Materialien sorgfältig angeordnet hin, die Pinsel und Stifte genau im rechten Winkel zu den Lidschattenpaletten, alles in gleichmäßigem Abstand voneinander.

Schließlich, nachdem er eine Weile geschwankt hatte, entschied Fred sich für die Jack-Nicholson-Version des Jokers, die strukturierter war und mehr Aufwand bedeuten würde. Während ich loslegte, lehnte Marcus sich mit dem Hintern an den Tresen zu meinem linken Ellbogen, um zuzusehen.

Ich deckte Freds schicken Anzug ab, bürstete ihm das Haar zurück und sammelte die langen, feinen Strähnen in einen festen Pferdeschwanz, den ich dann an seinem Kopf feststeckte. Zum Glück funktionierte sein zurückweichender Haaransatz perfekt, und ich hatte quasi keine Arbeit damit, das an Dracula erinnernde V auf seiner Stirn zu erzeugen. Indem ich gut und gleichmäßig das Haarspray auftrug, färbte ich sein dunkelblondes Haar tiefgrün. Meine Nackenhärchen prickelten leicht, als ich einen Schritt zurücktrat, um meinen Fortschritt zu begutachten. Marcus hatte eine entspannte Haltung eingenommen, mit überschlagenen Fußknöcheln und verschränkten Armen rückwärts gegen den Tresen gelehnt.

Ich war entschlossen, mich nicht von ihm ablenken zu lassen, und tat mein Möglichstes, um ihn zu ignorieren, aber jedes Mal, wenn ich nach etwas griff, war ich mir bewusst, dass er mich aufmerksam beobachtete.

Zum Glück hatte Fred sich gründlich rasiert, ganz wie ich ihn ohne Peinlichkeit instruiert hatte, so blieb das Schwämmchen nicht hängen, und die weiße Grundierung ließ sich schnell und leicht auftragen. Mit regelmäßigen und gleichmäßigen Bewegungen strich ich sie auf seinem Gesicht glatt, wobei ich darauf achtete, dass es keine Ränder gab und ich den grünen Haaransatz nicht verdarb.

Freds Gesicht war jetzt ohne besondere Merkmale, und damit fing die eigentliche Arbeit an, die ich am liebsten machte. Mit einem raschen Blick auf eines der Bilder rief ich mir in Erinnerung, wie die Augenbrauen geformt waren. Leicht irre.

Während ich arbeitete, starrte Fred sich im Spiegel an und hielt vollkommen still, als sei er zu verängstigt, um sich zu bewegen. Es erleichterte mir die Arbeit, doch als ich mit den Augenbrauen fertig war, die ich glänzend schwarz ausgemalt hatte, ließ er sie schurkisch auf und ab schnellen.

»Cool, Tilly.«

»Sie sehen wirklich gut aus.« Marcus nahm das Bild von Jack Nicholson zur Hand. »Was kommt jetzt? Lippen, und dann bist du fertig.«

Ich hielt das Bild neben Freds weißes Gesicht, das jetzt völlig nichtssagend war. »Fällt dir ein Unterschied auf?«

Fred zugewandt, trat ich zwischen seine Beine. Obwohl ich mich konzentrieren musste, war es äußerst persönlich, am Gesicht eines Menschen zu arbeiten, ihn zu berühren und darüber zu streichen, und wenn man so dicht bei jemandem stand, konnte er oft nirgendwo anders hinschauen, deshalb war es wichtig, ihm die Befangenheit zu nehmen. Ich spürte, dass Fred sich versteift hatte und sich mit festem Blick im Spiegel anstarrte.

»So, hast du schon schöne Pläne, wohin du in Urlaub fährst, Mr Joker? Ich habe gehört, Gotham City soll zu dieser Jahreszeit schön sein.« Ich schattierte einen seiner Nasenflügel, um seinem Gesicht stärkere Konturen und mehr Form zu verleihen. Dabei achtete ich darauf, jedes Mal wieder zurückzutreten, um ihm ein bisschen Raum zu geben.

»Ich spare. Um zur Comic Con zu fliegen. San Diego. Das ist die große.« Seine Schultern bewegten sich geringfügig, sodass sie nicht mehr ganz an seinen Ohren klebten.

»Und was macht man bei so einer Veranstaltung?« Ich hielt mich damit auf, den Pinsel an meiner Hand zu säubern.

»Man trifft sich einfach mit anderen Comicfans.«

Ich hob sein Kinn an, ganz professionell. »Schau mal für mich nach rechts.« Seine Nase sah langsam schärfer aus.

»Wie steht's mit dir?«, warf ich über die Schulter und schattierte dann Freds Gesicht etwas stärker. Marcus ins Gespräch mit einzubeziehen, würde auch Fred helfen.

»Ich war noch nie dort. Als ich klein war, mochte ich Marvel, daher dachte ich mir, ich komme mal mit.«

»Du willst nur einen Blick auf Wonder Woman erhaschen«, sagte Fred, zog die Augenbrauen zu einer erschreckenden Steilfalte zusammen und wackelte damit.

Mit zögerlichen Strichen begann ich, Freds Wangen zu schattieren. Ich hätte das nicht zu ihm gesagt, aber er hatte ein ziemlich pummeliges Gesicht, daher würde es einige Arbeit an den Wangenknochen erfordern, das kantige Aussehen des Jokers hinzubekommen. Wenn ich an einer Inszenierung arbeitete, hatte ich die Gesichtsform der Leute bereits studiert, die Konturen ihres Gesichts und die Struktur ihrer Haut, und hatte eine recht gute Vorstellung davon, was zu tun war.

»Dauert nicht mehr lange«, sagte ich fröhlich. Und dann, oh scheiße, würde ich mit Marcus anfangen müssen. Fred war inzwischen wesentlich entspannter, saß aber immer noch recht steif da. Nun, auf der Zielgeraden, nahm ich Marcus genau am Rande meines Gesichtsfeldes wahr, wie er mich mit Argusaugen beobachtete, jeden Pinselstrich verfolgte, jedes Tupfen und Gleiten meiner Finger.

Ich war unerklärlich nervös, während ich Freds Lippen mit einem Konturenstift umfuhr. Die Form erforderte besondere Aufmerksamkeit, sie war das Markenzeichen des Jokers. Im Raum herrschte absolute Stille, als ich den leuchtend roten Lippenstift aufdrehte. Die schmalen Lippen mit der matten Fixierung zu bepinseln, dauerte eine Ewigkeit, doch ich konnte es mir nicht erlauben, auch nur ein winziges bisschen Farbe in die weiße Grundierung rinnen zu lassen, es würde das gesamte Erscheinungsbild verderben. Die Lippen müssen ein perfekter, grausamer Schnitt im Gesicht sein, um den Look zu vervollständigen.

Als ich schließlich fertig war, drehte ich den Lippenstift abrupt wieder ein und trat beiseite, damit Fred die volle Wirkung im Spiegel betrachten konnte. Ich fing Marcus' Blick auf. Wir hielten den Blickkontakt, und seine Augen verdunkelten sich.

Ich errötete, doch ich konnte nicht wegschauen. Sein Blick fiel auf meine Lippen, und ich erstarrte, wusste nicht, was ich mit ihnen anstellen sollte.

»Wow, Tilly, das ist der Hammer.« Fred hatte sich vorgebeugt, um in den Spiegel zu schauen, und verzog sein Gesicht zu einem schrecklich breiten Grinsen, was die ganze grausige Wirkung des Jokers zeigte. Er sprang auf und posierte entzückt vor dem Spiegel.

»Hier, Marcus.« Er hielt sein Handy hin. »Mach ein paar Fotos. Die müssen auf Twitter, Mann.«

»Tilly, du bist ein verdammtes Genie. Genial, Kumpel. Findest du nicht?«

Marcus nickte. Angesichts seiner leicht verstörten Miene war ich ziemlich zufrieden mit mir. Sehen Sie, Mr IT, ich weiß tatsächlich, was ich tue. Wie so viele Menschen, bei denen Schminke eine Maske der Unbesiegbarkeit erzeugte, glitt Fred direkt in seinen Charakter und sprang lachend mit einer manischen Energie umher, die mich, offen gestanden, ermüdete und gleichzeitig froh machte, dass ich nicht mit ihnen ging.

»Okay«, sagte ich kurz angebunden und bot Marcus den Stuhl an. »Du bist dran.«

»Das WLAN hier ist scheiße«, verkündete Fred. »Ich bin gleich zurück. Ich will ins Netz.«

Völlig in seinem Charakter, tänzelte er aus dem Raum.

Marcus zögerte, beäugte den hellen Lederstuhl und schien eine Heidenangst zu haben.

»Ich beiße nicht«, fuhr ich ihn an. Innerlich hatte ich ebensolche Angst. Ich hatte tatsächlich vorher nicht darüber nachgedacht, wie es sein würde, ihn zu berühren. Jetzt war ich mir nicht sicher, ob ich es konnte.

Marcus nahm Platz, sah hinunter auf den Tresen und dann

hoch zu mir. »Wo … ich dachte, du hättest ein paar … Teile zum Ankleben.«

»Dafür gibt es Kostümläden. Wir machen die Dinge hier richtig«, sagte ich streng. Warum hatte ich plötzlich so weiche Knie? Das war noch nie vorgekommen, nicht einmal, als ich zum ersten Mal Stars wie Bryn Terfel, Jonas Kaufmann und Plácido Domingo geschminkt hatte. Das hatte ich hinbekommen, ohne auch nur mit der Wimper zu zucken.

Ich zögerte es hinaus, den ersten Schritt zu tun, und warf einen raschen Blick auf das Foto von Hugh Jackman als Wolverine. Mit wachsender Anspannung warf ich einen prüfenden Blick auf Marcus' Gesicht, konzentrierte mich auf seine Kinnlinie und vermied es tunlichst, ihm in die Augen zu schauen. Die Form des Bartes nachzubilden, würde kinderleicht sein, aber beeindruckend aussehen.

Konzentrier dich auf die anstehende Aufgabe, sagte ich mir und umfasste fest den Pinsel, als ich ihn in das Fläschchen mit Kleber tauchte und vorsichtig anfing, eine kleine Partie seines Gesichts zu bestreichen, wobei ich darauf achtete, jeglichen Hautkontakt zu vermeiden. Der Pinsel streifte ein winziges Muttermal direkt unter seinem Wangenknochen, eine flache Windpockennarbe und den Schatten eines Grübchens. Bei jedem Pinselstrich konzentrierte ich mich auf diese Orientierungspunkte und ignorierte die Enge in meiner Brust, während ich versuchte, meine Atmung gleichmäßig zu halten. Dabei hüpfte in meinem Zwerchfell eine mexikanische Springbohne umher.

Jetzt musste ich die Strähnchen aus drahtiger Wolle anbringen, ehe der Kleber trocknete – eine knifflige Angelegenheit. Berühre sein Gesicht. Drücke die Fasern an. Es ließ sich nicht vermeiden, ich würde sein Gesicht festhalten müssen, um Halt zu gewinnen.

»Ähm … macht es dir etwas aus, wenn ich … ähm … nur …« Während ich unauffällig Luft holte, hob ich die Hand, um sein Kinn zu umfassen. Sie zitterte leicht.

»Nein … das … passt schon.«

Er roch schwach nach Seife und Shampoo. Saubere, glatt rasierte Haut lockte, und als ich die Finger um sein Kinn legte, blickte ich starr auf den unteren Teil seines Gesichts. Die intime Berührung wog schwer in meiner Hand, und einen Augenblick schweiften meine Gedanken ab, meine Finger zuckten, als folgten sie dem Weg meiner eigensinnigen Gedanken. Ich griff unter sein Kinn, dann um seinen Hals und in das dichte, dunkle Haar in seinem Nacken, ehe ich ihn nach vorne zog. Kurz schielte ich zu seinen Lippen, die leicht geöffnet waren. Ich fühlte, wie mir flau im Magen wurde, als er meinen Blick auffing.

»Also … was ich hier mache … das ist Kleber«, meine Stimme klang übermäßig laut in dem Raum und betonte, dass wir allein hier waren, »und dann befestige ich jede Menge winzige Fasern … schau …«

Ich hätte fast das Päckchen mit drahtiger Wolle umgekippt und zu Boden geworfen, als ich eine winzige Handvoll herausnahm und hochhielt.

»Oh, okay.« Marcus nickte mit entschieden ausdrucksloser Miene und starrte sich im Spiegel an.

Ich holte Luft. »Halt … bitte still.« Während ich immer noch mit einer Hand sein Gesicht festhielt, befestigte ich mit der anderen die ersten groben Strähnchen. Ich beugte mich vor. So dicht, dass seine Lippen nur wenige Zentimeter von meinen entfernt waren.

Unter meinen Fingern spürte ich den Puls an seinem Hals, stark und stetig. So wie er.

Ich konzentrierte mich darauf, dass die winzigen Fasern hielten, strich sie glatt und schob sie mit den Fingernägeln an die richtige Stelle, wobei ich nach Möglichkeit die winzigen Stoppel, die seine Haut zu durchbrechen drohten, ignorierte, ebenso wie seinen warmen Atem an meiner Haut. Auch wenn er vollkommen still hielt, verriet mir sein steifer Hals, dass er sich äußerst unbehaglich fühlte. Er behielt einen stoischen, starren Blick direkt in den Spiegel bei. Ein Teil von mir bereute meinen Stolz. Ich hätte es mir sehr viel leichter machen können. Koteletten zum Ankleben wären so viel einfacher gewesen. Ich runzelte die Stirn. Geschah mir recht, weil ich versucht hatte, es ihm zu zeigen.

»Du siehst grimmig aus. Mir graut davor, darüber nachzudenken, was dir gerade durch den Kopf geht.«

»Vielleicht denke ich ja an Systeme zur Bestandskontrolle«, sagte ich. Was er wohl denken würde, wenn er auch nur die geringste Ahnung hätte? »Du darfst jetzt nicht lächeln. Halt das Gesicht still.« Er sollte nicht so lächeln. Ich wollte ihn nicht mögen, wenn ich doch so eindeutig nicht sein Typ war. Wir waren Arbeitskollegen, das war alles.

Das Geplauder erlahmte, da er still halten musste. Langsam baute ich die schweren Koteletten auf, ehe ich hinunter zu seinem Kinn glitt. Das Schweigen wirkte drückend, während ich mich sein Gesicht hinunterarbeitete, zum Glück verlief der seltsam geformte Bart unter dem Mund, und ich musste nicht um seine Lippen herumfummeln. Nur ein kurzer Vorstoß direkt unter seine Unterlippe, der meinen Puls herausforderte, war vonnöten, daher berührte ich die Stelle so schnell und unpersönlich wie möglich.

»So.« Ich trat einen Schritt zurück. »Fast fertig. Nur noch deine Haare, obwohl sie, ehrlich gesagt, ein bisschen zu kurz sind, als dass ich viel tun könnte.« Seltsamerweise schaffte ich es, »ein bisschen zu kurz« missbilligend klingen zu lassen, und freute mich, als er die Stirn runzelte.

Kurz bedeutete jedoch, dass ich mit den Händen hindurchfahren musste und dabei seine Kopfhaut berührte.

Ich spürte, wie er sich anspannte.

»Tut mir leid, hab ich dran gezogen?«

»Nein … Es ist nur …« Er wand sich.

Mit schnellen, brüsken Bewegungen kämmte ich ihm das Haar zurück und hoffte dabei, dass es so weniger intim sein würde. Warum zum Teufel hatte ich mich darauf eingelassen? War ich etwa masochistisch veranlagt? Aber in all den Jahren als Maskenbildnerin war es mir noch nie so ergangen, dass jede Berührung mit sexueller Spannung aufgeladen gewesen war.

»Was meinst du?« Ich begegnete seinem Blick im Spiegel.

Er strich sich über die Wangen, und sein Gesicht verzog sich zu einem erfreuten Strahlen, das mir einen Stromstoß versetzte.

»Ausgezeichnet … wirklich … wirklich ausgezeichnet. Ich hatte keine Ahnung … dass es so wirkungsvoll ist.«

Er stand auf und spähte in den Spiegel. »Es ist toll.« Ein besorgter Ausdruck huschte über sein Gesicht. »Wie bekomme ich den Bart wieder ab? Ich gehe heute Abend weg.«

»Keine Sorge, deine Kumpels aus der City brauchen es nie zu erfahren.« Es gefiel mir nicht, wie ich mich anhörte. Scharf und bissig. »Oder deine Freundin?«

Als mir klar wurde, dass es klang, als ob ich auf den Busch klopfte, ergänzte ich schnell: »Du kannst ihn mit Wasser und Seife lösen … heißem Wasser. Sorg dafür, dass du es gründlich einreibst. Wenn er an irgendwelchen Stellen hartnäckig ist, mach ein bisschen Olivenöl auf einen Wattebausch und reib damit.«

»Okay. Das ist gut zu wissen.« Er beäugte den zottligen Bart.

Fred kam wieder zur Tür herein.

»Wow, Mann … ein bärtiges Wunder. Cool!«

Marcus strich sich erneut übers Kinn. »Ich bin mir nicht sicher, was Mum sagen würde, wenn ich heute Abend so herausgeputzt aufkreuzen würde.«

Er lachte. »Mein Dad würde von nichts anderem mehr reden, wenn er mich so zu Gesicht bekäme. Ich fahre heute Abend heim, um im Pub mit ihm Fußball zu schauen.«

Ich zog den Kopf ein und errötete bei seinen Worten. Es beantwortete die Frage nach einer Freundin nicht vollständig, aber es war zumindest eine Antwort.

»Soll ich ein paar Fotos machen?«, schlug Fred mit einem bösen Grinsen vor. Er fand sich langsam in seine Rolle ein.

»Nein!«, antwortete Marcus. »Auf keinen Fall. Wenn was auf Facebook landet, bring ich dich um. Ich kann nicht glauben, dass du mich dazu überredet hast. Inzwischen zweifle ich an meiner Entscheidung.« Sein Körper versteifte sich wieder, und er zog die Schultern ein Stück hoch.

Dieser leichte Anschein von Verletzlichkeit versetzte mir einen Stich. »Nicht nach der ganzen Arbeit, das machst du nicht«, sagte ich und schob ihn Richtung Tür.

»Danke, Tilly. Ich zweifle nur, weil es so … na ja, so echt aussieht. Im Ernst. Ein paar Koteletten anzukleben, klang witzig. Das hier ist ein bisschen zu nerdig.« Er warf Fred einen gespielt zornigen Blick zu. »Du bist ein schlechter Einfluss.«

»Mach dich locker, Kumpel. Wenn wir erst mal da sind, wirst du jede Menge Spaß haben …«

»Genau deswegen mache ich mir Sorgen. Dass uns in der U-Bahn alle anstarren.«

Fred verzog leugnend das Gesicht und schüttelte seinen grünen Schopf. »Warte bloß, bis du alle anderen siehst. Dagegen ist das hier noch harmlos.«

Ich legte Marcus eine Hand auf den Ärmel, weil ich die Unsicherheit verscheuchen wollte, die plötzlich seinen Blick überschattete. Es wirkte falsch, ihn so zu erleben, wenn er sonst so ein bombenfestes Selbstbewusstsein zur Schau trug. »Schau dir Fred an. Du brauchst dir keine Sorgen zu machen. Er wird für genügend Aufruhr sorgen. Du wirst in den Hintergrund treten. Wahrscheinlich halten sie dich für einen übereifrigen Hipster.«

Dankbarkeit blitzte in seinen Augen auf, und er ließ die Schultern sinken. »Hipster? Himmel … das ist ja noch schlimmer.«

Siebzehntes Kapitel

Der letzte Blick auf ihn, wie er angemessen breitbeinig das Gebäude verließ, hatte mir fast den Rest gegeben, und es war eine Erleichterung, in die entgegengesetzte Richtung zu gehen, wobei ich demonstrativ auf mein Handy schaute.

Da ich nun den ganzen Tag für mich hatte, beschloss ich, bei Foyles vorbeizuschauen und mir ein paar Bücher zu holen. Auch wenn ich den Reader sehr praktisch fand, genoss ich das Gefühl, ein Buch in der Hand zu haben.

Ich hatte gerade ein Exemplar von *Tote lügen nicht* von Kathy Reichs bezahlt, angeregt von Redsmans letzter Mail, als ich bemerkte, dass Christelle mir geschrieben hatte.

Arbeitest du heute? Kannst du für einen Kaffee rauskommen? Ich gehe heute die Geschenke für Mum und Dad besorgen. Würde mich über deine Meinung freuen. Cx

Anstatt mich damit aufzuhalten, ihr zurückzuschreiben, während ich die geschäftige Straße entlangging, rief ich sie lieber direkt an.

»Zu was willst du meine Meinung hören?«

Was sie wohl von Marcus halten würde? Sie hatte nie etwas gesagt, aber ich hatte den Eindruck, dass sie von Felix nicht allzu angetan war, und er mochte sie definitiv nicht. Ich spürte den Anflug eines schlechten Gewissens. Fairerweise musste ich zugeben, dass das meiste, was er über sie wusste, von mir stammte.

»Also, ich wollte Mum ja ein Geschenkset von Estée Lauder holen, dann fiel mir ein, dass ich ihr schon eins zum Geburtstag geschenkt habe. Du bist doch gut mit Geschenken. Hast du vielleicht eine andere Idee?«

»Wo bist du gerade?«, fragte ich.

»Ich gehe gerade die St. Martin's Street entlang. Hast du später Zeit?«

»Ich hab jetzt Zeit. Ich arbeite heute nicht, ich musste nur mal kurz ins Theater. Ich bin in der Henrietta Street.«

Eine Pause entstand. »Kannst du dich mit mir treffen?«

Ihre Unsicherheit ließ meine Schuldgefühle noch wachsen. War meine übliche Zurückhaltung so offensichtlich? Plötzlich war ich traurig, dass wir uns auseinandergelebt hatten. Wir waren früher so gern samstags zusammen in Harrogate shoppen gewesen.

»Ja, natürlich.«

Wir verabredeten, uns in einer halben Stunde am großen Platz in Covent Garden zu treffen.

Auf dem Weg dorthin hellte sich meine Stimmung auf, als ich vor der St.-Paul's-Kirche Schutzplanken entdeckte und *I Wish It Could Be Christmas* von Slade dudeln hörte. Ich hatte ganz vergessen, dass heute das jährliche Christmas-Pudding-Rennen stattfand.

Mehrere Ordner kämpften gerade mit einer aufblasbaren Rutsche und lachten, als das wogende Plastik zurückschlug. Hinter ihnen waren zwei Männer damit beschäftigt, kistenweise Christmas Puddings auszuladen, und als ich näher kam, entdeckte ich die teilnehmenden Teams in ihren Verkleidungen. Es war sehr lustig anzusehen, wie die Touristen auf Männer in aufblasbaren Nikolauskostümen reagierten, auf pelzige Pinguine oder die Truppe leicht bekleideter junger Frauen, die sich *Die Knallbonbons* nannten.

Noch war nicht alles aufgebaut, aber ich beschloss, Christelle später wieder hierherzubringen, um mit ihr bei dem verrückten Rennen zuzusehen.

Die Passanten waren alle warm eingepackt, trugen Daunenjacken, Mützen und Schals, während ihre behandschuhten Hände prall gefüllte Einkaufstüten festhielten. Mit schnellen Schritten schlängelte ich mich an den Gruppen vorbei, blieb jedoch kurz stehen, um den Weihnachtsbaum zu bewundern. Er erinnerte mich daran, dass ich irgendwie noch einen für die Wohnung besorgen musste, obwohl es einen Riesenaufwand darstellte, einen echten zu holen. Leider ließ sich selbst ein kleinerer Baum kaum im Bus transportieren, aber ich weigerte mich, einen künstlichen zu nehmen. Ich würde Felix dazu überreden müssen, mich zu begleiten und mir zu helfen, ihn heimzutragen.

Ich entdeckte Christelle mit ihrer scharlachroten Pudelmütze, die sich herrlich von ihrem Schneewittchen-Teint und ihrem glänzenden braunen Haar abhob, noch bevor sie mich entdeckte. Ausnahmsweise leger gekleidet und mit roten Wangen von dem flotten Fußmarsch, sah sie großartig aus, obwohl der traurige hautfarbene Lippenstift mir immer noch ein Dorn im Auge war.

»Hallo.«

»Hallo«, erwiderte ich und kniff angesichts ihrer Lippen die Augen zusammen.

»Was ist?«

Ich nahm sie beim Arm. »Als Erstes gehen wir shoppen.«

»Nun, ja. Das war der Plan.«

»Nein, ich meine für dich. Komm.«

»Aber …«

»Kein Aber.«

Ich hakte sie fest unter und marschierte die James Street entlang gen Norden.

»Wo gehen wir hin?«

»MAC«, sagte ich. »Dir einen neuen Lippenstift kaufen.«

»Okay.«

Ich blieb stehen. »Wie? Keine Einwände?«

»Tilly. Sehe ich aus, als würde ich mich mit Schminke auskennen?«

»Nein.«

»Danke für dein Vertrauen.«

»Du hast gefragt.«

»Na ja, du hättest nicht so unverblümt sein müssen.«

»Tut mir leid, nur diese Farbe … Tatsächlich sollte es verboten sein, sie als Farbe zu bezeichnen, sie ist scheußlich und schmeichelt dir kein bisschen.«

»Recht ist mein Bereich, Schminke deiner«, sagte sie beleidigt. »Nicht jeder kann darin so toll sein wie du. Ich weiß, dass ich echt schlecht im Schminken bin, aber …« Sie zuckte die Achseln und sah ein bisschen verlegen aus. »Ich wollte nicht fragen.«

»Warum denn nicht?«

Ihr Blick glitt zur Seite, ehe sie mich ansah. »Du hättest mich ausgelacht.«

Ihre Worte machten mich sprachlos. Meine ultraselbstbewusste, supererfolgreiche Schwester hatte Angst, von mir ausgelacht zu werden. Ich biss mir auf die Lippe und studierte meine Lederhandschuhe, nicht in der Lage, ihren abwartenden Blick zu erwidern. Ja, wahrscheinlich hätte ich das tatsächlich getan, was nicht gerade löblich war.

»Lippenstift ist generell nichts zum Lachen«, scherzte ich. »Komm.«

Im Laden von MAC war es voll und laut, und ich fiel in den Refrain von *Rocking Around the Christmas Tree* ein, der aus den Lautsprechern drang. Sobald Antonio, der Filialleiter, mich entdeckte, winkte er mir zu und schaffte es irgendwie, sich von einem hartnäckigen Kunden zu befreien.

»Tilly.« Er küsste mich auf beide Wangen. »Wie geht's?«

»Danke, gut.« Christelle hatte es geschafft, sich hinter mir zu verstecken. Ich zog sie vor. »Das ist meine Schwester. Wir suchen einen Lippenstift. Ich dachte an Ruby Woo oder Cherry Glaze.«

»Ausgezeichnete Wahl.« Er strahlte mich an, und ehe sie sich versah, saß Christelle auf einem Hocker, und Antonio wischte ihr mit gnadenloser Effizienz die Lippen sauber.

Als er damit fertig war, umrandete er ihre Lippen feierlich, ehe er sie sorgfältig in einem dunklen Rotton schminkte. Sie starrte sich im Spiegel an.

»Schau, das erhellt dein ganzes Gesicht.«

»Tilly ist gut«, warf Antonio ein und nickte mir zu. Die Farbe setzte Christelles Lippen in Form eines perfekten Amorbogens in Szene, sodass sie noch mehr wie Schneewittchen aussah, oder eher wie deren ältere, schickere Schwester. »Aber wir probieren noch einen aus.«

»Tut mir leid, *chérie*«, sagte er und reichte mir den Lippenstift samt Pinsel. »Das überlasse ich dir. Ich sehe kauffreudige Kundinnen mit prallen Geldbörsen.« Er zwinkerte uns zu und glitt hinüber zu zwei Frauen in pelzverbrämten Designermänteln mit dazu passenden Chanel-Handtaschen.

Als Christelle vor mir saß und mir ausgeliefert war, beschloss ich, meine Chance zu nutzen. Sie wartete geduldig, während ich die Farben durchging und immer wieder zu ihrem Gesicht hinübersah. Um ehrlich zu sein, hatte ich mir sehnlichst gewünscht, sie einmal so zu erwischen.

»Eigentlich sollten wir für Mum einkaufen«, sagte sie nicht sonderlich überzeugend.

»Hast du's eilig? Musst du irgendwohin?«

»Nein.« Sie verkniff das Gesicht. »Ich hatte heute Abend eine Verabredung.« Ein resignierter Ausdruck stellte sich ein. »Aber er hat abgesagt.«

»Hervorragend. Entschuldige, nicht hervorragend, dass er abgesagt hat. Idiot. Aber das heißt, dass wir alle Zeit der Welt haben.« Ich tippte auf meine Uhr. Und wir würden uns das Rennen ansehen können.

»Ich weiß nicht, ob das so gut ist«, sagte sie mit einem plötzlichen Lächeln und betrachtete die vielen tollen Produkte, die ich zusammengetragen hatte.

»Lehn dich zurück und genieß es. Du wirst nichts spüren.«

»Versprochen?«

Ich grinste sie an und machte mich an die Arbeit.

Es hat etwas Befriedigendes, jemanden umzustylen, vor allem wenn man sieht, wie beschwingt die Person danach ist. Christelle wirkte regelrecht ausgelassen, als wir MAC verließen.

»Ich finde, wir haben uns was zu trinken verdient«, sagte sie, und diesmal hakte sie mich unter.

»Ich dachte, du wolltest shoppen gehen.«

»Hast du was vor?«

Ich schüttelte den Kopf. »Nichts Bestimmtes.«

»Nun, das hier ist dein Revier. Wo können wir hier ein Gläschen Prosecco bekommen?«

»Super Idee. Aber zuerst …«

Christelle und ich japsten fast vor Lachen.

»Irre«, sagte meine Schwester und wischte sich die Tränen weg, als die letzte glücklose Teilnehmerin an uns vorbeistolperte. In der einen Hand hielt diese das Tablett mit dem mitgenommen aussehenden Pudding, der wie Herr Kartoffelkopf dekoriert war und gefährlich umherrutschte, in der anderen hatte sie einen übergroßen Dekostern. Das arme Mädel trug ein neonrosa Tutu und dazu passende Beinstulpen, war mit Kunstschnee bedeckt, hatte irgendetwas quer übers Gesicht geschmiert und ein Riesenloch in der Strumpfhose, aber sie kicherte dennoch so sehr, dass sie kaum geradeaus laufen konnte und die Ziellinie komplett zu verfehlen drohte.

Eine gute Stunde lang beobachteten wir die Teilnehmer des nächsten Laufs beim Aufwärmen, sangen die albernen Lieder mit und begaben uns zu einem anderen Streckenabschnitt, um zuzusehen, wie ein Rentier, Alice im Wunderland und Superman unsanft die aufblasbare Rutsche hinunterschlitterten, während sie verzweifelt versuchten, ihre kostbare Ladung festzuhalten. Dann begannen wir zu frieren.

Wir kicherten immer noch, als wir nach zwei Flaschen Prosecco bei Mabel's hinausstolperten.

»Nicht zu fassen, dieser Typ.«

»Warum?«

»Er hat mich die ganze Zeit angestarrt.«

»Ja, weil du einfach fantastisch aussiehst.«

»Nur wegen der Schminke.«

»Stimmt nicht, sie betont bloß das, was sowieso schon da ist.«

Sie machte »Pst«, sagte jedoch nichts mehr, als wir die Maiden Lane entlang zurück zum Platz schlenderten. Das Rennen war inzwischen vorbei und schon fast alles abgebaut, der einzige Hinweis auf die frühere Verrücktheit waren die Ballonbündel, die an den aufgestapelten Schutzplanken flatterten.

»Wir haben immer noch nicht richtig eingekauft.«

»Uns bleibt immer noch der restliche Nachmittag. Komm, wir gehen zum Markt. Vielleicht finden wir ja da was für Mum.«

»Was zum Beispiel?«

»Das wissen wir erst, wenn wir es sehen«, entgegnete ich fest und erwartete, dass sie irgendeinen Einwand vorbrachte, doch unerwarteterweise fügte sie sich.

Wir stöberten im Jubilee Market, ehe wir auf den Platz zurückkehrten. An einem meiner liebsten Schmuckstände blieben wir stehen.

»Oh, das ist ja hübsch«, sagte Christelle und stürzte sich auf ein entzückendes Armband. »Ich bin noch nie auf die Idee gekommen, hier zu schauen. Das ist perfekt für Alexa. Und für Sarah von der Arbeit.« Sie kaufte zwei, während ich ein Paar Ohrringe für Jeanie erstand, von denen ich wusste, dass sie ihr sehr gefallen würden. Wir wollten gerade weitergehen, als Christelle beschloss, auch noch ein paar Batman-Manschettenknöpfe für ihren Chef mitzunehmen. »Nicht ganz, was er sonst trägt. Aber weißt du was, ich glaube, er wird sie mögen«, meinte sie kichernd. Ich musterte ebenfalls die Manschettenknöpfe. Sie wären auch für Marcus ein gutes Geschenk gewesen. Wo war dieser Gedanke nur hergekommen? Schnell legte ich sie zurück. Marcus und ich kauften einander definitiv keine Geschenke. Wie es ihm wohl gerade auf der Comic Con erging? Plötzlich musste ich daran denken, wie seine grünen Augen mich abschätzend betrachtet hatten, als ich heute Morgen seine Maske gemacht hatte. Ich wandte mich ab und griff nach einem silbernen Armreif, während ich die verstörende Erinnerung verdrängte.

»Wollen wir Richtung Seven Dials gehen? Die Deko dort ist dieses Jahr echt originell, und es gibt ein paar coole Läden«, sagte ich, weil ich von den Marktständen wegwollte. Es wollte mir nicht aus dem Kopf gehen, wie ich letzte Woche mit Marcus hier vorbeigekommen war und wir uns über Geschenke unterhalten hatten. Ob er wohl eine Freundin hatte? Er hatte eine Ex erwähnt, aber nichts Aktuelles. Der Gedanke gefiel mir nicht.

»Okay«, sagte Christelle. So folgsam und arglos kannte ich sie gar nicht. Wir sollten häufiger zusammen Prosecco trinken.

Die Straßen waren brechend voll, und man kam nur langsam voran, doch das schien niemanden zu stören. Eine Atmosphäre allgemeinen Frohsinns lag in der Luft, als ob jeder Herzlichkeit verströmte.

»Ich liebe Covent Garden zur Weihnachtszeit«, sagte ich und sah mich um. »Es fühlt sich einfach anders an.«

»Weil es hier Maroni gibt«, sagte Christelle und zeigte auf einen Mann an der Ecke. »Ich weiß nicht, was daran so toll sein soll. Dieser ganze Bullshit mit den heißen Maroni.«

Obwohl ich überrascht war, dass sie »Bullshit« sagte – es klang nicht sonderlich nach ihr –, nickte ich und stellte mir die furchtbar mehlige Konsistenz auf der Zunge vor. »Sie riechen gut, aber sie schmecken widerlich.«

»Mum lässt Dad immer welche für die Füllung holen.« Christelle machte mit den Fingern eine trippelnde Bewegung, woraufhin ich mir Dad ins Gedächtnis rief, wie er in seinem roten Pulli fast täglich zu Waitrose geschickt worden war, wenn es auf Weihnachten zuging.

»Und wir pulen sie immer wieder raus.« Wir brachen beide in Gelächter aus. Ausnahmslos jedes Jahr hatten wir die Maroni übrig gelassen und ringförmig auf unseren Tellern verteilt, während der Tisch mit Saucieren voll Brot- und Bratensoße gedeckt gewesen war, sowie mit Mums besonderen Weihnachtsservietten mit den dazu passenden Serviettenringen, die Nikoläuse und Schneemänner zierten. Dazwischen lagen die Überreste von Knallbonbons verstreut.

Damals, als wir klein gewesen waren, hatte Weihnachten Spaß gemacht. Das Mittagessen war eine lange, entspannte Angelegenheit, bei der Mum darauf bestand, dass alle ihre Papierkronen aus den Knallbonbons trugen, und Christelle, Dad und ich wetteiferten, wer sie als Erstes abnehmen konnte, ohne dass Mum es merkte. Zwischen dem Truthahn und dem Plumpudding spielten wir immer das Ein-Pfund-Spiel, wobei die Person gewann, die das hässlichste und kitschigste Geschenk für ein Pfund gekauft hatte.

»Ich wünschte, sie würden nicht wegfahren.« Ich kam nicht umhin, Christelles wehmütige Worte zu hören, wobei ich nicht wusste, ob sie für mich bestimmt gewesen waren. Ich schob die Erinnerungen beiseite und bog mit ihr in die nächste Straße ein.

Einige Stunden später, nachdem wir zunächst eine komplette Runde gedreht hatten und die ganze Zeit gelaufen waren, kamen wir bei Jo Malone's heraus, mit einer riesigen creme-schwarzen

Tragetasche, die fast überquoll vor Seidenpapier, das nach Limette, Basilikum und Mandarinen duftete.

Die Dunkelheit des frühen Abends, die von weiß leuchtenden Lichterketten erhellt wurde, sickerte durch die Dekoration über uns und ließ die Straße aussehen wie eine verwunschene Höhle. Wir blieben beide stehen und reckten die Hälse angesichts einer kunstvollen Girlande mit tanzenden Engelchen und roten Beerenlämpchen, die einen der Läden schmückte.

»Süß«, bemerkte Christelle und stupste mich mit dem Ellbogen an. »Mum wird hiervon begeistert sein.« Sie hielt die Tüte hoch. »Ich hatte ganz vergessen, was für ein gutes Händchen du beim Geschenkeshopping hast.« Sie hob das Handgelenk und schnupperte daran. »Und ich finde diesen Lorbeer- und Brombeerduft herrlich.«

»Du hast genug ausprobiert, ich dachte schon, ich krieg dich da nie mehr raus.«

»Ja, aber schau dir die ganzen Gratisproben an.«

»Gratis? Nicht, wenn du daran denkst, wie viel Geld du dort gelassen hast.«

»Dafür hab ich jetzt schon fast alle Weihnachtseinkäufe erledigt.« Sie schwenkte die Tüte mit der unbefangenen Freude eines kleinen Kindes. »Glaubst du, Dad könnte an Captain-America-Manschettenknöpfen seine Freude haben?«

»Ich glaube, der viele Duft ist dir zu Kopf gestiegen.«

»Oder der Lippenstift.« Sie zeigte mir ein glückliches Lächeln und hakte mich unter. »Wie wär's mit Abendessen? Ich lade dich ein.«

Achtzehntes Kapitel

Komplett in Schwarz wartete ich auf der Seitenbühne und erblickte Marcus auf der anderen Seite. Warum zum Teufel stand er da drüben?

Mein armer Organismus würde eine Reizüberflutung erleiden. Ich hatte mich gerade erst davon erholt, ihm am Samstag begegnet zu sein, und jetzt, drei Tage später, war er wieder da.

Nach seinem Besuch in der Abteilung letzte Woche hatte er keine Zeit verloren und mit Jeanie gesprochen. Aus irgendeinem Grund schien sie ihn großartig zu finden, hielt seinen Besuch hinter der Bühne für eine wunderbare Idee und fand es sogar noch wunderbarer, wenn ich dort auf ihn aufpasste.

Er verschwand und tauchte wenig später neben mir auf.

»Man könnte glauben, dass du mich meidest. Du meintest doch, wir sollten uns rechts von der Bühne treffen?«

Seine geflüsterten Worte direkt in mein Ohr ließen mich zusammenschrecken, und ärgerlicherweise stellte sein warmer Atem noch ganz andere Dinge an.

»Hier ist rechts von der Bühne.« Ich würde ihn nicht darauf hinweisen, dass rechts aus Sicht der Darsteller gemeint war, wenn sie dem Publikum zugewandt standen, es also genau andersherum war, als er angenommen hatte.

Als er den Mund öffnete, um mehr zu sagen, legte ich den Finger an die Lippen und wies auf ein großes Schild hinter seinem Kopf.

Stille auf der Seitenbühne

Ein skeptischer Ausdruck huschte über sein Gesicht, und er nickte in Richtung des Grabens, wo das Orchester gerade die Instrumente stimmte.

»Es ist gut, sich das schon mal anzugewöhnen«, murmelte ich, beschäftigte mich damit, meine Ausrüstung zu überprüfen, und ignorierte die plötzliche Freude, die ich dabei verspürte, ihm so nah zu sein.

Bei der aktuellen Oper blieb einer aus der Maske für die erste Szene, die einen sehr schnellen Kostümwechsel mit jeder Menge Kunstblut beinhaltete. Da es von größter Wichtigkeit war, dass alles schnell ging, musste ich verfügbar sein und den Commendatore angemessen verbluten lassen. Doch selbst wenn es keinen blitzschnellen Kostümwechsel gab, blieb einer von uns stets während der gesamten Aufführung dabei, falls eine Perücke verrutschte oder sich auflöste und etwas auszubessern oder zu reparieren war. Während einer Aufführung gab es keine größere Ablenkung als einen Defekt bei den Kostümen oder der Maske.

Sobald sich der Vorhang hob, nahm ich Marcus nur noch unterschwellig wahr, als das Orchester sich nahtlos zu einem Fluss der Musik zusammenschloss, der wogend anschwoll, wobei die Töne emporstiegen wie fliegende Vögel. Die Ouvertüre stellte für uns tatsächlich das Startsignal dar. Hinter der Bühne wurden wir zu Schatten, eingehüllt in eine Welt zwischen Wirklichkeit und Fantasie. Ich liebte diese Augenblicke, in denen ich verborgen war und dennoch so nah an dem, was sich auf der Bühne abspielte. Sie beinhalteten eine besondere, undefinierbare Magie, die ich für immer festhalten wollte. Es war eine Zeit, in der nichts aus der äußeren Welt zu mir durchdrang.

Als das vertraute Musikstück gespielt wurde, fiel mir eine Gestalt auf der gegenüberliegenden Seitenbühne auf. Carsten Kunde-Neimoth. Was machte der denn hier? Vielleicht hatte er heute hier geübt. Im Theater befanden sich mehrere Proberäume.

Die Melodie, auf die ich gewartet hatte, erklang. Ich beugte mich über meine Schminktasche, um die Blutkapseln herauszuholen. Neben mir sah Marcus wissbegierig zu. Verdammt, er stand am völlig falschen Platz. Da nur noch ein paar Takte fehlten, stieß ich ihm den Ellbogen zwischen die Rippen und bedeutete ihm, schnell beiseitezutreten.

Er reagierte gereizt und aufgebracht, aber ich hatte keine Zeit, mich um ihn zu kümmern. Einige Töne und wenige Sekunden später taumelte der Commendatore von der Bühne, im Stück war er gerade von einem Schwertstich verwundet worden. Wie Eisenspäne um einen Magneten sammelte sich das Team um den Darsteller. Ed, der stellvertretende Inspizient, stellte seine Stoppuhr und zählte flüsternd die Sekunden ab.

»Zehn.«

Leonie aus der Kostümabteilung zog dem Darsteller blitzschnell das Hemd aus.

»Neun.«

Hetty, eine andere Kostümiere, die schon mit dem Stoffbündel in der Hand wartete, zog ihm eine blutgetränkte Nachbildung des Hemdes über.

»Sieben.«

Sie schob es hinunter und steckte es ihm in die Kniehose.

»Fünf.« Ich holte mehrere Haarklemmen aus seiner Perücke, um strategisch ein paar Locken zu lösen, ließ die Klemmen fallen und zerwühlte ihm das Haar.

»Drei.«

Ich zerdrückte die Blutkapseln mit den Fingern, ergriff seine Hände und beschmierte sie mit der klebrigen Flüssigkeit.

»Zwei … startklar … eins.«

Seine Zähne blitzten im Dunkeln auf, als der Darsteller des Commendatore nickte, sich wieder in seinen Charakter verwandelte und mit gekrümmter Haltung zurück auf die Bühne torkelte, wo er sich die Seite hielt. Leuchtend rotes Blut quoll zwischen seinen Fingern hervor, hervorgehoben durch den einzelnen Scheinwerfer, der auf ihn gerichtet war.

Ed hielt den Daumen hoch, sprach über sein Headset in der angeordneten gedämpften Lautstärke mit dem Inspizienten und begab sich wieder an seinen Platz. Wir anderen stießen einstimmig einen Seufzer der Erleichterung aus. Ed steckte seine Stoppuhr wieder ein, und jeder Einzelne von uns entspannte sich. Ganz gleich, wie oft wir diesen Kostümwechsel vollzogen, er fühlte sich immer brenzlig an.

Marcus blickte ziemlich verblüfft. Ich schmunzelte und ging in die Hocke, um die Klemmen aufzusammeln, die ich fallen gelassen hatte. Bei einem Kostümwechsel in diesem Tempo blieb keine Zeit für Ordnung.

Während des restlichen ersten Aktes und bis zur Pause blieb er, wo er war. Ich kam nicht umhin, ihn weiter zu beobachten, und manchmal wurde er auf mich aufmerksam. Ich gewann den Eindruck, dass er alles mit dem Eifer eines Wissenschaftlers in sich aufnahm, der unbedingt alle Einzelheiten auf einmal erfahren wollte.

Als sich der Vorhang senkte und die Darsteller von der Bühne kamen und sofort begannen zu lachen, Witze zu machen und sich zu necken, wirkte er ganz benommen, als sei die Illusion völlig dahin. Was wohl auch der Fall war.

»Wo gehen sie alle hin?«, fragte er, noch immer flüsternd.

»Auf eine Tasse Tee in die Kantine. Willst du auch eine?« Ich sehnte mich danach. Die trockene Luft hinter der Bühne konnte einen sehr durstig machen.

Unsicherheit zeichnete sich auf seinem Gesicht ab.

»Komm schon.« Ich ging ihm voraus in die Kantine hinunter, den beiden Darstellerinnen hinterher, die Donna Anna und Donna Elvira spielten, die weiblichen Hauptrollen. Die beiden diskutierten gerade über die besten Brownie-Rezepte. Jane, die Ältere der beiden, schwor auf ein Rezept von Nigella Lawson, während Constance, die Jüngere, Mary Berry vehement den Vorzug gab.

In der Kantine ging es wie üblich geschäftig zu, wobei die Leute sich in einer ordentlichen Schlange angestellt hatten, Musiker in

Abendgarderobe, Darsteller im Stil des 18. Jahrhunderts gekleidet und verschiedene Mitglieder des Backstage-Teams in omnipräsentem Schwarz.

Marcus sagte kein Wort, abgesehen davon, dass er sich einen Kaffee bestellte. Im Raum mit seinen Plastikstühlen, runden Tischen und Kunstlederbänken an den Seiten hielten sich wohl an die hundert Leute auf, die Tee, Kaffee, Wasser oder Kuchen zu sich nahmen.

Zusammen mit einigen Chorsängern nahmen wir an einem der Tische Platz.

»Na, Tilly, wie läuft's?«

»Danke, gut. Wie geht's deiner Frau?«

»Sie hat eine Stelle als Lehrerin an der Musikakademie in Guildford bekommen. Ein regelmäßiges Einkommen, schöne Sache.«

»Damit könnt ihr eine Weile die Rechnungen bezahlen«, sagte Jill, das andere Chormitglied. »Es ist so eine Erleichterung, dass mein Mann jetzt einen festen Vertrag hat.«

»Schön wär's«, sagte ich.

»Wie? Bist du etwa Freiberuflerin?«, fragte Marcus mit ehrlich überraschtem Blick.

»Befristeter Vertrag. Der schon zweimal verlängert wurde.« Ich verzog das Gesicht. »Aber seit meinem kleinen Virenfiasko befinde ich mich wieder in der Probezeit.« Ich schenkte ihm ein spöttisches Lächeln. Inzwischen standen meine Chancen, die Probezeit zu überstehen, gar nicht mehr so schlecht. Schließlich hatte ich brav meinen Computerunterricht besucht und Pietro bei jedem Auftritt pünktlich auf die Bühne bekommen. Außerdem konnte ich auf Jeanies Unterstützung zählen.

»Ist das bei allen gleich?« Marcus sah sich im Raum um.

»Kommt drauf an. Manche vom Orchester sind unbefristet, genauso wie die Techniker. Der Inspizient und seine Truppe. Hängt einfach davon ab, wann man angefangen hat und was man macht.«

»Ich hatte keine Ahnung.«

Ich seufzte. »Demnächst gibt es eine unbefristete Stelle.«

»Du kommst schon klar, Tilly.« Jill schenkte mir ein beruhigendes Lächeln. »Pietro hält große Stücke auf dich. Genauso wie der Rest der Darsteller. Ich sehe keinen Grund, warum sie dich nicht behalten sollten.«

»Klopf auf Holz.«

Wir vier plauderten noch ein bisschen, und Marcus stellte jede Menge Fragen, während wir unseren Tee tranken.

Jill sah auf die Uhr. »Weiß irgendjemand, ob es immer noch schneit? Es hatte gerade angefangen, als ich um vier hier angekommen bin. Wenn ja, wird es ganz schön schwierig werden, nach Hause zu kommen.«

»Inzwischen hat es bestimmt aufgehört«, meinte Marcus.

»Ja«, sagte ich traurig. »Hier unten schneit es nie richtig. Für East Anglia gibt es eine Wetterwarnung, sie sagen fünfundzwanzig Zentimeter Neuschnee voraus.«

»Deshalb bin ich so froh, dass ich in London wohne«, sagte Jill. »Mit der U-Bahn sollte alles in Ordnung sein.«

Die Pausenglocke läutete, und wie Lemminge ließen alle ihre Getränke stehen und begaben sich gesittet den Gang entlang zurück hinter die Bühne.

Als sich schließlich der Vorhang senkte, war es schon nach elf. Die Aufführung hatte begeisterte Reaktionen hervorgerufen, stehende Ovationen und Stampfen, das es mit allem aufnehmen konnte, was man bei *Last Night of the Proms* sah.

Hinter der Bühne waren wir immer noch ganz berauscht. Es war die letzte Aufführung der Saison gewesen, und die ausgelassene Stimmung war einfach ansteckend. Es fühlte sich an, als stünden die großen Ferien bevor.

»Gehen wir noch was trinken, Tilly?«, fragte Philippe, die zweite Geige im Orchester, als er im Gang an mir vorbeikam, während ich mich wieder hinaufbegab, noch immer mit Marcus im Schlepptau. Seltsamerweise kam er mir in diesem Moment wie einer von uns vor.

»Auf jeden Fall.« Vergiss die schmerzenden Beine. »Ich frage Jeanie.«

»Okay, Liebes. In zwanzig Minuten am Eingang.«

Ich wandte mich zu Marcus um. »Magst du mit?« Es kam mir nur richtig vor, ihn einzuladen, und um ganz ehrlich zu sein, gefiel es mir, ihn so leicht verstört und fassungslos zu erleben. Ausnahmsweise hatte ich mal das Gefühl, die Kontrolle zu haben, der absolute Profi zu sein und zu wissen, was ich tat, anstatt die dämliche Tussi, die von einer PC-Katastrophe in die nächste schlitterte.

»Ja, okay.« Er nickte.

»Gib mir lieber eine halbe Stunde«, sagte ich zu Philippe.

Ich fand Jeanie in der Abteilung, einen Perückenkopf unter jedem Arm. Es sah aus, als ob sie feuchte Augen hatte.

»Alles in Ordnung?«

»Ja«, sagte sie knapp.

»Kann es sein, dass Carsten hinter der Bühne war?«

Jeanie zuckte die Achseln. »Warum fragst du mich das?« Sie ging steifbeinig an mir vorbei und stellte die Köpfe in ihrem Büro ab.

Ich folgte ihr und dachte noch immer laut nach. »Vielleicht hat er vorhin geübt. Für die Gala.«

»Ich habe keine Ahnung, Tilly.« Dann fragte sie Marcus in völlig anderem Ton: »Wie war's? Hast du die Aussicht genossen?«

Ich achtete nicht auf ihr Gespräch, weil ihr brüskes Verhalten mich zu sehr reizte. Was war mit ihr los? »Tilly! Hilf mir mal hier. Wir müssen das umräumen.« Sie zeigte auf einen Stapel Kisten, die verschiedene Schminkutensilien enthielten. Er stand neben ihrem Tisch auf dem Boden. »Die nächste Woche wird heftig.«

Sie erwischte mich dabei, wie ich auf die Uhr schaute.

»Willst du noch irgendwohin?«

Heute Abend war sie wirklich bissig.

»Wir gehen noch einen trinken. Marcus kommt mit.« Ich hoffte, dass die Erwähnung seines Namens sie dazu bewegen würde, sich uns ebenfalls anzuschließen. Merkwürdigerweise schien sie ein Faible für ihn zu haben; zumindest gab sie ihm bereitwilliger einen Vertrauensvorschuss als den meisten anderen. »Kommst du nicht mit?«

»Ich glaube, ich verzichte heute.« Ihre Hände waren damit beschäftigt, eine der Perücken auf einem Holzkopf glatt zu streichen. »Ich bin hundemüde.«

»Ach, komm schon, Jeanie.« Das hatte sie schon öfter gesagt. »Nur ein Gläschen.«

Sobald sie erst mal ein Glas in der Hand hatte, ihren liebsten Scotch mit Eis, wurde sie meist wieder munter und unterhielt uns mit Geschichten von ihrer Anfangszeit in Provinztheatern, als sie mit Leuten zusammengearbeitet hatte, die mittlerweile berühmt waren.

»Nein. Heute nicht.«

»Sicher?«

»Bei welchem Teil von ›nein‹ war ich nicht deutlich genug?«

Ich errötete, die Situation war mir peinlich vor Marcus.

Mit einem Blick auf ihr verschlossenes Gesicht entschied ich mich dazu, die Pinsel zu sortieren.

Die anderen warteten draußen auf mich, direkt vor dem Bühneneingang. Ausnahmsweise fehlte die Schar von Autogrammjägern, die sich regelmäßig dort versammelte. Ich sah sofort, warum. Während wir im Theater gewesen waren, waren mehrere Zentimeter Neuschnee gefallen, und es kam immer noch welcher nach.

Ich schloss die Augen und hob das Gesicht, lauschte, während die anderen um mich herum redeten. Als eine Schneeflocke sacht meine Wimpern küsste, öffnete ich die Augen und spürte Marcus' Blick auf mir ruhen. Mein Herz stolperte kurz, als er lächelte und nickte, ein kleiner privater Austausch, den nur wir beide bemerkten. »Er liegt mehrere Zentimeter hoch«, sagte Leonie, als ich gegen die Schneeschicht trat, dankbar, heute Morgen meine robusten Bikerstiefel angezogen zu haben.

»Ist es nicht schön?«, sagte ich und schaute die ungewöhnlich leere Straße hinunter. »Und so still.« Ich liebte es, wie der Schnee die permanenten Geräusche der Stadt dämpfte.

»So, meine Lieben, welchen Ort sollen wir heute Abend mit unserer Anwesenheit beehren?«, fragte Philippe und breitete die Arme aus wie ein Operndirektor aus dem 19. Jahrhundert. Er brauchte nur noch einen Schnurrbart zum Zwirbeln und ein Paar Gamaschen, um das Bild zu vervollständigen.

Ich erwischte Marcus dabei, wie er sich ein Lächeln verkniff.

Als ich so am Rande des Kreises stand, während die anderen über unsere Abendpläne diskutierten, sah ich jemanden verstohlen aus dem Bühneneingang hinausschlüpfen. Ohne auch nur in unsere Richtung zu sehen, senkte sie den Kopf und huschte von uns weg die Straße entlang, wobei sie in der jungfräulichen Schneedecke einsame Fußspuren hinterließ. Neugierig beobachtete ich die sich entfernende Gestalt. Anstatt am Ende der Straße nach Charing Cross abzubiegen, wie sie es normalerweise getan hätte, wandte sie sich in die andere Richtung. Wohin war Jeanie unterwegs?

Ich entdeckte zwei vertraute Typen, die damit beschäftigt waren, einen riesigen Schneeball die Straße entlangzurollen.

»Wir könnten einen Schneemann bauen«, sagte ich plötzlich, als Dean, der leitende Requisiteur, mir zuwinkte. »Kommt, es sieht aus, als könnten sie Hilfe gebrauchen.«

»Fabelhafte Idee, Tilly«, meinte Philippe und verdrehte liebevoll die Augen. »Baut ihr ihn, während ich heiße Schokolade besorge. Diese Schuhe eignen sich nicht für körperliche Arbeit.«

»Es ist wirklich eine tolle Idee«, sagte Leonie loyal. »Ich bin dafür. Komm, Fred.«

Fred wandte sich Marcus zu, der mit den Achseln zuckte, doch er wusste, dass er besiegt war, als die anderen Musiker und Backstage-Mitarbeiter übereinstimmend erklärten, dass es eine tolle Idee sei, und Philippe wurde mit einem anderen Geiger losgeschickt, um Verpflegung in Form von heißer Schokolade zu besorgen.

»Können wir helfen?«, rief Leonie. Als wir hinübereilten, sanken unsere Füße herrlich knirschend im Schnee ein. Leonies Stimme hallte von den Gebäuden wider und machte deutlich, wie der Schnee alle Töne dämpfte.

»Klar«, meinte Dean und betrachtete dann die bunt zusammengewürfelte Truppe, die uns folgte. Ein Grinsen breitete sich auf seinem Gesicht aus, und er wirkte, als sei ihm gerade ein brillanter Einfall gekommen. »Wie wäre es, wenn wir uns in Gruppen aufteilen und ein Schneeorchester bauen?«

»Ja«, rief Leonie.

Es gab eine rasche Diskussion, wie wir die Instrumente aus Schnee formen sollten, doch mit der üblichen Findigkeit ihres Berufsstands kamen die beiden Requisiteure auf eine viel einfachere Lösung, und einer von ihnen eilte zurück ins Theater, um Material zu holen.

Es wurde beschlossen, dass wir alle an verschiedenen Körperteilen arbeiten würden. Leonie und ich wurden für den Kopf eingeteilt.

Den Schneeball zu rollen, mit dem wir anfangen würden, war einfach. Eine Aufgabe für eine Person, bei der man die breite Straße entlang und über den Vorplatz rollte und den frischen Schnee mitnahm. Als der Ball wuchs, wurde es etwas schwieriger. Ich hielt an, um Luft zu holen, und schaute hinüber zu Marcus, der sich zu meiner Überraschung an der Arbeit beteiligte, wenn nicht mit Eifer, dann doch zumindest bereitwillig.

Zur Abwechslung mal leger gekleidet, in dunklen Jeans und einer wollenen Collani-Jacke, hob er sich vom weißen Hintergrund ab. Seine maskuline Gegenwart war kaum zu ignorieren, und ich sah, dass ein paar der schwulen Kollegen ihn heimlich musterten. Wer konnte es ihnen verübeln? Schwarz stand ihm, darin erinnerte er mich an einen geschmeidigen, gut aussehenden Jaguar. Er hatte die Situation eingeschätzt und ein Stück des Geländes belegt, wo Schnee aufgeweht war, was ihm einen eindeutigen Vorteil verschaffte, sodass sein Schneeball beträchtlich wuchs.

Er nahm jedoch die Aufgabe viel zu ernst. Schnell hob ich eine Handvoll Schnee auf, klopfte sie in Form, und als er mir den Rücken zugewandt hatte, schleuderte ich sie in seine Richtung. Dann duckte ich mich und rollte unschuldig weiter meinen Schneeball. Ich hatte ihn direkt am Rücken getroffen, und er sah sich um.

Sein Blick streifte mich, ich sah auf und begegnete seinen zusammengekniffenen Augen mit einem harmlosen Lächeln.

»Ist es nicht herrlich? Die Ruhe? Das Licht?«

Sein Mund zuckte. »Ja. Bemerkenswert friedlich … Möge es lange so bleiben.« Der Blick, den er mir zuwarf, hatte Ansätze einer spöttischen Herausforderung, und sobald er sich wieder abgewandt hatte, warf ich einen weiteren Schneeball in seine Richtung, der ihn am Hinterkopf traf. Als er diesmal herumwirbelte, versuchte ich nicht mal, mich unauffällig zu verhalten. Er hob amüsiert eine Braue und bedachte mich mit einem spöttischen Blick.

»Sie lassen nach, Ms Hunter.« Er betrachtete meinen mickrigen Ball und dann seine eigene Arbeit.

Ich erwiderte sein Grinsen, und als ich den Blick senkte, erwischte mich ein Schneeball an der Brust.

Als ich ihn wieder ansah, funkelte selbstgefälliger Triumph vergnügt in seinen Augen. So heiter war Marcus ziemlich umwerfend, und um die heftige Röte zu verbergen, die plötzlich meine Wangen überzog, hob ich eine Handvoll Schnee auf, formte sie schnell und erwiderte das Feuer. Noch ehe ich sah, ob ich ihn erwischt hatte oder nicht, duckte ich mich und formte einen weiteren, feuerte ihn ab und hatte schon einen dritten geworfen, der ihn direkt gegen die Schulter traf, noch ehe er reagieren konnte. Ich lachte über seine erschrockene Miene.

»Okay, das bedeutet Krieg«, rief er und kam zu mir gerannt. Ich kicherte über seine gespielte Empörung und versuchte zu flüchten, doch er holte mich ein, hob mich hoch und warf mich rücklings in eine Schneewehe, die sich an einer niedrigen Wand gebildet hatte.

Meine Mütze rutschte mir über die Augen, als ich versuchte, mich wieder aufzurappeln, wobei ich japsend zu ihm auflachte.

Einen winzigen Moment lang blieb mir die Luft weg. Etwas flackerte in seinen Augen.

Links von mir hörte ich Leonie kreischen und sah, dass ich die Backstage-Truppe zu einer Schneeballschlacht angeregt hatte.

»Verräter!«, rief ich.

»Du hast damit angefangen«, neckte er mich, richtete meine Mütze und half mir hoch, während Schneebälle an uns vorbeisausten.

»Wer, ich?« Ich zwinkerte ihm zu. »Ich weiß nicht, was du meinst.«

»Sie sind eine Gefahr, Ms Hunter. Wo hast du gelernt, so hinterhältig zu kämpfen?«

»Du weißt, ich bin in Yorkshire aufgewachsen. Im Winter war der Spielplatz ein Schlachtfeld. Man erlernt dort ziemlich bald die Kunst eines schnellen Schneeballwurfes.«

Schließlich wurde ein Waffenstillstand ausgerufen, und wir fingen an, etwas zusammenzubauen, was zusehends eine Armee von Schneemännern wurde. Marcus half mir, meinen Kopf auf seinen Sockel zu heben, und wir kicherten beide wild, als die Hälfte des Kopfes abfiel. Wir klopften ihn wieder in Form.

»Er sieht gar nicht mal schlecht aus«, sagte ich, während ich zurücktrat, um unser Werk zu mustern.

»Er ist ein bisschen mager«, sagte Fred und umkreiste ihn.

»Dann kann er die Bratschistin sein, sie ist winzig«, rief Guillaume hinter dem Schneemann hervor, den er gerade mit zwei anderen Geigern baute.

Die Requisiteure hatten sinnigerweise einige geriffelte schwarze Plastikrohre hinuntergebracht, durch die sie Drähte fädelten, um ihnen Form zu verleihen. Damit gaben sie den Schneemännern Arme, mit denen sie Instrumente halten konnten. Jemand anderes hatte das Fundbüro geplündert, und Leonie und eine andere Kostümkollegin drapierten Schals und setzten Mützen auf.

Als Philippe schließlich mit einem Tablett voller Kakaotassen wiederkam, hatten wir mehrere Schneemänner und -frauen gebaut. Die Requisiteure hatten sie mit Instrumenten aus Pappe ausgestattet, die sie von einem Altpapierhaufen geklaut hatten. Sie war zurechtgeschnitten, und dann waren die verschiedenen Details – die Pumpventile der Trompeten, die Geigensaiten und die Tasten an den Klarinetten – mit Edding aufgemalt worden.

»Bitte schön, Tilly-Schatz.« Philippe reichte mir eine dampfende Tasse. »Du hast wunderschön Farbe bekommen. Ist mit dir zurzeit alles okay?«

»Alles gut«, sagte ich. »Danke. So ziemlich nichts kann es mit heißer Schokolade im Schnee aufnehmen. Versetzt mich richtig in Weihnachtsstimmung.«

Nun, da unsere kleine Schneeszene fertig war, standen wir in einem geselligen Kreis beisammen und plauderten, während wir unsere Heißgetränke tranken.

Philippe wirkte überraschend besorgt um mich, was mir etwas auf die Nerven ging. Versuchte er etwa, Marcus zu beeindrucken, der unmittelbar neben mir stand? Immer wieder vergewisserte er sich, dass mir nicht kalt war, und lobte nahezu übertrieben meine Fähigkeiten als Maskenbildnerin.

Seine Instinkte konnten ihn doch nicht so trügen, dass er dachte, Marcus sei schwul. Außerdem hatte Philippe gerade erst seinen wesentlich jüngeren Freund geheiratet.

»Kommst du gut heim, Tilly, Liebes?«, fragte Philippe, als wir schließlich anfingen, uns zu verabschieden. Ich war die Einzige, die hinüber zum Fluss musste. »Soll jemand dir ein Taxi rufen?«

»Passt schon«, sagte ich und lächelte ihn etwas verwirrt an. Wir hatten schon oft bis spätnachts zusammengesessen, und er hatte sich noch nie Sorgen gemacht. »Ich nehme die U-Bahn in Charing Cross.«

»Okay. Pass auf dich auf, Süße. Bis bald.«

»Ich kann dich begleiten«, bot Marcus an.

»Keine Sorge, ich komme klar. Ich mache das ständig.«

»Es ist einfach eine Gewohnheit von mir.« Er zuckte die Achseln und passte sich meinen Schritten an, als ich mich nach Süden aufmachte. Unser Atem dampfte in der kalten Nachtluft, während wir gemeinsam durch den Schnee stapften.

»Okay.« Ich erkannte, dass es vollkommene Zeitverschwendung sein würde, mit ihm zu diskutieren.

Wir gingen hinunter zum Strand, einer belebten Durchgangsstraße, und dann auf den Bahnhof zu.

»Der Abend hat mir gefallen. Ich habe wirklich einen Blick hinter die Kulissen werfen können.« Er nickte, und sein ruhiges Eingeständnis bewirkte, dass mir innerlich etwas warm wurde. Den ganzen Abend über hatte er nicht viel gesagt, und auch wenn es schön gewesen war, wollte ein Teil von mir, dass er beeindruckt war. Das hier war meine Arbeit. Es war wichtig. Ich wollte nicht, dass er mich für versponnen hielt. Damit hätte er in dieselbe Kategorie gehört wie meine Eltern.

»Tut mir leid, dass ich dich vorhin weggeschubst habe. Du sahst ein bisschen …«

Er lachte. »Ja, ich hatte keine Ahnung, dass es derart lebhaft zugehen würde. Wie bei der Formel 1 im Boxenstopp. Das war echt was.«

»Wir haben das ziemlich oft geübt.«

»Ist es jemals schiefgelaufen?«

»Und ob.« Ich kicherte bei der Erinnerung. »Einmal richtig heftig. Zum Glück bei einer der frühen Techs, technischen Proben. Ursprünglich sollte der Kostümwechsel nur fünf Sekunden dauern, und wir hatten eine zweite Perücke für ihn, aber das haben wir nicht hingekriegt. Danach haben wir an der Szene gefeilt und die Perücke so verändert, dass sie ein paar wilde Strähnen hatte, die man einfach zurückstecken und für die Szene losmachen konnte.«

»Muss stressig sein, wenn der Typ ständig die Zeit misst.«

»Der Inspizient. Es ist okay, wir haben zwei Sekunden Puffer, so bleibt alles im Rahmen.«

»Wenn du das sagst. Ich bin mir nicht so sicher, ob ich jemanden mit einer Stoppuhr im Nacken haben wollen würde.«

Ich hob eine Augenbraue und schwieg.

»Ich bin jetzt ziemlich neugierig, was eigentlich in dem Stück passiert, bei dem ganzen Blut.«

»Du solltest mal vorne hingehen und zuschauen. Es ist ein ziemlich langes Stück, aber du solltest sehen, wie sich alles zusammenfügt. Diese Oper ist jetzt natürlich erst mal vorbei, aber du könntest dir eine Karte für *Romeo und Julia* besorgen.«

»Ballett?«

»Sei nicht so ein Feigling. Es geht nicht nur um den Tanz. Du arbeitest jetzt an der Oper, du solltest dir ein Bild davon machen, wie alle Abläufe ineinandergreifen.« Zum ersten Mal fühlte ich mich ihm ebenbürtig. Zwei Profis. Oder vielleicht auch nicht. Profis waren Anwälte und Rechnungsprüfer.

»Hmmm, stimmt wohl.«

»Oder du gehst zur Galavorstellung, die eine Auswahl von Opern und Ballett beinhaltet. Das ist eine große Benefizveranstaltung. Aber sie findet schon am Montag statt. Das wäre wahrscheinlich ideal.«

»Ist das nicht ein bisschen kurzfristig?«

Also wusste er, dass Galakarten heiß begehrt waren. Er hatte anscheinend dazugelernt.

»Jeanie mag dich.« Ich hielt inne. Das klang ziemlich fies, als wollte ich damit sagen, dass ich ihn nicht mochte, aber ich fuhr fort und hoffte, dass er die kurze Pause nicht bemerkt hatte. »Sie kann dir bestimmt Karten besorgen.«

Als wir bei Charing Cross ankamen, bemerkte ich am Zeitungskiosk, der bis spät geöffnet hatte, eine der Frühausgaben des nächsten Tages. Mein Puls begann zu rasen. Scheiße, scheiße, scheiße.

Eines der Klatschblätter warb mit der Schlagzeile: *Neue Rolle für Pietro D'Angelis, den italienischen Gärtner-Hengst, große Stimme, großer …*

Die Titelseite der Zeitung, für die Jonno schrieb, zeigte ein Nacktfoto von Pietro, und trotz der strategisch geschwärzten Stelle bestand kein Zweifel, dass er hoch aufgerichtet dastand. Pietros schlimmster Albtraum war Wirklichkeit geworden. Selbst von hier aus konnte man erkennen, dass seine Haltung etwas ziemlich Schmutziges andeutete.

Marcus erblickte die Schlagzeile einen Moment nach mir. Sein Gesicht spannte sich an.

»Verdammt. Ich dachte, wir hätten dergleichen in den Griff bekommen.« Er tastete seine Tasche ab, als ob er nach seinem Handy suchte. »Ich muss ein paar Leute anrufen.« Er zog sein Handy heraus. »Gute Nacht, Tilly.«

Ohne einen weiteren Blick wandte er sich ab und ging durch den Schnee davon. Ich blieb mit schmerzhaft hämmerndem Herzen zurück. Verdammte Riesenscheiße.

Neunzehntes Kapitel

Ich stürzte in die Wohnung, die Zeitung umklammert, meine Wangen brannten vor Kälte und Aufregung.

»Felix«, rief ich. »Hast du die Zeitungen gesehen?«

Felix sah überallhin außer zu mir.

Mein Herz überschlug sich, und ich blieb schwankend stehen. »Felix?«

Er hatte sich aufs Sofa gekauert und kaute auf seiner Lippe herum.

Wie die Zylinder eines Schlosses, die einer nach dem anderen fielen, kam mir die dumpfe Erkenntnis.

»Du hast nicht wirklich …«

Zwischen uns herrschte gähnendes Schweigen. Ich hörte nur ein Rauschen in meinen Ohren.

»Du hast es mir versprochen. Versprochen.«

Ich hielt Felix die Zeitung unter die Nase und deutete wild auf eine Zeile.

»Wie konntest du nur? Der arme, arme Pietro. Er ist bestimmt vollkommen außer sich.«

Trotz seines bräunlichen Teints erbleichte Felix, und ich sah die heftig pulsierende Ader an seiner Schläfe. Er sagte kein Wort. Was konnte er auch sagen?

»Schau! Schau nur, was da steht. Wie konntest du nur? Ein Nacktfoto von ihm.« Ich schauderte. »Ich kenne ihn. Er ist Großvater. Hat Familie. Das hier ist einfach furchtbar.«

Die Zeitung bezog sich auf eine Quelle aus Pietros Umfeld. Verwendete sogar ein direktes Zitat. Genau die Worte, die Pietro mir gegenüber verwendet hatte. Die ich Felix gegenüber wiederholt hatte. Das hier war meine Schuld.

»Es tut mir leid, Tilly, aber Jonno sagte immer wieder, dass er mehr bräuchte. Er hat mich immer wieder bedrängt. Und er …« Felix vergrub das Gesicht in den Händen. »Es tut mir leid. Das …«

»I-Ich kann dir nicht glauben. Du sagtest, du hättest es ihm nicht erzählt. Du hast mich schamlos angelogen.«

Felix zuckte die Schultern. »Ich wusste, dass es rauskommen würde. Und Jonno, er, er ist von der Sorte Menschen, die Dinge wissen …«

»Was zum Beispiel? Dinge über dich? Sei nicht lächerlich. Du betrügst bei deinen Reisekosten? Du klaust Handtücher im Hotel?«

»Ich …« Felix sah panisch aus. »Er wollte dir verraten –«

Ich war so wütend, dass ich nicht zuhörte.

»Nach der Sache mit Katerina wusstest du Bescheid. Du hast es mir versprochen. Du hast mich angelogen.«

Ich ertrug es nicht, ihn anzusehen oder auch nur in seiner Nähe zu sein. Ich ging hinaus und knallte die Tür so fest zu, dass sie wieder aufsprang und die Wand dahinter traf. Der Knauf zerschlug den Putz und hinterließ ein Netz von Rissen, die über die weiß gestrichene Wand verliefen. Ich flüchtete ins Gästezimmer und warf mich aufs Bett.

Ich konnte nur daran denken, wie es Pietro jetzt wohl ging. Ob er morgen auftauchen würde? Wie konnte ich ihm noch in die Augen sehen? Immer wieder drehte sich mir der Magen um, während ich bis tief in die Nacht an die Decke starrte.

Irgendwann schlief ich wohl ein, und am nächsten Morgen wachte ich auf, weil Felix an die Tür klopfte.

»Tilly, bitte. Können wir reden?«

Was gab es zu sagen? Diesmal konnte ich ihm nicht verzeihen. Ich vergrub den Kopf unter dem Kissen und hoffte, er würde wieder gehen.

»Tilly, bitte. Heute Nacht bin ich weg und komme erst Freitag wieder. Bitte, Tils.«

Widerwillig schwang ich die Beine vom Bett und öffnete die Tür.

»Felix.« Ich starrte in sein verhärmtes, aber hoffnungsvolles Gesicht, das durch den schmalen Spalt meinen Blick erwiderte. »Ich weiß nicht, was ich sagen soll.«

»Ich hab Scheiße gebaut.« Die Worte wurden von dem vertrauten leidenden, flehenden Hundeblick begleitet.

»Das hast du letztes Mal schon gesagt.« Meine nüchternen Worte spiegelten die Taubheit wider, die sich in mir ausgebreitet hatte.

»Bitte, Tilly, wir können darüber hinwegkommen.«

»Können wir das?«, fragte ich dumpf.

Er griff nach mir, die warme Berührung seiner Finger brannte an meinem eiskalten Handgelenk, und ich wich zurück.

»Früher hast du immer über die Zeitungen gelacht.« Seine braunen Augen blickten treuherzig, als er versuchte, mir ein Lächeln zu schenken, als ob er mich aufmuntern wollte. »Hast gesagt, sie würden Dinge erfinden. Morgen sind sie schon Imbissbudenpapier. Die Leute werden es wieder vergessen. Bitte, Tilly, sei nicht wütend auf mich. Ich verspreche, dass ich so was nie, niemals wieder tue. Es ist passiert. Wir können jetzt nichts mehr daran ändern. Weißt du, vielleicht war ich es ja nicht mal. Jonno meinte, es gab Gerüchte. Das Video war im Umlauf. Jeder könnte es gewesen sein, weißt du, jederzeit.«

Verzweiflung ballte sich in meinem Bauch wie ein fester Klumpen. Er kapierte es wirklich nicht. »Es war aber nicht irgendjemand. Wir waren es.«

Zwanzigstes Kapitel

Als ich auf der Arbeit ankam, sah ich, wie Jeanie Vince eine Zeitung entriss. Die anderen Klatschblätter hatten die Geschichte ebenfalls aufgegriffen. Es gab Fotos, Standbilder aus dem Film. Was keine der Geschichten enthüllte, war, warum Pietro bei diesen Filmen mitgemacht hatte. Nein, im typischen Boulevardstil ritten sie nur darauf herum, dass er in seiner Jugend ein Pornostar gewesen sei, ein irrer Sexbesessener, der sich hochgeschlafen hätte.

»Du solltest Mitgefühl haben und nicht sabbern«, fuhr sie ihn an. »Der Mann hat ein Recht auf seine Privatsphäre. Es ist … es ist«, sie wurde puterrot. »Eine Schande«, fauchte sie schließlich.

Vince schlug die Zeitung zu und packte sie mit beschämter Miene weg. »Tut mir leid.«

»Wer auch immer den Zeitungen die Geschichte und diese Fotos zugespielt hat, gehört gehängt, gestreckt und gevierteilt. Abschaum.« Jeanie verzog zornerfüllt das Gesicht.

Röte breitete sich rasend schnell auf meinen Wangen aus, und ich hatte einen Kloß im Hals. Sie würde mich in Stücke reißen. Ich wollte zusammenschrumpeln und auf der Stelle sterben. Mir war wieder genauso elend zumute wie in der letzten Nacht, als ich die Schlagzeile entdeckt hatte.

»Das wird für einen gewaltigen Aufruhr sorgen.«

»Aber unser Schneeorchester hat es heute auf die Titelseite geschafft«, sagte ich in der Hoffnung, sie abzulenken. Starker Regen hatte unsere kleine Requisitentruppe inzwischen entblößt und sie schrumpfen lassen. Die Anordnung grauer Schneeklumpen war alles, was von dem starken Schneefall vor zwei Tagen noch übrig war.

Ich schloss die Augen, und sobald ich sie wieder öffnete, begegnete ich Jeanies durchdringendem, prüfendem Blick.

Als mein Handy klingelte, fuhr ich zusammen. Christelle. Oh verdammt.

»Und du, hast du vor, dieses Handy zu benutzen, oder willst du weiterhin davor Grimassen schneiden?«, knurrte Jeanie.

Mit verkniffenem Gesicht vermied ich es, ihren Blick zu erwidern. »Ich sollte heute Nachmittag meine Schwester treffen. Ich hatte vergessen, dass ich arbeite. Sie hat frei. Wir wollten zusammen zu Mittag essen und dann shoppen gehen.«

Und ich hatte es völlig versäumt, sie anzurufen. Gewisse andere Dinge hatten mich in Beschlag genommen.

Einundzwanzigstes Kapitel

Panda-Augen blickten mir entgegen, als ich zu ihr eilte.

»Hat es dir gefallen?«, sprudelte es aus mir heraus. »War Pietro nicht großartig? Er wurde so oft wieder vor den Vorhang gerufen. Das Publikum war hin und weg von ihm. Hat dir die Vorstellung gefallen?«

Christelles Schweigen brachte mich fast um. Sie nickte bloß mit ernster Miene, und ein kalter, schwerer Klumpen bildete sich in meinem Bauch. Ich starrte sie an, mit vor Enttäuschung beinahe hängenden Schultern, weil sie so desinteressiert wirkte. Entschlossen, nicht zu weinen, hob ich trotzig das Kinn, presste grimmig die Lippen zusammen und fixierte sie.

Dann wurde mir klar, dass sie ein bisschen benommen war, als wäre sie gerade in strahlendes Sonnenlicht getreten und könnte noch nicht wieder klar sehen.

Marcus stupste mich an. »Das stelle ich dir in Rechnung. Du kannst es in deiner Unterrichtsstunde nächsten Donnerstag wieder gutmachen.«

War die Gesellschaft meiner Schwester so unerträglich gewesen? Er deutete mit dem Kinn nach unten.

Christelle ballte die Hand um ein weißes Männertaschentuch voll schwarzer Lidschattenstreifen. Ihr glasiger Blick klärte sich, und ihre Augen leuchteten mit einem inneren Feuer, das ich noch nie bei ihr gesehen hatte. Sie trat vor und fiel mir um den Hals. »Tilly, es war wundervoll«, schluchzte sie an meiner Schulter, während sie in Tränen ausbrach. »Ei-Ei-Einfach großartig.«

Ihr plötzlicher Gefühlsausbruch verunsicherte mich.

Sie seufzte. »Überwältigend. Umwerfend. Grandios.«

»Es hat dir wirklich gefallen«, hauchte ich.

»Oh Tilly, es war so wundervoll«, schwärmte sie. »Ich kann nicht glauben, dass du hier arbeitest. Du hast so ein Glück. All das.« Sie deutete auf das prächtige Gebäude. »Es ist großartig. Du bist großartig.« Sie trat einen Schritt zurück und musterte mich, ehe sie sehr ruhig sagte: »Ich hatte ja keine Ahnung.«

»Marcus.« Bei Alisons brüskem Ton ruckte mein Kopf reflexartig herum. »Gut, dass ich dich erwische.«

»Irgendwelche Fortschritte?«, hörte ich sie fragen, während ich so tat, als würde ich Christelle zuhören, die sich jetzt begeistert zu den Kostümen äußerte.

»Noch nicht«, antwortete Marcus.

Ich lauschte angespannt.

»Aber die Zeitung besteht darauf, dass die Mails von hier stammen.«

Mir wurde schwer ums Herz, ehe es mir in die Hose rutschte. Ich war nie auf die Idee gekommen, Felix zu fragen, wie er Jonno die Infos übermittelt hatte.

Eine halbe Stunde später, als wir uns auf einen Kaffee und hervorragende Weihnachtsküchlein ins *Balthazar* verzogen hatten, war sie immer noch ganz aufgekratzt. Auch gut, denn ich war ebenfalls in Gedanken versunken. Marcus hatte sich taktvoll zurückgezogen, ehe ich hatte herausfinden können, was er dachte. Das hinterließ ein ärgerliches Fragezeichen. Eine ungeklärte Angelegenheit. Hatte es ihm gefallen?

Hinter den kleinen runden Tisch geklemmt und umgeben von meinen Freunden und Kollegen, unterhielt Christelle sich lebhaft mit Guillaume und Patrice, zwei Mitgliedern des Orchesters.

»Ist das wirklich deine Schwester?«, fragte Jeanie mit rauer Stimme an meinem Ohr, während sie einen Espresso trank.

»Mmm«, erwiderte ich.

»Was ist passiert? Meintest du nicht, sie wäre ziemlich steif?«

»Ist sie normalerweise auch«, sagte ich und beobachtete meine Schwester, wie sie das glänzende Haar zurückwarf und angeregt mit Guillaume plauderte. »Wir … kommen in letzter Zeit besser miteinander klar.« Kurz erfüllte mich Traurigkeit. Als Erwachsene kannte ich sie kaum. Ich hatte auch noch nie ihre Freunde kennengelernt.

Jeanie zuckte die Achseln und beäugte Christelle nachdenklich. »Auf mich wirkt sie okay.«

Ich sah weg, als sich ein bekümmerter Ausdruck auf ihrem Gesicht abzeichnete, und unterdrückte bewusst die aufsteigenden Schuldgefühle. Ich hatte weder meine Schwester noch meine Eltern jemals zu einer Vorstellung eingeladen, aber sie wären auch nicht gekommen, oder?

Jeanie sog scharf die Luft ein, als wäre ihr gerade aufgefallen, wie spät es war. »Ich muss los. Ich bin spät dran.«

»Spät dran?«, bohrte ich nach, aber sie war schon von ihrem Stuhl aufgesprungen, mit geröteten Wangen, die im Kontrast zu ihrem roten Haar standen.

»Bis morgen«, sagte sie eilig und ging.

Christelle versank in Schweigen, als wir schließlich ebenfalls das Café verließen. Sie berührte mich am Arm.

»Danke, Tilly. Deine Freunde sind alle so …«

Was? Ich bemerkte, dass ich es kaum erwarten konnte, ihre Meinung zu hören.

»Ich hatte einen wunderschönen … nein, einen fantastischen Abend. Sie sind alle so faszinierend. Philippe stammt aus demselben Quartier in Paris wie Maman, und er spielt nicht nur Geige, sondern malt auch noch.«

Er war zudem einer gelegentlichen Séance nicht abgeneigt und besaß eine Sammlung alter Hexenbretter, aber ich wollte ihre Begeisterung nicht trüben.

»Er hat mir von seiner Hochzeit erzählt. Es klang wundervoll. Sie haben fünfzig weiße Tauben fliegen lassen.«

Ich sah sie an. Es war ihr voller Ernst.

»Er hat einen Frack getragen, kannst du dir das vorstellen? Todschick. Ich glaube, so was würden die wenigsten Männer machen.«

Sie war schon goldig.

»Du hättest erst mal den Bräutigam sehen müssen«, sagte ich und biss mir auf die Lippe, um nicht über ihren Gesichtsausdruck zu lachen.

Ihr blieb der Mund offen stehen.

»Bei euch in der Kanzlei ist so was wohl eher selten«, neckte ich sie.

Sie kicherte. »Gott, Mr Hartington-Smyth würde aus seinen Nadelstreifen fahren.« Einen Augenblick wurde sie nüchtern. »Was ist mit Guillaume? Ist er …«, sie zögerte beim nächsten Wort, »ebenfalls schwul?«

»Guillaume. Nein«, ich konnte nicht widerstehen, »allerdings lebt er mit Gary zusammen.«

Christelles Züge engleisten – sehr viel mehr, als ich erwartet hatte. Interessant. Ich hatte Mitleid mit ihr. »Ja. Gary – der Hamster.«

»Er hat einen Hamster. Wie süß.«

Süß? Ein kleines, pelziges Nagetier zu besitzen? Meines Erachtens nicht, aber ich erkannte, dass sein sexy französischer Akzent Christelle möglicherweise beeindruckt hatte, ebenso wie seine eins achtzig große Gestalt, die ein Abendanzug sehr vorteilhaft zur Geltung brachte. Sie wusste noch nicht mal, dass er Geige spielte wie ein Engel und die Talentsucherin von der Modelagentur um die Ecke bei seinem Anblick jeden Morgen in ihren Espresso keuchte.

Als wir uns mit richtigen Wangenküsschen verabschiedeten, breitete sich ein warmes Gefühl in meiner Brust aus. Was war das für ein Tag gewesen.

Zweiundzwanzigstes Kapitel

Es war eine Überraschung, als ich ein paar Tage später einen Anruf von Christelle bekam.

»Hey Christelle. Wie geht es dir? Hat es dir neulich abends gefallen?«

Sie kicherte. Das schien sie in letzter Zeit öfter zu tun.

»Ja, es war superschön, danke. Tut mir leid, dass ich dich so früh anrufe, aber ich dachte, ich sage dir lieber gleich Bescheid, damit wir ausmachen können, wann ich dir die Geschenke bringe.«

»Bescheid wegen was?«

»Ich muss dieses Wochenende arbeiten. Montagmorgen habe ich einen Gerichtstermin, dafür muss ich am Sonntag noch einen Zeugen befragen.«

»Oh, okay.« Ich war mir nicht ganz sicher, warum sie das Bedürfnis verspürte, mich früh an einem Dienstagmorgen anzurufen, um mir das zu erzählen.

»Tilly!«, sagte sie in anklagendem Ton.

»Was?«

»Du hast es vergessen, oder?«

»Vergess…« Oh Mist. In einem schwachen Moment, während wir uns das Schlittschuhlaufen bei Somerset House angesehen hatten, hatte ich mich bereit erklärt, mit ihr dieses Wochenende nach Yorkshire zu fahren, um Mum und Dad zu besuchen. Da so viel los gewesen war, war es mir einfach entfallen. Ich seufzte und gestand mir ein, dass es wahrscheinlich eine vorsätzliche Taktik gewesen war. Eine meiner klassischen Vermeidungsstrategien.

Felix war zum Glück die ganze Woche auf Dienstreise gewesen, aber er sollte dieses Wochenende wiederkommen. Die ganze Woche über hatte er mir Entschuldigungen geschrieben, und mir graute bereits vor seiner Rückkehr. Plötzlich kam mir die Vorstellung, von ihm und von der Arbeit weg zu sein, doch recht reizvoll vor. Obwohl nach Yorkshire zu fahren möglicherweise etwas radikal war.

»Kannst du das Treffen nicht verlegen?«

»Nein, es hat Wochen gedauert, diesen Kerl dazu zu bringen, mit mir zu sprechen. Er ist ein Whistleblower. Ich brauche ihn, um meinen Fall wasserdicht zu machen.«

»Nun mal langsam. Ich kann nicht allein hochfahren. Warum fahren wir nicht an einem anderen Wochenende? Mum würde bestimmt lieber dich … uns beide sehen.«

Christelle seufzte. »Weil du dieses Wochenende Zeit hast und ich bis nach Weihnachten komplett ausgebucht bin.«

»Ja, aber der Dienstplan ändert sich dauernd. Ich muss nachsehen. Vielleicht muss ich jetzt doch arbeiten.«

»Nein, musst du nicht. Das weiß ich sicher.« Dieser energische »Leg dich nicht mit mir an«-Ton versetzte die armen Juroren vor Gericht wahrscheinlich regelmäßig in Angst und Schrecken.

»Verdammt noch mal, woher?« In deutlichem Kontrast zu ihr verfiel ich in klagendes Geheul.

»Guillaume hat es mir erzählt.« Wieder ließ sie ein mädchenhaftes und ziemlich verwirrendes Kichern hören. »Und du hast mir gesagt, du hättest es dir frei gehalten.«

»Guillaume!« Das erklärte einiges. Als ich ihn gestern gesehen hatte, hatte sein Lächeln eindeutig eine verlegene Note gehabt. »Triffst du … dich … gehst du mit ihm?«

Es klang so nach einer Sechzehnjährigen, aber offenbar passte es für meine Schwester, die sofort bejahte.

»Was? Du triffst dich mit ihm, oder du *triffst* ihn?«

»Tilly. Fragst du mich gerade, ob ich mit ihm schlafe?«

»Nun, jetzt, da du es erwähnst. Nein. Das hab ich mich nicht getraut. Aber tust du es?«

»Möglicherweise.« Erneut kicherte sie.

»Du hast ihn doch erst vor einer Woche kennengelernt!« Ich klang so spießig, wie ich mir sie immer vorgestellt hatte. Es war ein kompletter Rollentausch, doch ich konnte nicht anders. »Und warum wusste ich nichts davon?«

Chris senkte die Stimme zu einem Flüstern. »Weil alles so … und was, wenn er nicht, du weißt schon, dasselbe empfunden hätte. Ich wollte nicht, dass du … lachst.«

Meine steife Schwester mit dem freigeistigen, gut aussehenden, langhaarigen Guillaume. Wer hätte das gedacht? Scham überkam mich. Ich war wirklich eine schlechte Schwester. Dieses Wochenende unsere Mutter zu besuchen, war das Mindeste, das ich für sie tun konnte.

»Okay, Chris – ich fahre, wenn ich unbedingt muss. Obwohl du weißt, dass sie sehr viel lieber dich sehen würden …«

»Red doch keinen Unsinn, Tilly. Ich weiß, es war nicht toll, als du ein Teenager warst, aber die Dinge haben sich geändert. Du bist diejenige, die wegbleibt. Du bist es, die Abstand hält.«

Das war ungerecht. »Nein, tue ich nicht«, fauchte ich. »Meine Arbeitszeiten liegen ungünstig, und an Feiertagen haben wir meistens jede Menge zu tun.«

»Tilly, dir stehen wie allen anderen gesetzliche Feiertage zu.«

Nur Christelle benutzte den Begriff gesetzlicher Feiertag.

»Du entscheidest dich dafür, nicht nach Hause zu fahren. Schieb es nicht auf die Arbeit. Es ist deine Entscheidung – und Mum und Dad machen es noch schlimmer, weil sie solche Angst davor haben, dich zu verärgern. Sie würden dich liebend gern sehen, wollen dich aber nicht unter Druck setzen.«

Ich seufzte. Sie erwischte einen wunden Punkt, den ich mir selbst nur ungern eingestand. Wenn ich nicht allzu viel über meine Eltern nachdachte, fühlte ich mich auch nicht schuldig. Anstatt zu antworten, wetzte ich den Stiefel an der Rückenlehne.

»Tilly. Bist du noch dran?«

»Ja, Chris. Ich fahre. Aber dann hab ich was gut bei dir. Und zwar viel.«

Sie antwortete nicht.

Sobald ich aufgelegt und mit ihr ausgemacht hatte, wann sie die Geschenke vorbeibringen würde, ging ich widerwillig ins Internet, um nachzuschauen, wie ich am günstigsten nach Hause kam.

Es dauerte nicht lange, sämtliche Verkehrsmittel in den Norden zu recherchieren. Verflucht, wer hätte gedacht, dass die Reise so viel kostete? Es war fast günstiger, von Heathrow nach Leeds zu fliegen. Da ich inzwischen gründlich die Nase voll hatte, suchte ich Ablenkung und schaute in meine Mails, weil ich nichts Besseres zu tun hatte. Redsmans neueste Mail munterte mich etwas auf. In meiner letzten Mail hatte ich ihm ganz seriös geschrieben, wie sehr mir die Abenteuer der forensischen Anthropologin Tempe Brennan gefielen. Ich hatte mir schon den zweiten Band der Reihe von Kathy Reichs gekauft.

An: Matilde@lmoc.co.uk
Von: Redsman@hotmail.co.uk

Freut mich, dass dir meine Empfehlungen dieses Mal zugesagt haben. Obwohl ich immer noch finde, du könntest etwas Bildung vertragen, was die Kunst angeht, richtig Fußball zu spielen. Sieht aus, als wärst du dazu verdammt, dieses Wochenende enttäuscht zu werden, mit zwei Stürmern auf der Bank.
R

An: Redsman@hotmail.co.uk
Von: Matilde@lmoc.co.uk
Betreff: Eine weitere Katastrophe

Ich bin auf ganzer Linie dazu verdammt, enttäuscht zu werden. Mein Wochenende ist eben komplett den Bach runtergegangen. Gerade als ich dachte, es könnte nicht noch schlimmer kommen (und nein, damit meine ich nicht Arsenals neueste Errungenschaften, was haben sie sich dabei nur gedacht?), muss ich nach Hause fahren.
Ich will doch nur nach Harrogate, verdammt, nicht nach Honolulu. Der Zug kostet über hundert Pfund, und die Fernbusse sind am Samstag komplett ausgebucht. Ich kann nicht glauben, dass es so teuer ist! Ich kann nicht mal einen Platz im Zug buchen, der um 9.10 Uhr von Kings Cross abfährt.
Tilly

Ich lehnte mich zurück und starrte den Bildschirm an.

Und jetzt würde ich auch noch zu spät zum Computerunterricht kommen. Verdammt, gerade als ich gedacht hatte, ich würde Marcus langsam zeigen, dass ich vielleicht doch nicht so nutzlos war, wie er glaubte.

Du wirst es nicht glauben, ich fahre am Samstag nach Harrogate. Soll ich dich mitnehmen?

Wow, war das möglich? So würde ich ein Vermögen sparen. Wenn ich so viel Geld sparen konnte, fuhr ich natürlich bei ihm mit. Erst nachdem ich Ja gesagt und vergnügt an all die Dinge gedacht hatte, die ich mir mit den hundert Pfund würde kaufen können, die mir sonst immer fehlten, wurde mir klar, dass ich vielleicht etwas vorschnell gewesen war.

»Du bist spät dran.« Marcus sah mich wütend an und erhob sich von seinem Schreibtisch. Er knallte seinen Kaffee so fest auf, dass er überschwappte.

Ich starrte auf die bebenden Pfützen auf der Tischplatte. Er schien sie nicht wahrzunehmen, sein Blick brannte vor kaum verhohlener Wut. Ich dachte, wir wären vorangekommen und hätten eine gewisse Entspannung zwischen uns erreicht, aber wenn ich ihn mir heute Morgen so ansah … ihm musste irgendeine Laus über die Leber gelaufen sein.

Ich war nicht mal allzu spät dran. Wegen unserer Besprechung mit Alison Kreufeld war er bestimmt nicht nervös. Ich war diejenige, die improvisieren musste, wenn er das brillante neue Bestandssystem präsentierte. Seit unserer letzten Sitzung zusammen hatte ich gerade mal drei Posten eingepflegt.

»Tut mir leid. Familiäre Probleme.« Ich starrte abgelenkt den Kaffeebecher mit dem Fußballvereinslogo an. FC Liverpool. Eine vage Ahnung stieg in mir auf und verschwand wieder, als er sprach.

»Familiäre Probleme!«, zischte er kalt.

»Oh ja«, sagte ich trübsinnig. Ich konnte immer noch nicht glauben, dass ich eingewilligt hatte, mit nach Yorkshire zu fahren.

»Herrgott, Tilly! Du kapierst es immer noch nicht, oder?«

Seine Heftigkeit ließ mich zusammenfahren. Irgendetwas hatte ihn so richtig auf die Palme gebracht.

»Alles okay mit dir?«, fragte ich, und sobald ich die Frage gestellt hatte, wurde mir klar, dass dem eindeutig nicht so war.

»Verdammt noch mal. Wann fängst du endlich an, das hier ernst zu nehmen?«

»A-Also … ich hab mich schon gebessert. Ich habe angefangen, die Produkte in das System einzupflegen.« Zugegebenermaßen in einem Tempo, das von einer dreibeinigen Schildkröte übertroffen werden konnte, aber es war zumindest ein Anfang.

»Und was ist mit dem Rest? Computersicherheit. Hast du diesem Thema irgendeine Beachtung geschenkt?«

Heute war seine Miene sogar noch ernster als sonst. Und dazu auch noch verärgert. Er tigerte auf und ab.

»Ja«, piepste ich. »Meistens. Also, fast.«

Ich versteifte mich und spürte, wie mein Körper die übliche Verteidigungshaltung einnahm, als mein Hirn anfing, die Ahnung von vorhin zu verarbeiten.

Er funkelte mich noch heftiger an, blieb stehen und fuhr herum. »Deine eigene, persönliche Sicherheit.«

Unerwartet gewaltsam schlug er mit der Hand auf den Schreibtisch, sodass Kaffee überall auf seinen weißen Hemdsärmel spritzte.

»Wenn ich Übles im Schilde führen würde … ein Serienmörder wäre … ein Vergewaltiger … weißt du, wie leicht es wäre, dich aufzuspüren? Hast du schon mal von Melody May gehört?«

Sein plötzliches Gebrüll und dieser Gefühlsausbruch, die so gar nicht seine Art waren, erschütterten mich, auch wenn ich nicht die geringste Ahnung hatte, wovon er eigentlich sprach.

»Zehn nach neun. Diesen Samstag. Du wirst bei Kings Cross sein. Du wohnst in Clapham. Trewgowan Road. Ich schätze, dass du gegen halb acht das Haus verlässt, um pünktlich zu kommen. Da ist es sehr ruhig. Niemand unterwegs.«

Er verzog höhnisch das Gesicht, sah dabei aber immer noch wütend aus. Ich wich zurück, bis ich gegen den Stuhl stieß.

»Was … was meinst du?« Und warum war er so verdammt wütend? Sein Zornesausbruch irritierte mich zutiefst. Das war nicht Marcus. Marcus war ruhig, rational, distanziert.

»Ich arbeite hier … das bedeutet nicht, dass ich Zugriff auf deine persönlichen Daten habe oder haben sollte. Ich weiß das alles, weil du es mir mitgeteilt hast.«

»Ich …«

Wieder starrte ich den Kaffeebecher auf dem Schreibtisch an. FC Liverpool.

»Oder … du könntest einfach einwilligen, bei einem VÖLLIG WILDFREMDEN mitzufahren.« In dem kleinen Raum klangen seine Worte nach.

Er folgte meinem starren Blick und sah, wie bei mir der Groschen fiel. Ich schaute ihn an.

»Du bist …« Röte überzog mein Gesicht, als mir schlagartig klar wurde, was der Kaffeebecher bedeutete. Plötzlich war es so verdammt offensichtlich. Tatsächlich so offensichtlich, dass ich erkannte – nun, da ich es wusste –, dass ich es nur nicht hatte wahrhaben wollen. Mein übliches Verhaltensmuster, genau wie Christelle gesagt hatte: Ich ignorierte, was ich nicht sehen wollte. Mit zusammengekniffenen Augen betrachtete ich den Becher und versuchte krampfhaft, mich an all die Mails zu erinnern, die ich verschickt hatte. Was ich darin geschrieben und unabsichtlich preisgegeben hatte.

»Seine königliche IT-heit, der Prinz der Finsternis«, knurrte er mit einem knappen, nicht gerade erheiterten Lächeln.

»Ja«, sagte ich schwach und ließ mich dumpf auf den Stuhl plumpsen. Er funkelte mich an, und ich lächelte nervös. »Das war am Anfang … Mittlerweile kann ich dich besser leiden.«

»Es ist mir völlig egal, was du von mir hältst. Mich stört, dass du so verdammt unbedarft bist. Du bist voll auf mich reingefallen, ich habe gezielt nach deinem Wohnort gefragt, und du hast wie ein verdammtes Opferlamm geantwortet.«

»Du wusstest die ganze Zeit, dass ich es bin«, quiekte ich.

»Natürlich, verdammt noch mal. ›Matilde@lmoc.co.uk‹ kann man sich leicht zusammenreimen. Und ›Santa Baby‹, der kleine Virus, den du losgelassen hast. Seien wir doch ehrlich, wer sonst im Gebäude würde so was tun? Schon seit ich hier angefangen habe, bist du mir ein verfluchter Dorn im Auge. Wann wirst du endlich erwachsen und hörst auf, in deinen verführerischen Röckchen herumzuspringen, und fängst an, auch noch etwas anderes als das Theater ernst zu nehmen?«

Hatte er von »verführerischen Röckchen« gesprochen, während er mich beleidigte? Ich hatte keine Zeit zu analysieren, was er damit meinte, weil er mit seiner Schimpftirade offenbar noch lange nicht fertig war.

»Kein Wunder, dass ich dich für flatterhaft halte. Genau das bist du nämlich.« Die letzten Worte brüllte er und schlug zu beiden Seiten von mir auf den Tisch.

Ich sprang vom Stuhl auf und legte die Hand an seine Brust, um ihn wegzudrücken, spürte die Wärme seiner Haut durch die gestärkte weiße Baumwolle und die festen Muskeln seiner Brust. Adrenalin schoss durch mich hindurch und sorgte dafür, dass mein Herz gegen meine Rippen hämmerte und Hitze meine Wangen befeuerte.

»Wie kannst du es wagen?«, rief ich. Mittlerweile zitterte ich. »Du weißt überhaupt nichts über das Theater. Du und dein verdammtes *La Bohème*. Du hast keine Seele. Du bist nur ein aufgeblasener Spießer, der sich nicht locker machen kann.«

Wir standen einander gegenüber, seine Augen blitzten wütend. Ich konnte nicht wegsehen. »Ich werde nicht dafür bezahlt, locker zu sein.« Sein Gesicht rückte näher, ich sah die nussbraunen Sprenkel in seinen Augen und die dichten, schwarzen Wimpern, die sie umgaben. »Ich werde dafür bezahlt, gute Arbeit zu leisten. Die Infrastruktur hier vor ahnungslosen Leuten zu schützen, die verheerende Schäden anrichten. Leuten wie dir.«

»Ich mag vielleicht ahnungslos sein«, fauchte ich und holte erneut zornig Luft, wobei meine Brust sich eng anfühlte, während ich seinem Blick standhielt, »was Computer betrifft … aber wenigstens sind mir echte Sachen wichtig und nicht Teile von … Teile …« Ich wedelte in Richtung seines Laptops, als er gerade näher trat, und streifte ihn dabei versehentlich an der Hüfte.

»Es ist mir wichtig«, fuhr er mich an und trat noch näher, sodass mein Arm um seine Hüfte fiel und seinen … Hintern berührte. Unsere Gesichter waren so dicht beieinander, dass ich seinen Atem spürte.

»Ja, klar«, blaffte ich zurück und reckte das Kinn, um zu zeigen, dass ich nicht eingeschüchtert war.

»Es ist mir wichtig …«, er senkte die Stimme zu einem gereizten, rauen Flüstern.

Plötzlich erwischte ich mich dabei, dass mich seine Lippen faszinierten, die nur Millimeter von meinen entfernt waren. Sein veränderter Tonfall wirkte hypnotisierend auf mich. Ich schluckte und spürte, wie mein Magen einen Purzelbaum schlug. Seine Nasenlöcher bebten, und er neigte den Kopf im selben Augenblick, in dem ich einen Seufzer ausstieß und kapitulierte.

Ich hatte immer gedacht, zornige Küsse gäbe es nur in Filmen und Büchern. Sie kamen niemals in Wirklichkeit vor, aber verflucht noch mal, und ob sie das taten.

Von Wut angetrieben, duellierten wir uns kurz und pressten die Lippen aufeinander, wanden uns, während jeder versuchte, die Oberhand zu gewinnen. Ich hatte noch nie so einen Kuss erlebt. Wir keuchten, die Oberkörper aneinandergedrückt, und trotzdem war es noch nicht nah genug. Dann berührte seine Zunge meine Lippen, und ich öffnete den Mund. Hitze schoss durch meinen Körper und steckte Stellen in Brand, die viel zu lange im Winterschlaf gelegen hatten. Seine Lippen bewegten sich nicht sanft oder zögerlich, als sie von meinen Besitz ergriffen, doch ich erwiderte gierig den Kuss, als könnte ich nicht genug von ihm bekommen.

Seine Hände wanderten unter meine Bluse und stießen unter meinen BH vor, während meine Hände in seine Hose geglitten waren und seinen festen, knackigen Hintern packten.

Zum Glück klingelte das Telefon, denn ich glaubte ernsthaft, dass wir uns andernfalls entweder spontan selbst entzündet hätten oder einfach direkt auf dem Schreibtisch zur Sache gekommen wären.

Schwer atmend schnappte Marcus sich den Hörer. »Ja, Alison. Wir … kommen gleich.«

Er legte auf und sah mich an, das Gesicht ernst und die Lippen zusammengekniffen.

Ich sah weg und konzentrierte mich darauf, meine Bluse wieder unter den Rockbund zu stecken.

»Ich bin …« Er errötete und gestikulierte, um auszudrücken, dass ihm die Worte fehlten.

»Ich auch.«

»Nicht sonderlich professionell.«

»Nein.«

»Alison erwartet uns.«

»Gut. Dann mal los.« Der Schock hatte mich jeglicher weiterer Worte beraubt. Was zum Teufel war da gerade passiert? Sexuelle Anziehung hoch zehn und höher. Ich wäre nie auf die Idee gekommen, dass der kühle, abgeklärte Marcus derart die Beherrschung verlieren könnte. Oder ich, was das betraf. Ich betrachtete ihn unauffällig, doch er war damit beschäftigt, seinen Kuli und sein Notizbuch zusammenzusuchen, während die Röte auf seinen Wangen abklang.

Es herrschte Schweigen, als wir zum Aufzug gingen. Als wir ihn betreten hatten, steckte er sich verstohlen das Hemd zurück in die Hose.

Wir sagten kein Wort, als der uralte Aufzug schwerfällig in den fünften Stock rumpelte.

Als wir hinaustraten, wandte Marcus sich mir zu, der Puls pochte heftig in seiner Wange.

»Eins noch. Diese Mails. Ich hoffe, dir ist jetzt klar, wie viel du von dir offenbart hast. Du solltest dankbar sein, dass ich sie niemandem gezeigt habe. Hoffentlich wird dir das eine Lehre sein.« Mit großen Schritten ging er voran in Alisons Büro.

Mir krampfte sich vor plötzlichem Schmerz das Herz zusammen. All diese Mails. Nichts davon war echt gewesen. Ja, er hatte mir eindeutig eine Lektion erteilt. Ich presste die Lippen zusammen, wischte mir über die Augen und schluckte schwer, ehe ich ihm folgte.

Dreiundzwanzigstes Kapitel

Trotz der sexuellen Entladung vor nur wenigen Minuten schien Alison das heftige Knistern zwischen Marcus und mir nicht wahrzunehmen, ebenso wenig wie die mangelnde Perfektion seiner Kleidung. Während der gesamten Besprechung konnte ich nicht aufhören, die Kaffeeflecken auf seinen Manschetten anzustarren. Unsere Kommunikation war gestelzt, übertrieben höflich, wir warteten darauf, dass der andere seinen Satz beendete, und sahen einander nicht ein einziges Mal an.

Die meiste Zeit redete er und ging so sehr ins Detail, was Programme und Programmieren betraf, dass sogar Alison langsam die Schultern hängen ließ. Ich merkte, was er da tat. Der Mistkerl. Er kam mir entgegen. Lenkte gezielt davon ab, dass ich mit dem neuen System nur im Schneckentempo vorankam. Einmal sagte er sogar: »Tilly pflegt ganz großartig die vielen Daten ein, was eine etwas undankbare Aufgabe darstellt, da es eine ermüdende und repetitive Arbeit ist«, was mich wie den Inbegriff von Verantwortlichkeit und Sorgfalt dastehen ließ, obwohl er verdammt gut wusste, dass ich rein gar nichts erledigt hatte.

Zum Glück bat Alison mich am Ende der Besprechung zu warten, weil sie noch kurz mit mir reden wollte, und Marcus ging, ohne sich noch einmal umzusehen. Ich starrte zum Fenster hinaus und blendete aus, wie sie sich kurz verabschiedeten.

»Ich bin sehr zufrieden damit, wie du mit der IT-Abteilung zusammengearbeitet hast.« Ich zuckte zusammen und wandte mich um. Alison stand schmunzelnd vor mir. »Eigentlich kann ich es verdammt noch mal gar nicht glauben.« Sie trat zu ihrem Schreibtisch und setzte sich mit verschränkten Armen auf die Kante. »Mr Walker hat sich sehr positiv geäußert bezüglich deiner Bereitschaft, mit ihm zu kooperieren, und meinte, dass du sehr offen für seine Ideen wärst. Gut gemacht, Tilly. Ich weiß, dass du es nur widerwillig getan hast«, sie hielt inne und schenkte mir ein schiefes, wissendes Lächeln, »da Computer nicht so dein Ding sind, aber«, sie nickte anerkennend, »du hast eine bewundernswerte Reife gezeigt, was ich … Ich will ehrlich sein«, sie lehnte sich zurück und überschlug mit einem kurzen, bellenden Lachen die Beine, »nicht erwartet habe. Ich dachte, du würdest herumtrödeln und Ausreden finden, dich pampig und flatterhaft zeigen. Deine Probezeit endet in ein paar Wochen, also lass uns dafür sorgen, dass das Bestandsverwaltungssystem in Betrieb ist, wenn wir zu Weihnachten schließen. Es klingt, als wärt ihr schon auf einem guten Weg dorthin.«

Als ich ging, erinnerte ich mich nicht mal mehr, was ich zu ihr gesagt hatte, da ich in Gedanken immer noch bei den vielen Mails an Marcus war. Den restlichen Tag sah ich ständig auf die Uhr, bis es Zeit war, nach Hause zu gehen, und sobald ich die Wohnung betreten hatte, machte ich es wie mit einer Schorfwunde, an der man immer und immer wieder herumkratzt: Ich setzte mich hin und las noch mal jede einzelne Mail, die Marcus und ich uns geschrieben hatten.

Du weißt ja, wie es so schön heißt, *»you only sing when you're winning«*.
Camden? Ich wohne in Clapham, das ist nicht so hipster.

Clapham? Schickes Schneckchen.

Clapham North, der weniger angesagte Teil. Trewgowan Road, entschieden unschick.

Er hatte sich wirklich nicht sonderlich anstrengen müssen.

Nachdem ich erst einmal angefangen hatte, war es schwer, wieder mit dem Lesen aufzuhören, und als ich schließlich fertig war, befand ich mich in einer ernsten Zwickmühle. Ich hatte so viel Zeit damit verbracht, Marcus, *den Anzugträger,* in die Schublade zu stecken, die ich mir für ihn ausgedacht hatte, dass ich die Anteile übersehen hatte, die in seinen Mails aufblitzten. Er war witzig und humorvoll, frech, aber auch klug und vernünftig. Es war wie ein heftiger Schlag ins Gesicht.

Aus Neugier suchte ich kurz nach Melody May, dem Namen, den Marcus mir entgegengeschleudert hatte. Er sagte mir etwas, und als ich eine zwei Jahre alte Meldung auf der Nachrichtenseite der BBC fand, begriff ich. Sie war eine junge Frau, die über mehrere Monate hinweg übers Internet mit einem Mann in Kontakt gestanden hatte. Da sie vernünftig und vorsichtig war, hatte sie sich geweigert, sich mit ihm zu treffen, doch im Laufe ihrer digitalen Freundschaft hatte er ihr mithilfe ihrer Mails und über Facebook, Twitter und Instagram nachgestellt, herausgefunden, wo sie arbeitete, wo sie wohnte und was ihre täglichen Gewohnheiten waren. Er war in ihre Wohnung eingebrochen und hatte sie drei Tage lang als Geisel genommen, bis jemand gemerkt hatte, dass sie verschwunden war. Melody war nur befreit worden, weil ihre Mitbewohnerin während einer Geschäftsreise krank geworden und früher nach Hause gekommen war.

Oh, scheiße noch mal. Marcus' Wut war vollkommen nachvollziehbar gewesen. Und trotzdem hatte er sich vor Alison so nett verhalten. Ganz zu schweigen von diesem Kuss, über den ich gar nicht erst nachdenken wollte. *Das war noch mal ein Thema für sich.*

Ich fing an zu tippen.

Hi Marcus,
du hattest recht, ich hätte in meinen Mails zurückhaltender sein sollen. Danke, dass du mir heute bei Alison den Arsch gerettet hast.

Nein, ich löschte es wieder. Sei ganz spontan, sagte ich mir, tipp, was dir einfällt, und schreib es dann um.

Hi Marcus,
Mann, fühlt sich das komisch an, deinen Namen zu tippen. Ich wollte mich entschuldigen, dass ich heute so undankbar war. Du hattest recht, mir ist jetzt klar, dass ich sehr leichtsinnig war. Und danke, dass du bei Alison so nett warst und mich gedeckt hast.
Und was war das mit diesem KUSS!!!!!

Die konnte ich unmöglich abschicken.

~~Hi,~~
~~du wirst dich freuen zu hören, dass du recht hattest, ich war echt ein Trottel~~

~~Lieber Marcus,~~
~~heute ist mir so einiges klar geworden, als ich gemerkt habe, dass du~~

Lieber Marcus,
heute war nicht der beste Tag. Danke, dass ich dir wichtig genug war, dass du so wütend auf mich geworden bist. Mir ist jetzt klar, dass ich etwas dämlich war. Es tut mir leid … Wir müssen weiterhin zusammenarbeiten, was wahrscheinlich ein bisschen peinlich wird, deshalb wollte ich reinen Tisch machen.
Viele Grüße,
Tilly

Ich hatte zwei Stunden gebraucht, um so weit zu kommen. Es war immer noch nicht perfekt, aber …

Die schrille Türklingel unterbrach meinen Gedankengang. Ich schob mein Tablet zur Seite und sprang auf, um zu öffnen.

Durch die Milchglasscheibe sah ich leuchtendes Gelb schimmern, die Form und Farbe wurden deutlicher, je näher ich der Tür kam. Als ich sie öffnete, reichte eine Botin mir zwölf gelbe Rosen und sagte: »Da liebt Sie wohl jemand.«

Ich nickte ihr zu und versuchte, nicht augenblicklich nach der Karte zu greifen, die zwischen den Blüten steckte.

Sobald die Tür wieder zu war, riss ich den Umschlag auf.

Ich habe mich heute danebenbenommen. Es tut mir leid. Redsman

Meine Sicht verschwamm. Bezog er sich darauf, dass er mich angeschrien hatte, oder auf den Kuss? Und was von beidem tat ihm leid?

Erneut spähte ich hinunter auf die Karte. Redsman, nicht Marcus. Plötzlich fühlte es sich leicht an, er war wieder mein Internetfreund.

An: Redsman@hotmail.co.uk
Von: Matilde@lmoc.co.uk
Betreff: Blumen

Gerade sind herrliche Blumen hier angekommen, zusammen mit einer Entschuldigung. Das wäre nicht nötig gewesen. Du hattest wahrscheinlich recht (nicht wahrscheinlich, du hattest recht), und ich gebe es extrem ungern zu (und es kann sein, dass ich es nie wieder zugebe), aber ich war vielleicht ein klein wenig leichtsinnig, was Internetsicherheit angeht. Okay, in diesem speziellen Fall habe ich es komplett an Vorsicht mangeln lassen.

Tilly

Ich würde keinen Kuss daruntersetzen.

Seine Antwort kam innerhalb weniger Sekunden.

An: Matilde@lmoc.co.uk
Von: Redsman@hotmail.co.uk
Betreff: Blumen

Ich habe mich gerade wieder eingekriegt. Leichtsinnig oder nicht, ich hätte nicht so ausrasten sollen. Noch mal, es tut mir wirklich leid, es war nicht sonderlich professionell. Anscheinend färbt das Theater auf mich ab! Ich laufe zur dunklen Seite über.
Können wir den heutigen Tag einfach vergessen und noch mal von vorn anfangen?

Marcus

PS: Ich wage es kaum zu schreiben, aber das Angebot, dich mitzunehmen, steht noch immer. Ich muss sowieso hoch zu dieser Konferenz fahren und würde mich während der Fahrt über Gesellschaft freuen.

Auf dem Papier, dem Bildschirm, was auch immer, war anscheinend alles wieder in Ordnung, aber ich kam nicht umhin, mich zu fragen, wie leicht es wohl werden würde, diesen Kuss zu vergessen, wenn ich Marcus wiedersah.

Vierundzwanzigstes Kapitel

Erst als die U-Bahn durch die Tunnel in Richtung Baker Street ratterte, kamen mir erste Zweifel. Ach was, sie umkreisten mich schon wie Geier, seit ich aufgewacht war, doch ich hatte sie hartnäckig ignoriert, während ich hastig Sachen in meine Tasche gestopft hatte. Worüber würden wir uns unterhalten? Würden wir den Kuss erwähnen? Was, wenn ich ihn zu Tode langweilte? Was, wenn er wie ein Irrer fuhr? Was war mit diesem Kuss? Was, wenn sein Auto fast auseinanderfiel und wir eine Panne hatten und stundenlang am Straßenrand auf die Pannenhilfe warten mussten? Nein, das war lächerlich. Ich hatte es mit Marcus zu tun.

Und was war nur mit dem Kuss?

Ich zog Grimassen bei der Erinnerung daran, als ein schwarzer Golf GTI heranfuhr. Bestimmt hielt Marcus mich für ziemlich bescheuert.

»Morgen«, rief er durch das offene Fenster. Er trug mal wieder eines dieser blendend weißen Hemden, aber das hier musste die legere Version sein, da es am Hals offen stand und am unteren Ende des V ein paar dunkle Haare herausschauten. Mein Herz pochte dumpf, und im Mund schmeckte ich fast die Sahara. Ich konnte nur daran denken, wie seine Lippen sich auf meinen angefühlt hatten. Mein Unterkörper prickelte vor Verlangen, als die Erinnerung an diese sinnliche Berührung mich heimsuchte. Einen Moment lang starrte ich ihn an. Jedes Mal, wenn ich ihn wiedersah, war ich aufs Neue überrumpelt davon, wie absolut umwerfend er aussah.

»Hi«, sagte ich plötzlich sehr befangen. Worüber um alles in der Welt sollte ich nur mit ihm reden, während der ganzen Fahrt hoch auf der M1?

»Tilly? Geht's dir gut?«

Mir wurde klar, dass er etwas gesagt und ich nicht reagiert hatte.

»Hast du vor einzusteigen, oder hast du entschieden, dass ich ein Serienmörder bin?«

»Ja … Ich meine, nein«, brachte ich schließlich heraus.

»Pack deine Tasche auf den Rücksitz. Der Kofferraum ist voll mit Zeug.«

Ich öffnete die hintere Tür, hievte meine gewaltige Reisetasche hinein und tänzelte ums Auto herum nach vorn. Vielleicht würde das hier ja doch nicht so nervenaufreibend werden.

»Kann ich noch etwas sagen, ehe wir losfahren?« Marcus wandte sich mir zu. Sein Gesicht zeigte den vertrauten gewichtigen, ernsten Ausdruck.

»Können wir die Sache neulich und die Arbeit vergessen? Vielleicht könnten wir einfach zwei Fußballfans sein, die viel lesen.«

Ich entspannte mich in meinem Sitz. »Danke … das klingt … gute Idee. Und vielen Dank, dass du bei Alison ein gutes Wort für mich eingelegt hast. Ich weiß nicht, ob ich es verdient habe.«

»Hmm, dann bist du mir was schuldig. Okay.« Seine Miene hellte sich auf. »Nur die eine Tasche?«, fragte er und betrachtete demonstrativ die riesige Reisetasche auf der Rückbank, während ich mich anschnallte, dankbar für die Heizung, die heiße Luft hereinblies. Kein Wunder, dass er nur ein Hemd trug, es war angenehm warm im Auto.

»Ja. Warum?« Sofort wurde ich defensiv.

»Unterstützt du die Kostümabteilung? Gehst du auf Tournee?«

Sobald mir klar wurde, dass er mich neckte, beugte ich mich unwillkürlich zu ihm und stieß ihn in die Rippen. Er roch frisch und ganz leicht nach Shampoo, sein Haar war noch etwas feucht, als wäre er gerade aus der Dusche gekommen. Zum Glück hatte ich mir noch mal einen Spritzer Parfum verpasst, ehe ich aus der U-Bahn ausgestiegen war. Ich hoffte, dass ich ebenso gut roch wie er.

»Sehr witzig. Sag nichts. Du gehörst doch sicherlich zur Fraktion Zahnbürste und saubere Unterhose.«

»Nicht ganz, aber du musst zugeben, dass das eine ziemlich große Tasche ist.«

»Ich bin eben gern vorbereitet. Vielleicht schneit es, deshalb habe ich ein zweites Paar Stiefel dabei, außerdem ein Paar Schuhe, falls meine Stiefel nass werden, und ein weiteres Paar Stiefel, die zu dem anderen Rock passen, den ich eingepackt habe, und ich hab da drin eine wasserdichte Jacke, aber für die Reise wollte ich einen hübschen Mantel. Und natürlich Weihnachtsgeschenke.«

»Kapiert.« Marcus schüttelte den Kopf und lachte, hielt allerdings die Aufmerksamkeit auf die Straße gerichtet.

»Und ich habe Bücher dabei.«

»Was? Bist du jetzt etwa die fahrende Bücherei?«

»Man kann nie –«

»Zu viele Bücher haben.« Er nickte spöttisch. »Ja, ich weiß, aber was ist mit deinem Reader?«

»Nun ja, aber was, wenn er kaputtgeht oder der Akku leer ist? Deshalb habe ich noch zwei Bücher eingesteckt. Nur für den Fall, und dann noch eins, weil es auf meinem Stapel ungelesener Bücher lag.«

Eine Pause entstand, während er rechnete. »Für zwei Nächte außer Haus hast du zwei Mäntel, vier Paar Schuhe und Stiefel und drei Bücher mitgenommen!«.

»Das kommt hin! Wenn ich mit dem Zug hochfahren würde, würde ich mit einem Mantel, zwei Paar Stiefeln und zwei Büchern auskommen, versprochen.«

»Natürlich.« Die trockene, lange leidende Belustigung in seiner tiefen Stimme sorgte dafür, dass mich ein Schauer durchlief.

»Und«, sagte ich mit einer überschwänglichen Geste, »ich habe Proviant dabei.«

»Oh Gott, du hast literweise Kaffee in einer Thermoskanne,

selbst belegte Sandwiches in Alufolie, einen großen Löffel und mehrere Dosen Bohnen in Tomatensoße mit. Hast du auch an deine Reisedecke gedacht?«

Ich lachte schallend. »Die habe ich vergessen.«

Ich verdrehte mich, um meine Tasche auf der Rückbank zu erreichen, und zog eine Tüte von Tesco heraus. »Ich hatte keine Ahnung, was du gerne isst, deshalb habe ich eine Auswahl gekauft.«

Ich wühlte in der Tüte und förderte eine leuchtend rote Packung zutage. »Schokokugeln, altmodische Werther's Original, Walkers-Chips und Weingummis. Und Jelly Babies, aber die sind für mich.«

»Meine Güte, sonst noch was? Ich bin wohl mit Mary Poppins unterwegs.«

»Natürlich, was Süßsein angeht, bin ich quasi in jeder Hinsicht perfekt.«

»Wenn man mal davon absieht, dass du ein Arsenal-Fan bist.«

Ich zögerte. Es musste angesprochen werden. »Du weißt schon, dass das der einzige Grund ist, aus dem ich auf deine erste Mail geantwortet habe. Du hast mich herausgefordert. Obwohl«, ich stockte, als ich mich an den Stich erinnerte, den mir die Erkenntnis versetzt hatte, dass er nicht der nette Internetfreund war, für den ich ihn gehalten hatte, »mir jetzt klar ist, dass du bewusst versucht hast, mich einzufangen.«

Marcus bekam knallrote Ohren, und seine Finger umfassten das Lenkrad etwas fester.

»Ähm …« Zum allerersten Mal sah ich ihn kleinlaut. »Das, was ich neulich gesagt habe, habe ich nicht so gemeint. Ich wollte dir eine Lektion erteilen, aber es hat Spaß gemacht, sich mit dir auszutauschen. Du warst sehr viel aufgeschlossener, das war eine erfreuliche Abwechslung. Es war schön, zur Abwechslung mal gemocht zu werden. Ich bin auf eine Menge Widerstand gestoßen, seit ich bei der London Met angefangen habe.«

Ein schreckliches Schuldgefühl bewirkte, dass ich mich ihm zuwandte und ihn bestürzt anblickte. »Oh Gott, war es wirklich so schlimm?«

Er stieß ein selbstironisches Lachen aus. »Nein, ich bin ein großer Junge, aber die ersten paar Wochen war es schon ein bisschen zermürbend. Anfangs war ich voller Selbstvertrauen und wusste genau, was getan werden musste, und plötzlich wollte niemand, dass ich es tue.«

»Sorry.« Ich überschlug die Beine und versuchte mich an einer lockeren Haltung.

»Schon oayk«, fügte er hinzu. »Du hast nichts *allzu* Schlimmes über mich geschrieben.«

»Wie, kannst du jetzt etwa auch noch Gedanken lesen?«

»Nein, aber du hast so gequält das Gesicht verzogen, dass ich es nicht ertragen konnte, deshalb dachte ich, ich erlöse dich von dieser Sorge.«

»Sehr freundlich von dir«, sagte ich, konnte mich aber immer noch nicht ganz entspannen. Wir hatten uns in diesen Mails über sehr vieles ausgetauscht.

»Nun, außer dass du mich den Prinzen der Finsternis, Seine königliche IT-heit genannt hast. Das war ziemlich witzig.« Er warf mir einen schalkhaften Blick zu. »Obwohl ich nicht glaube, dass das beabsichtigt war.«

»Geschieht dir recht dafür, dass du nichts gesagt hast.« Ich sah zum Fenster hinaus, um zu verbergen, wie unangenehm mir die Sache war. Gott sei Dank hatte ich nicht erwähnt, dass meine Hormone sich danebenbenahmen, wann immer er auftauchte. Das wäre richtig peinlich gewesen.

Er legte eine Hand auf meinen Unterarm und zog leicht daran. Ich wandte mich ihm zu und schaute ihn an, obwohl ich nur sein Profil sah, weil er die Sorte Fahrer war, die weiterhin die Straße im Blick behielt. »Unser Austausch hat mir gefallen. Du warst lustig.

Wir mochten dieselben Bücher … und wie hätte ich etwas sagen können. Vor allem, da du mich eindeutig gehasst hast.«

»Ich habe dich nicht gehasst!«

»Tut mir leid, das ist vielleicht etwas zu krass ausgedrückt … Aber du hast offensichtlich eine Abneigung gegen das gehegt, wofür ich stehe. Wobei es mir ganz gut gefällt, Seine königliche IT-heit zu sein.«

Sein rasches Grinsen machte mich verlegen und bewirkte gleichzeitig, dass ich mich gewaltig schämte.

»Möglicherweise habe ich meine Meinung ein bisschen geändert. Du wirkst jetzt nicht mehr ganz so … businessmäßig.«

»Ach, danke. Gibt nichts Besseres als Tadel durch spärliches Lob.«

»Na ja, sei ehrlich, du hast mich für eine versponnene Hippiebraut gehalten.«

»Stimmt, obwohl … fairerweise muss man sagen«, er grinste, »manche sind flatterhafter als andere, was Vince betrifft, bin ich noch nicht überzeugt, aber ich muss zugeben, nun, da ich die Abläufe besser verstehe … hm.«

»Du bist begeistert?«, neckte ich ihn.

»Ganz so weit würde ich nicht gehen, nein, ihr treibt mich immer noch in den Wahnsinn. Ich meine, wie schwierig ist es, einen Anhang nicht zu öffnen, der einen verfluchten Virus enthält?«

»Wie hätte ich wissen sollen, dass er einen Virus enthielt?«

»Wie hättest du wissen sollen, dass dem nicht so war?«

»Okay, du hast gewonnen. Aber es ist ja nichts passiert.«

Er verdrehte die Augen. »Es hätte aber was passieren können.«

»Es tut mir leid, und ich habe meine Lektion gelernt. Ich bin inzwischen recht fit … das musst du zugeben.«

»Fit? Tilly, du hast diese Tabelle schon dreimal gelöscht.«

»Siehst du, deshalb funktionieren die Karteikarten so gut, man kann sie unmöglich löschen.« Ich grinste ihn an.

»Ich werde dieses System einrichten, und wenn es mich umbringt.«

»Das könnte durchaus …« Mein Handy begann zu klingeln, und Marcus hob eine Augenbraue.

»Snow Patrol? Ich hätte eher Carmina Burana erwartet.«

Lachend fischte ich das Handy aus der Tasche. »Das ist als Klingelton total passé.« Ich sah auf den Bildschirm. Es war Felix.

Mir wurde schlagartig schwer ums Herz. Er war offenbar heimgekommen und hatte meinen Zettel gelesen. Das Letzte, was ich hören wollte, war eine weitere kriecherische Entschuldigung, und in Marcus' Gegenwart wollte ich auch nicht den Versuch wagen, ein einseitiges Gespräch zu führen. Ich betrachtete grimmig mein Handy.

Marcus sah belustigt aus. »Was ist? Schlechte Nachrichten?«

»Nein. Nichts Wichtiges.« Ich schaltete das Handy aus und steckte es in die Tasche.

Wir waren mittlerweile schon einige Stunden unterwegs, und ich wurde langsam hibbelig. Wir hatten die Zeit mühelos herumbekommen, da wir über so vieles geplaudert hatten, unter anderem Bücher und Fußball.

»Sollen wir anhalten?«

»Hätte nichts dagegen«, sagte ich und versuchte, meine Beine zu strecken. »Du kannst sicher auch eine Pause gebrauchen.«

»Ja, wenn du es nicht zu eilig hast, nach Hause zu kommen, könnten wir von der Autobahn abfahren und etwas Netteres als eine Raststätte finden.«

»Ich hab's nicht eilig, heimzukommen, versprochen.«

»Kommst du nicht gut mit deiner Familie klar?«

Ich seufzte. »Wir sind einfach grundverschieden. Meine Mutter ist Französin. Daher mein Name.« Er sah noch immer verdutzt aus.

»Nicht bloß Französin – Pariserin.«

»Ja, ich erinnere mich. Matilde klingt ziemlich sexy, wenn man es mit einem französischen Akzent sagt.«

»Gilt das nicht für alles? In welcher anderen Sprache klingt ›mein kleiner Kohlkopf‹ sexy – ›mon petit chou‹?«

»Also, Kohlgesicht, was stimmt nicht mit deiner Mutter?«

Ich fuhr herum und musterte ihn. Er hatte eine aufmerksame Miene aufgesetzt.

»Sie kommt zwar aus Paris, aber sie ist kein bisschen heißblütig. Ich bin mir ziemlich sicher, dass sie aus einer Eiswürfelform geschlüpft ist.«

»Klingt frostig.«

»War es auch. Sie wollte nicht, dass ich Maskenbildnerin werde.« Ich fixierte die Nebenspur und nahm kaum die Autos wahr, die vorbeirasten. »An dem Morgen, als ich mein Abschlusszeugnis der zehnten Klasse bekam, war die Hölle los. Ich wollte die Ausbildung anfangen, aber meine Eltern waren davon ausgegangen, dass ich noch die Oberstufe machen und danach studieren würde, so wie meine Schwester.«

Ganz gleich, wie viele Teenie-Launen ich an den Tag gelegt hatte, und ich war damals mordsmäßig launisch gewesen, meine Eltern hatten sich nicht erweichen lassen.

»Was ist passiert? Am Ende bist du doch dort hingekommen.«

»Mmm.« Ich nickte. Die Oberstufe hatte ich keinesfalls stoisch ertragen. Ich hatte es meinen Eltern mit kleinen, aber befriedigenden Rebellionen heimgezahlt – einer Vorliebe für schmuddelige Vintage-Kleidung, die meine übertrieben gepflegte Mutter in Rage versetzt hatte, sowie einem groß angelegten Haarkrieg. Alle paar Wochen pflegte ich mit einer neuen, immer extremeren Farbe, Farbkombination oder Frisur am Frühstückstisch aufzuschlagen.

»Meine Eltern bestanden darauf, dass ich studierte.«

»Hat dir das keinen Spaß gemacht?«

»Doch. Okay, ich hatte einen Heidenspaß, weil ich bei so vielen studentischen Inszenierungen mitgewirkt habe.« Was mir später zugutegekommen war. »Vielleicht hatten sie doch recht«, sagte ich aus einer plötzlichen Einsicht heraus.

»Wie? Eltern, die recht haben?«

»Okay, du brauchst nicht darauf herumzureiten.« Ich wollte nicht allzu ausgiebig darüber nachdenken. »Schau mal, da ist Chatsworth House.« Ich zeigte auf eines der braunen Schilder. »Da wollte ich schon immer mal hin. Ich liebe Jane Austen, vor allem *Stolz und Vorurteil.* Ich glaube, sie haben dort einige der Szenen gedreht.«

Marcus sah mich von der Seite an. »Sollen wir es uns anschauen?«

»Wie, jetzt?«

»Wann sonst?«

Ich stieg aus dem Auto, und ein frischer Wind peitschte meine Locken und schleuderte sie mir ins Gesicht. Es fühlte sich gleich kälter an als in London, aber nach der stickigen Wärme im Auto war die kühle Luft, die nach Moor duftete, wunderbar belebend. Ich atmete übertrieben tief ein.

»Mann, ist das kalt.« Marcus wickelte sich einen gestreiften Schal doppelt um den Hals. »Bist du sicher, dass das eine gute Idee ist? Vielleicht bleibe ich einfach im Auto.«

»Es ist perfekt. Du bist nur keine echte Kälte gewohnt. Ich finde es herrlich.« Und das meinte ich auch so. Ich zog mir meine Mütze über die Ohren, und in der Hoffnung, dass es nicht allzu unvorteilhaft aussah, zog ich auch meine Lieblingshandschuhe aus dunkelgrünem Leder an.

»Na, dann los, Ms Burke.« Marcus verneigte sich und bot mir seinen Arm an. »Lasst mich Euch begleiten und einen Blick auf dieses Haus werfen und herausfinden, warum darum so ein Wirbel gemacht wird.«

»Bennett, in *Stolz und Vorurteil* waren es die Bennetts«, sagte ich, ziemlich verzaubert von seiner unerwarteten Bereitschaft, für diesen Besuch die richtige Atmosphäre zu erzeugen.

»Fängt mit B an. Sollte passen«, murmelte er in seinen Schal.

Ich ließ gerne zu, dass er sich bei mir unterhakte, es wirkte vollkommen natürlich, mitzuspielen. Hier zu sein bewirkte, dass mir alles andere sehr weit weg vorkam. »Wenn ich Ms Bennett bin, wer bist du dann?«

»Ich bin der freundliche Onkel, der Elizabeth nach Derbyshire mitnimmt und im Teich angeln darf. Onkel Ted.«

Ich kicherte. »Er hieß nicht Onkel Ted. Das ist viel zu informell, er war ein Mr Soundso. Und woher weißt du das von dem Onkel und dem Angeln?«

»Und du willst ein Austen-Fan sein?« Marcus sah mich mit gespieltem Entsetzen und geweiteten Augen an und verzog dann das Gesicht zu einer gequälten Grimasse. »Ich musste es in der Zehnten in Englisch lesen. Damals hab ich es nicht kapiert, ich weiß nicht, ob das heute anders wäre.«

»Es war Mr …« Ich durchforstete mein Gedächtnis. Der Name war irgendwo dort vergraben.

»Tss«, machte er und schüttelte den Kopf. Wir gingen in kameradschaftlichem Schweigen weiter, und unsere Schritte knirschten auf dem Kies.

»Möchtest du den Weihnachtsmarkt besuchen?« Marcus wies mit dem Kopf zu den ordentlich aufgereihten Ständen und Buden, die die Auffahrt säumten. Ich betrachtete seine bewusst neutrale Miene.

»Mit Vergnügen.« Fröhlich grinste ich ihn an und erfreute mich an dem ganz leichten Zucken, von dem er glaubte, es verborgen zu haben. »Aber«, ich stupste ihn an, »ich glaube, für dich wäre es eine Tortur, und ich würde lieber etwas frische Luft schnappen. Wenn ich in London bin, fehlt es mir zwar nicht, im Freien zu sein, aber hier möchte ich es auskosten.«

Er stieß einen offensichtlichen Seufzer der Erleichterung aus. »Puh. Ich weiß noch, wie du dich beim Shoppen verhältst.«

»An dem Tag bist du noch recht gut davongekommen«, ärgerte ich ihn.

Trotz des kalten Windes waren jede Menge Spaziergänger unterwegs, die sich gegen die steife Brise eingemummelt hatten, einige hatten Hunde dabei, und manche waren in organisierten Gruppen unterwegs, erkennbar an den Parkplänen, die sie in Plastikhüllen um den Hals trugen.

Als wir den ersten herrlichen Blick auf das Haus erhielten, blieben wir stehen.

Es war gewaltig. Wir standen beide ziemlich ehrfürchtig da und bestaunten die eindrucksvolle Fassade mit den unzähligen Fenstern.

»Mein Gott, es ist riesig.« Ich starrte hinauf zu den hellgelben, mehrere Stockwerke hohen Mauern. »Kein Wunder, dass Lizzy ihre Meinung von Mr Darcy revidiert hat.«

»Ist es nicht frevlerisch, so was zu sagen?«, fragte Marcus. »Hat sie denn nicht aus Liebe geheiratet?«

»Auch wenn ich mich für romantisch halte, bin ich realistisch.«

Wir gingen um das Haus herum zur Vorderseite und spazierten durch den gut gepflegten Garten mit seinen perfekt geschnittenen Hecken und Büschen. Die Nadelbäume waren alle mit Lichterketten geschmückt, und ich konnte mir vorstellen, dass es im Dunkeln zauberhaft aussah. Überall gab es etwas zu entdecken, hier komplexe Gärten und in der Ferne an Statuen erinnernde Bäume und eine klassische Parklandschaft im Stil von Capability Brown, die so gestaltet war, dass sie den Blick zu irgendeinem aufwendigen Zierbau hinlenkte.

Nachdem wir eine halbe Stunde unterwegs gewesen waren, verließen wir den Fußweg, um eine bessere Sicht auf die Südseite des Hauses zu bekommen. Marcus hielt mir die Hand hin, um mich eine rasenbedeckte Anhöhe hochzuziehen, und als ich oben ankam, stolperte ich über einen lockeren Erdklumpen und fiel gegen ihn. Seine Arme legten sich um mich, und einen Moment lang standen wir atemlos da und konnten nirgends hinschauen als einander in die Augen.

Ich ließ nicht los und er ebenso wenig. Ich atmete ein, als ob mir das helfen würde, an dem Augenblick festzuhalten. Wir standen reglos da, als würde die Zeit stillstehen. Ich nahm mein Herz wahr, das in meiner Brust pochte, und die Luft, die sich in meinen Lungen verfing. Mein Herz hämmerte vor sich hin, und Marcus wirkte kurz, als wüsste er nicht weiter. Dann hob er die Hand, um das Haar wegzustreichen, das mir ums Gesicht wehte. Seine Finger glitten über meinen Wangenknochen, und ich schmolz fast zu einer Pfütze dahin. Ohne nachzudenken, hob ich die Hand und legte die Finger an sein Handgelenk.

Er hob die andere Hand und zeichnete damit den Umriss des Diamanten nach, der sich unter dem Leder meines Handschuhs abzeichnete. In Marcus' Blick lag ein Schatten, während er mich traurig anlächelte.

»Was gibt es über deinen Verlobten zu erzählen? Du sprichst nicht über ihn.«

Ich blinzelte die plötzlich aufsteigenden Tränen weg. Es auszusprechen, würde es wirklich werden lassen.

»Es ist vorbei.«

Er hob eine Augenbraue, und ich spürte seine Berührung an meinem Ring.

»Er. Hat etwas getan. Das ich ihm nicht verzeihen kann. Ich dachte, ich könnte, aber ich k-kann nicht. Ich hab es ihm noch nicht gesagt.« Ich biss mir auf die Lippe, als mir die Tränen übers Gesicht liefen. »Am liebsten würde ich ihn ermorden.«

Ich ballte so fest die Fäuste, dass ich spürte, wie sich das Leder meiner Handschuhe über meine Fingerknöchel spannte. »Und nicht nur das«, sagte ich, die Wut kochte über, und meine Stimme wurde laut und giftig. »Ich könnte ihm das verdammte Herz mit einem Löffel rauskratzen und es an die Ratten verfüttern. Er ist eine dicke. Fette. Verlogene Ratte.« Meine Worte gingen in ein Fauchen über, wobei es mich vor Wut schüttelte.

»Erinnere mich daran, dich nicht zu verärgern.«

Marcus' plötzlicher Versuch, humorvoll zu sein, nahm mir den Wind aus den Segeln, und ich brach in heißes, zorniges Schluchzen aus.

Er legte wieder die Arme um mich, und einen Augenblick lang standen wir einfach so da. Ich hatte sein Mitgefühl nicht verdient, aber ich konnte nicht widerstehen und lehnte mich an ihn, genoss das Gefühl, von jemandem festgehalten zu werden. Sein weicher Schal kitzelte mich an der Wange und nahm einige meiner Tränen auf.

Ich löste mich von ihm und kam mir vor wie eine schreckliche Betrügerin. Fast war ich versucht, ihm alles zu gestehen.

»Sag nichts. Geht er dir fremd?« Er blickte finster, und ich fragte mich erneut, was mit der Ex-Freundin passiert war, die ihm die Krawatte geschenkt hatte.

Ich lachte bitter. »Felix würde niemals fremdgehen. Dafür ist er zu … Oh.« Ich hörte den schrillen Ruf eines Falken über uns, als alles andere in den Hintergrund trat. »Oh.«

Das war es, was er mir zu sagen versucht hatte.

Jonno ist von der Sorte Menschen, die Dinge weiß … Er wollte es dir verraten.

»Tilly?« Marcus' Stimme schien plötzlich von weit her zu kommen.

Ich blinzelte und sah ihn an. »Ja«, flüsterte ich. »Ich glaube, das tut er.«

Plötzlich rempelte mich etwas von der Seite an und stieß mich von Marcus weg, und ein heißer Atem strich über meine Hand.

»Buster! Buster! Bei Fuß!«

Ein gewaltiger Airedale-Terrier war aufgetaucht und sprang um meine Knie herum, bellte freundlich grüßend, wobei er mit seiner zottligen Schnauze an meiner Hand schnüffelte.

»Buster! Komm her! Jetzt!«

Eine kleine blonde Frau kam herübergelaufen und stolperte fast über ihre übergroßen grünen Jägergummistiefel. »Es tut mir so leid. Er ist noch ein Welpe. Komm her, du frecher Kerl.« Sie zog an seinem Halsband, doch er stupste mich weiter an.

»Alles gut.« Ich lächelte sie an und kraulte Buster den Kopf, dankbar für die Ablenkung. Die drahtigen Locken fühlten sich weich an, und sein Kopf war warm unter meinen kalten Fingern.

Schließlich schaffte die Frau es, ihn wegzuziehen, indem sie ihre Finger unter seinem Halsband einhakte. »Hier lang, du dummes Tier. Was hab ich dir gesagt?« Lächelnd entschuldigte sie sich noch einmal und zerrte dann den herumspringenden Hund davon.

»Mr Gardiner. Onkel Ted. Er hieß Mr Gardiner«, sagte ich plötzlich, schob die Hände in die Taschen und setzte mich wieder in Bewegung.

»Richtig«, sagte Marcus nickend und begann, im selben Tempo neben mir herzugehen.

Fünfundzwanzigstes Kapitel

Direkt hinter Sheffield fing es zu regnen an, und grauer Nebel stieg auf, was das Fahren erschwerte. Vorbeifahrende Lkws durchschnitten den Sprühnebel und bespritzten die Windschutzscheibe mit Schmutzwasser. Die Scheibenwischer liefen in Höchstgeschwindigkeit und klärten die schmierigen Streifen.

Obwohl ich schon seit Jahren nicht mehr bei meinen Eltern wohnte und meine eigene Wohnung hatte, fühlte ich mich, als würde ich nach Hause kommen, sobald ich die vertrauten Kühltürme der Kraftwerke und die grasbewachsenen Abraumhalden erblickte.

»Du siehst aus, als hättest du deine Meinung geändert, was das Heimfahren betrifft«, bemerkte Marcus und sah zu, wie ich eine Stunde später eifrig auf Wahrzeichen an der Straße von Leeds nach Harrogate hinwies. Wir hatten unser Gespräch streng auf sachliche Themen beschränkt, seit wir wieder im Auto saßen.

»Das stimmt. Ich dachte, mir würde davor grauen, aber es ist immer noch mein Zuhause. Ich weiß nicht, was ich von meiner Mutter erwarten soll, ich bin seit Jahren nicht mit ihr allein gewesen. Ich sorge eigentlich immer dafür, dass Christelle auch da ist, wenn ich heimkomme.«

»Ich fand sie sehr nett.«

»Ja. Das dachte ich mir. Sie ist viel eher dein Typ. Die Musterschülerin. Ich bin die Flatterhafte.«

»Können wir das bitte hinter uns lassen? Du könntest mir ein bisschen Anerkennung dafür zollen, dass ich meine Meinung geändert habe.«

»Wirklich?«

»Ich habe dich in Aktion erlebt … Du hast deinen Eltern nie diese Seite von dir gezeigt, oder?« Marcus holte Luft.

»Du hast mit Christelle geredet«, beschuldigte ich ihn.

»Nein, aber sie hat Andeutungen gemacht. Es ist fast so, als hättest du sie absichtlich auf Abstand gehalten. Und seien wir doch ehrlich – als Teenager ist jeder ein Monster. Vielleicht hast du das nicht überwunden.«

Ich betrachtete seine Hände, die sicher und ruhig am Lenkrad verharrten.

»Was, wenn deine Eltern nur versucht haben, sicherzustellen, dass du dir alle Optionen offenhältst? Was wäre denn gewesen, wenn du es dir anders überlegt hättest? Oder es nicht geschafft hättest? Du hättest bei *Scherenschnitt* oder *Haarscharf* irgendwo in der Pampa landen und Tausenden Rentnerinnen blaustichige Dauerwellen machen können, anstatt beim Theater zu arbeiten.«

Unglücklich und mürrisch sah ich ihn an. »Ich bin nicht gut im Verzeihen.«

»Tilly! Sei nicht albern … Das klingt wie diese Single von Black Lace.« Er fing an zu singen. *»Tilly, don't be a silly. Don't be a fool …«*

Ich gab ihm einen Klaps auf den Arm und versuchte, nicht über den schiefen Gesang zu lachen. »Das ist fürchterlich.«

»Mmm.« Er lächelte entschuldigend und fuhr dann fort: »Im Ernst, ich kenne deine Mutter zwar nicht, aber wenn du seit deiner Teenagerzeit nicht mehr viel daheim warst, hattest du keine Gelegenheit, als Erwachsene eine Beziehung zu deinen Eltern aufzubauen. Herrgott«, sagte er heftig. »Ich werde rot beim Gedanken an manche der Dinge, die ich meiner Mum als Teenie an den Kopf geworfen habe. Ein launischer Drecksack war ich. Ich konnte tagelang schmollen.«

Ich dachte kurz über seine Worte nach. Vielleicht hatte er recht. Dankbar sah ich ihn an. »Danke. Du bist in letzter Zeit ein ziemlicher Kummerkasten.«

»Ist mir ein Vergnügen. So, wo muss ich lang?«

Die Umgebung hatte sich verändert, und mir wurde leicht ums

Herz bei dem vertrauten Anblick, der mir verriet, dass wir den Stadtrand von Harrogate erreicht hatten. Nur noch fünf Minuten bis nach Hause.

Als wir vor dem frei stehenden Einfamilienhaus vorfuhren, wandte ich mich mit einem schiefen Lächeln an Marcus. »Du hast bestimmt keine Lust, mit reinzukommen, oder? Mir beizustehen?«

Er war schon ausgestiegen, hievte meine Tasche hoch und ging auf die Haustür zu. »Aber, aber, Tilly. Ich dachte, wir wären uns einig. Positiv denken. Wenn du schon mit so einer Einstellung an die Sache herangehst …«

»Ich weiß. Aber bestimmt gefällst du ihnen. Du bist ein anständiger, professioneller Typ.« Obwohl sie es wahrscheinlich nicht mögen würde, wenn er sie überraschte. Meine Mutter war nicht sonderlich spontan.

Marcus warf mir einen verschmitzten Blick zu. »Deshalb hat Felix dir gefallen?«

Ich lief knallrot an und rümpfte die Nase angesichts seiner unwillkommenen Erkenntnis.

»Du hast wohl einen Abschluss in Küchenpsychologie, was?«, fragte ich.

Mum zuckte nicht mit der Wimper, und Dad wirkte recht erfreut, zur Abwechslung mal einen anderen Mann da zu haben, mit dem er sich unterhalten konnte.

»Mum, Dad, das ist Marcus, … ähm … äh … ein Arbeitskollege. Er ist für eine berufliche Konferenz über …«, ich schielte zu Marcus, um mich rückzuversichern, doch dieser lächelte bloß, »Computerthemen hochgefahren.«

»Oh, im Harrogate-Konferenzzentrum?«, fragte Mum munter.

Nein, im Konferenzzentrum auf den Äußeren Hebriden, er hat nur einen kleinen Umweg gemacht, um mit dir Tee zu trinken. Das sagte ich nicht, weil sie und Marcus inzwischen schon mittendrin waren, die Vorzüge verschiedener Konferenzzentren zu diskutieren, die sie besucht hatten.

»Kann unser Gast vielleicht ein Tässchen Tee bekommen?«

Mum schürzte die Lippen und wandte sich dann wieder an Marcus. »Tut mir leid, wie unhöflich von mir. Darf ich Ihnen etwas zu trinken anbieten, einen Tee oder Kaffee? Und ich habe gerade eine Portion Weihnachtsküchlein aus dem Ofen geholt.«

»Tee wäre wundervoll, Mrs …« Er warf mir einen raschen Blick zu.

»Oh, nennen Sie mich doch Elise. Mrs Hunter klingt so steif. Und ein Weihnachtsküchlein?«

»Oooh, lecker. Du musst eines probieren«, sagte ich. Ihre waren die besten. Als sie vor vielen Jahren hergekommen war, war sie entschlossen gewesen, jede erdenkliche britische Tradition zu übernehmen. Jedes Mal backte sie mehrere Ladungen Weihnachtsküchlein. Die gekauften Küchlein aus dem Supermarkt kamen ihr nicht ins Haus. »Mum hat dieses besondere Geheimrezept, sie mischt Orangensaft in den Teig und streut Orangenschale auf die Füllung.«

»Jetzt ist es nicht mehr ganz so geheim«, sagte Dad zwinkernd und bat Marcus, ihn Trevor zu nennen.

Ich biss mir in die Wange. Das hier war völlig anders als Felix' einziger Besuch hier. Wie ein übermütiger Welpe war er übertrieben vertraulich und lebhaft aufgetreten, hatte Mum Mrs H und Dad Trev genannt und innerhalb der ersten Stunde nach seiner Ankunft die Füße auf den Sofatisch gelegt. Es war gar nicht gut angekommen.

Ehe ich mich versah, waren die drei nahtlos dazu übergegangen, ausgerechnet über Autos zu reden. Offenbar dachte Mum darüber nach, einen VW Golf zu kaufen.

Während sie in der Küche herumwerkelte, hieß sie uns am Küchentisch Platz nehmen und servierte jedem ein heißes Weihnachtsküchlein.

»Und wie sieht es mit dem Benzinverbrauch aus?«, fragte Dad, während ich noch überlegte, warum wir nicht der Formalität des Wohnzimmers ausgesetzt wurden, wo Gäste normalerweise bewirtet wurden.

Marcus schenkte ihm ein Lächeln, das an einen Schuljungen erinnerte, den man bei etwas ertappt hatte. »Das hängt, ehrlich gesagt, ganz davon ab, wie man fährt.«

Mum lachte. »In der Stadt. Ich bin kein Auto-Poser.«

»Dann ist er nicht hoch.«

Ich sah den dreien zu, wie sie ungezwungen plauderten. Mit seinen guten Manieren, dem attraktiven Äußeren und einem verdammt einnehmenden Lächeln war Marcus der perfekte Gesprächspartner; er war weltgewandt, höflich und zuvorkommend. Prädikat: elterntauglich.

Meine Mutter hingegen war normalerweise definitiv nicht so freundlich.

»Ja, ich habe sie in der Oper kennengelernt.« Ich konzentrierte mich wieder auf das Gespräch, als Mum sich mir mit einem breiten Lächeln zuwandte und mir eine Tasse Tee reichte.

»Wie schön, dass du Christelle eingeladen hast, Tilly. Es hat ihr so gefallen.« Mum lächelte wehmütig. »Es klang wundervoll. Nicht wahr, Trevor? Hat es Ihnen auch gefallen, Marcus?«

»Ja, besser als erwartet.« Verschwörerisch zwinkerte er mir zu. »Tilly hält mich für einen absoluten Kulturbanausen, ich hatte vorher noch nie eine Oper gesehen, doch ich war von mir selbst überrascht. Es ist erstaunlich, wenn man sieht, was hinter den Kulissen abläuft.«

»Ja, ich kann mir vorstellen, dass es ein ziemliches Unterfangen ist. Und ich habe gehört, es sei ein sehr schönes Theater. Ich würde es liebend gern irgendwann einmal besuchen.«

An dieser Stelle hob ich die Augenbrauen, sagte jedoch nichts.

»Ich wusste, dass du ihnen gefallen würdest«, sagte ich leise, als ich ihn zur Haustür brachte.

»Ich schätze, das ist nicht zwingend ein Kompliment.« Marcus spannte die Lippen an, und sofort kam ich mir undankbar vor. »Deine Eltern waren kein bisschen so, wie du sie beschrieben hattest. Deine Mutter ist reizend. Sie ist sehr stolz auf dich und hat eine Heidenangst, dich zu verstimmen.«

»Red keinen Unsinn. Aber danke, dass du nett zu ihr warst. Du warst …« *Unglaublich? Wundervoll? Großartig?* »Du warst echt lieb zu mir. Vor allem heute. Ich … bin dir wirklich dankbar. Die letzten Wochen waren komisch, und das ist noch milde ausgedrückt. Danke, dass du mich mitgenommen hast, und … auch für alles andere. Du hast mir heute sehr geholfen.« Da ich auf der Türschwelle stand, war ich mit ihm auf Augenhöhe. »Im Auto. Was du da gesagt hast … das war gut.« Etwas flackerte in den Tiefen seiner grünen Augen auf. »Danke«, sagte ich und hoffte, dass es mir gelang, meine tief empfundene Dankbarkeit ansatzweise rüberzubringen.

Er lächelte, was sein ganzes Gesicht weicher werden ließ.

»Es klingt, als müsstest du ein paar Dinge klären. Vielleicht können wir uns ja nächste Woche gegenseitig auf den aktuellen Stand bringen. Vielleicht können wir was trinken gehen?«

»Das wäre. Ja. Schön. Gerne.« Meine Zunge verhedderte sich beim Reden.

Er lächelte und gab mir einen sanften, kaum spürbaren Kuss auf den Mund.

»Bis bald«, murmelte er.

Mit einem dämlichen Grinsen schloss ich die Tür.

Es ist seltsam, welche Details einem nach all der Zeit ins Auge springen. Im Haus hatte sich nicht allzu viel verändert, nur ganz kleine Dinge; ein neuer Teppich im Klo im Erdgeschoss, der fast genauso aussah wie der vorherige, Jalousien an den Küchenfenstern anstatt der alten Vorhänge, und die Kissen, die im Gästezimmer gewesen waren, lagen jetzt im Wohnzimmer.

»Was für ein sympathischer Mann«, bemerkte meine Mutter, als ich ins Wohnzimmer zurückkam. »Nett von ihm, dich mitzunehmen.«

»Er ist nur ein Kollege, Mum«, sagte ich und wandte mich ab, um die Fotos auf dem Kaminsims zu betrachten. Dad war ins Arbeitszimmer verschwunden.

Ich nahm eines der Fotos zur Hand. Das einzige von mir war wohl aufgenommen worden, als ich neunzehn gewesen war. Mein Haar, das ich damals viel kürzer getragen hatte, war von lila Strähnchen durchzogen. Ich war stark geschminkt und blickte trotzig, was durch meinen dunkelroten Schmollmund noch verstärkt wurde. Damals hatte ich diesen Lippenstift geliebt. Es gab einige ziemlich aktuelle Fotos von Christelle und den Katzen.

Sie erwischte mich dabei, wie ich das Bild betrachtete. Ich zuckte die Achseln, es war mir peinlich, dass sie denken könnte, ich wäre eifersüchtig oder so.

»Es wäre schön«, sagte sie und berührte das Foto von mir, »wenn wir ein aktuelles von dir bekommen könnten.«

Typisch, sie musste herumsticheln, dass ich so lange nicht mehr daheim gewesen war.

»Vielleicht könnten wir morgen ein paar im Garten machen.« Sie schenkte mir ein verschwörerisches Lächeln. »Das ist nicht das beste Foto von dir. Dein Haar sieht jetzt so viel hübscher aus. Es hat so eine schöne Farbe.«

»Nicht lila, meinst du.« Der Trotz, der sich in meine Stimme schlich, klang aus Gewohnheit mit, und einen Augenblick sah ich einen schmerzerfüllten Ausdruck über das Gesicht meiner Mutter huschen.

»Nein«, pflichtete sie mir ruhig bei. »Nicht lila.«

Ich vermied es, sie anzusehen, und strich stattdessen über eines der gerahmten Bilder. »Das ist sehr schön.« Es war ein Aquarell, das das Moor in der Abenddämmerung zeigte, mit Heidekraut im Vordergrund, ein dunkles Altrosa im grünen Farngestrüpp. Weiter hinten kamen zwei Mädchen über die Hügelkuppe und purzelten durchs Heidekraut. Der Maler hatte ihre ungezügelte Freude eingefangen.

»Findest du?« Ihre Miene hellte sich auf, und ein geheimnisvolles Lächeln umspielte ihre Lippen. »Das ist Blubberhouses Moor. Ich … ähm, von einer hiesigen Künstlerin. Es wurde letztes Jahr bei der Kunstausstellung in den Valley Gardens gezeigt.«

Ich konzentrierte mich auf das Gemälde. Blubberhouses. Hin und wieder wurde es im Radio erwähnt. Die Straße hoch im Moor, die dort hindurchführte, war oft wegen Schnee oder Unfällen gesperrt. In der Regel entlockte der Name den Verkehrsreportern irgendeinen Kommentar. Als ich zu dem Bild hochschaute, wurden bunte Erinnerungen voll ungetrübter Freude in mir wach.

Sonntagsspaziergänge mit der Familie, bei denen wir mit knirschenden Schritten durch den von Raureif überzogenen Farn gestapft waren. Unser dampfender Atem war in Wölkchen aufgestiegen, während wir uns die Hügel hinaufgekämpft hatten. Chris und ich, wie wir fast gerannt waren, um auf dem Heimweg bergab mit Dads großen Schritten mithalten zu können. Im Winter hatte es zur Belohnung ein Mittagessen im *Sun Inn,* dem örtlichen Pub, gegeben, mit heißer Suppe, Cola für Chris und mich, einem Pint Old Peculier für Dad und einem Halben Tetley's für Mum. Im Sommer hatten wir immer bei der Bolton Abbey gepicknickt, wo meine Schwester und ich über die berühmten Trittsteine gerannt waren, die sich durch den Fluss zogen.

Es waren schöne Erinnerungen. Plötzlich liefen sie über wie ein Fluss bei Hochwasser und ließen mich aufschrecken. Sie überfluteten mich, und mir war, als sähe ich mich selbst in einem Film.

Mum, wie sie lachte und einen unserer Schuhe wieder herausfischte, den wir in den Fluss hatten fallen lassen. Mum, die den Picknickkorb aus Weidengeflecht auspackte, der eher hübsch als praktisch war. Er war tonnenschwer, aber ich bestand immer darauf, dass wir ihn benutzten, gemeinsam mit den Gedecken und dem schönen Porzellan. Mum, die mir die Haare aus dem Gesicht flocht, damit ich beim Benutzen der Trittsteine richtig sehen konnte.

Ich blickte zu ihr hinüber und sah in ihrem Gesicht dieselbe Frau. Eine Frau, von der ich vergessen hatte, dass es sie gab. Ein leichter Schwindel erfasste mich, und einen Moment lang fühlte ich, wie ich die Orientierung verlor, als würde ich zwischen zwei verschiedenen Welten hängen.

Diese Mutter hatte Stunden damit verbracht, mir das Haar zu flechten und zu kräuseln, hatte mir hübsche Haarbänder und -klammern gekauft.

Reue traf mich, und unter dem fast körperlichen Schmerz spannte ich mich an. Ich erinnerte mich an den Tag, an dem ich mir das Haar hatte abschneiden lassen, weniger als eine Stunde, nachdem ich offiziell für die Oberstufe angemeldet worden war – daran, wie ich vom Friseur gekommen war, und an den Blick meiner Mutter, als sie von dem Papierkram aufsah, in den sie vertieft gewesen war.

»Ich glaube, ich bring mal meine Tasche hoch«, sagte ich, plötzlich von überwältigender Müdigkeit erfüllt. Mir war, als hätte mich ein Gefühlstornado erfasst und wieder ausgespuckt, und all die Gefühle wirbelten mir noch immer durch den Kopf.

Mein Zimmer war nach wie vor unverkennbar meins, obwohl ich nicht mehr zu Hause wohnte, seit ich studieren gegangen war. Dinge, von denen ich erwartet hatte, dass meine Eltern sie weggeworfen hatten, waren immer noch da: eine alte Stoffpuppe, ein

Theaterplakat für *Peter Pan* und in der Ecke drei senkrecht und waagrecht mit Büchern vollgestopfte Regalfächer. Ich kniete mich davor, und meine Finger glitten über die Buchrücken. Alle Bücher meiner Kindheit. Die *Chalet School*-Reihe, *Ballettschuhe,* jede Menge zerlesene Enid Blytons und eine bunte Mischung von Klassikern: *Anna Karenina, Schöne neue Welt, Die Wonnen der Aspidistra, Testament of Youth.*

Das etwas mitgenommen aussehende Exemplar von *Testament of Youth* lockte mich. Ich zog es aus dem Regal und strich über den eselsohrigen Umschlag. Eine Szene lief in meinem Kopf ab. Ich, wie ich das Buch in der Buchhandlung zurück ins Regal stellte. Ich hatte es mir nicht leisten können, da ich mein letztes Taschengeld für Schminke bei Boots ausgegeben hatte. Ich hatte niemandem gesagt, dass ich es mir wünschte, aber später an diesem Nachmittag hatte ich auf meinem Bett eine Papiertüte gefunden.

Ich legte mich hin, machte es mir gemütlich und schlug das Buch mit dem zerknickten Einband auf, ehe ich das Titelblatt glatt strich.

Für meinen kleinen Bücherwurm
Ein Muss und kein Luxus.
In Liebe, Maman

Vor Reue und Kummer zog sich mir der Magen zusammen. Wenn ich doch nur zu den frühen Seiten meines Lebens zurückblättern und ein Kapitel von vorn beginnen könnte. Es war Zeit, dass ich mich reifer verhielt und meinen Eltern zeigte, dass ich erwachsen geworden war … endlich.

Sechsundzwanzigstes Kapitel

Die Weihnachtsbaumbeleuchtung war eingeschaltet worden und so eingestellt, dass die Lichter sanft funkelten. Kein grelles Blinken in diesem Haus. Aber es war ein wunderschöner Baum, der direkt am Erkerfenster stand. Ich berührte die Tannenzweige und betrachtete den bunten Schmuck. Auch wenn Christelle und ich nicht daheim waren, hatte Mum alle unsere Lieblingsstücke aus der Kindheit aufgehängt, sogar die kleine in einer Walnussschale schlafende Maus, die ich in der Grundschule gebastelt und die ihre besten Zeiten schon lange hinter sich hatte.

Auch der kaputte Anhänger aus Glas war da – vor Jahren hatte ich darauf bestanden, ihn zu behalten, weil er immer noch hübsch aussah. Ich runzelte die Stirn. Ich hätte erwartet, dass Mum unsere Abwesenheit dieses Jahr ausnutzte, um einen farblich komplett in sich stimmigen Baum mit zusammenpassendem Schmuck zu kreieren und den kaputten Anhänger loszuwerden.

Ein Feuer flackerte im Kamin und versprühte schwache Funken, während es an den frischen Holzscheiten auf dem Rost leckte. Am Kaminsims, das bereits voller Karten war, hing eine Girlande aus Zimtstangen und getrockneter Orangenschale, deren Duft von der warmen Luft im Zimmer verteilt wurde.

Mum hatte es sich auf dem Sofa bequem gemacht und war in ein Buch vertieft. Zu meiner Überraschung war es eines meiner Lieblingsbücher, *Mitten im Gefühl* von Jill Mansell – etwas, von dem ich nicht erwartet hätte, dass meine gelehrte Mutter es las, aber hey, was wusste ich denn wirklich über sie?

Aus ihren zuckenden Lippen und ihrer Vertieftheit schloss ich, dass es ihr wohl gefiel.

»Hallo Mum.« Ich fühlte mich gehemmt und zaghaft. »Tut mir leid, ich bin eingeschlafen.«

»Ich weiß, ich habe reingeschaut, aber du hast vorhin so müde ausgesehen, dass ich dich habe schlafen lassen.«

Sie hatte mich außerdem zugedeckt, und bei dem Gedanken bekam ich einen Kloß im Hals.

»M-Mum.«

Sie legte das Buch neben sich aufs Sofa.

Verlegen stand ich da und wusste nicht, was ich sagen sollte.

Sie lächelte. »Ich trinke gerade ein Glas Wein als Aperitif. Dein Vater übernimmt heute das Kochen.« Sie schenkte mir ebenfalls ein Glas aus der Flasche Rotwein an ihrem Ellbogen ein. »Ich nehme an, du trinkst immer noch keinen Weißwein.«

»Oh Gott, nein.« Wir wechselten einen Blick belustigten Entsetzens.

»Seltsame Sache. Ich frage mich, wieso Christelle das nicht abbekommen hat.«

Ich nahm auf dem Sofa gegenüber Platz. Mum und ich teilten ein ungewöhnliches Leiden. Wir konnten keinen Weißwein trinken, da dieser groteskerweise eine katastrophale Wirkung auf uns hatte. Sofortige Betrunkenheit. Ich glaube, wenn Mum nicht gewesen wäre, hätte mir das niemand geglaubt.

»Marcus wirkt nett.«

»Ja.« Ich konnte den schweren Seufzer nicht unterdrücken, der mir entwich. »Er ist viel zu nett. Ich wünschte, ich hätte ihn schon früher kennengelernt.«

»Es ist nie zu spät, Tilly.« Ihr Tonfall deutete an, dass sie mir eine Botschaft übermitteln wollte.

Ich wollte nicht über Felix nachdenken. Nicht jetzt. Es gab etwas anderes, das ich tun musste.

»Mum …« Meine Stimme war plötzlich heiser. Es war schwerer, als ich erwartet hatte. »Es … tut mir leid.« Weiter kam ich nicht.

»Schatz.« Ihre Augen glänzten vor Tränen, die aufstiegen, aber nicht überliefen. Sie war nicht so nahe am Wasser gebaut.

»Es …« Was sollte ich noch sagen? Es tut mir leid, dass ich eine Scheißtochter war. Tut mir leid, dass ich dich und Christelle und Dad so mies behandelt habe.

Plötzlich saß sie neben mir, hatte den Arm um mich gelegt, und ich spürte ihren weichen Körper, während sie mich umarmte. Als ich ihren vertrauten Duft einatmete, umhüllte mich plötzlich das Gefühl von tiefer Geborgenheit, wie ich es auch als kleines Kind empfunden hatte. »Heile, heile Gänschen« nach einem Sturz, »Wir sind auf deiner Seite«, wenn ich mit einer Freundin gestritten und »Du bist die Beste«, wenn ich einen Misserfolg erlebt hatte, zusammen mit zahllosen unterstützenden Umarmungen, die mir zuteilgeworden waren und die ich immer zu schätzen gewusst hatte. Bis zu meinem sechzehnten Lebensjahr.

»Ich war so schlimm.« Tränen liefen mir übers Gesicht, was blöd war, weil ich mich doch bei ihr entschuldigen musste, und jetzt saß ich da und bemitleidete mich selbst. Das war nicht richtig. Ich wollte ihr Mitgefühl nicht; ich hatte es nicht verdient.

»Tilly. Du warst nie schlimm.« Selbst jetzt blieb sie ruhig und vernünftig, was bewirkte, dass ich mich noch schuldiger fühlte. »Du warst nur wütend auf uns. Es hat so lange angehalten.«

Ich biss mir auf die Lippe und zwang mich, die Worte auszusprechen. »Bestimmt habt ihr mich gehasst.«

Mit einem belustigten Lächeln schüttelte sie den Kopf. »Mütter hassen ihre Kinder nicht.« Ihr Gesicht hellte sich auf. »Wir können sie vielleicht nicht die ganze Zeit gut leiden, aber wir lieben sie immer.«

Als sie das sagte, wusste ich, dass ihr nicht an Schuldzuweisungen gelegen war. Alles, was ich tun musste, war es wiedergutmachen.

»Du weißt, dass dein Vater und ich immer für dich da sind, egal was passiert. Wir sind auf deiner Seite. Ja, es hat vielleicht nicht so ausgesehen, als du jünger warst.« Sie lachte. »Gott weiß, ich habe mich lange gefragt, ob ich nicht einfach nachgeben und dich hätte tun lassen sollen, was du wolltest …«

»Ich bin froh, dass du das nicht getan hast. Du hattest recht.«

»Natürlich hatte ich recht«, sagte sie mit einem selbstgefälligen Grinsen, das ich ihr früher schrecklich übel genommen hätte. Jetzt lächelte ich sie schief an.

»Die Uni war eine gute Sache, und ich habe mehr als nur das Akademische gelernt. Die Lebenserfahrung hat geholfen, ohne wäre ich wahrscheinlich nicht da, wo ich jetzt bin. Wenn ich nur die Berufsschule hier besucht hätte, hätte ich vielleicht nie über den Tellerrand geschaut oder mehr von der Welt gesehen.«

»Oh, das weiß ich«, sagte sie und umarmte mich, »aber damals dachte ein Teil von mir, es würde dir recht geschehen, wenn ich dich einfach machen ließe. Dann hätte ich es auskosten und zu dir sagen können: ›Ich hab's dir doch gesagt‹, wenn du drei Kinder bekommen und als Friseurin in Knaresborough gearbeitet hättest.«

Bei dieser Vorstellung kicherten wir beide.

»Und jetzt schau dich an.« Ihr Gesicht strahlte Zufriedenheit aus. »Du gehörst zu den Besten deines Fachs. Du arbeitest …«

Ihre Worte bewirkten, dass ein Damm brach, und ich musste die Wahrheit eingestehen. »Mum … Ich glaube, ich habe einen Riesenfehler gemacht. Mit Felix. Es ist alles …«, plötzlich war es so offensichtlich, »… eine Täuschung. Wir hätten uns nie verloben sollen. Er ist, *war* so lange meine bester Freund. Wir sind eher wie Geschwister.« Bei meiner Mutter brauchte ich nicht weiter ins Detail zu gehen, aber bei all meinen Klagen, dass ich keinen Sex hatte, hatte ich niemals auch nur einen Bruchteil des Verlangens verspürt, das dieser eine wilde, leidenschaftliche Kuss mit Marcus hervorgerufen hatte.

Mum sagte nichts, sie lächelte bloß gelassen. »Ich will nur, dass du glücklich bist. Ganz gleich, welche Entscheidungen du triffst. Du weißt, dass wir unglaublich stolz auf dich sind.«

Ich starrte sie an und zog ungläubig eine Augenbraue hoch.

»Tilly! Natürlich sind wir das. Du arbeitest bei einem der bekanntesten Theater der Welt, mit internationalen Stars.«

»Wirklich?« Ich konnte nicht widerstehen und musste erneut fragen, nur um sicher zu sein.

»Wirklich und wahrhaftig.« Bei jedem Wort gab Mum mir einen Kuss auf den Scheitel.

Wir saßen noch eine Stunde in dem kleinen Lichtkreis, während Mum fragte, mit welchen Stars ich zusammengearbeitet hatte und wie sie so waren. War ich Pavarotti begegnet, ehe er gestorben war? War Pietro wirklich so ein Schürzenjäger, wie in der Zeitung stand? Und entsprach das Etikett »Pornokönig« der Wahrheit, oder hatte die Presse das bloß erfunden?

Ich ging zu Bett, nachdem ich Mums Aufforderung folgend beim Abendessen dieselben Geschichten noch mal für Dad erzählt hatte. Ich fühlte mich, als hätte ich eine Freundin wiedergefunden, deren Verlust mir zuvor nicht bewusst gewesen war.

Siebenundzwanzigstes Kapitel

Meine Heimfahrt im Fernbus wurde durch die Nachrichten aufgelockert, die ich mir mit Marcus schrieb. Mum hatte mich heute Morgen um zehn am Busbahnhof in Leeds abgesetzt, mit einer zusätzlichen riesigen Reisetasche beladen, die zwei prall gefüllte Strümpfe für Christelle und mich enthielt, ebenso wie diverse Weihnachtssüßigkeiten, unter anderem einen Weihnachtsmann von Lindt, einen kleinen Plumpudding und einen Mini-Christstollen für jede von uns, sowie eine Auswahl an Weihnachtsbaumschmuck, der es offenbar nicht an den Baum daheim geschafft hatte.

Als ich in den Bus stieg und mich noch einmal umdrehte, um Mum zuzuwinken, die ein breites Lächeln aufgesetzt hatte, wurde mir klar, dass ich so glücklich war wie schon lange nicht mehr. Ich setzte mich auf einen Platz am Fenster, sodass ich sie immer noch sehen konnte, und winkte.

Sie wartete, bis der Bus den Motor startete. Das Brüllen ließ die Sitze erzittern, und Benzinschwaden zogen durch den Gang. Wir winkten einander noch immer fröhlich zu, als der Bus aus dem Bahnhof rumpelte und die M1 ansteuerte.

Als ich über das Wochenende nachdachte, bekam ich heftige Gewissensbisse. Es war Zeit, dass ich selbst ein bisschen Ehrlichkeit an den Tag legte. Felix und ich mussten reden.

Es war an der Zeit, sich den Dingen zu stellen. Unsere Beziehung war vorbei, und zwar schon seit Längerem. Mir wurde jetzt klar, dass Felix und ich uns die ganze Zeit etwas vorgemacht hatten, was die Hochzeit betraf. Kein Wunder, dass wir nie dazu gekommen waren, irgendetwas dafür zu tun.

Um zehn nach zehn piepste mein Handy schrill.

Laaangweilig!

Marcus' Nachricht brachte mich zum Lächeln.

Ich bin in einem Reisebus, das Durchschnittsalter der Reisenden liegt bei 103. Und dir ist langweilig????

Schnelles Internet an Bord?????

Klingt einigermaßen interessant. (Log sie.)

Welche Farbe haben deine Schuhe?

???

Da siehst du, wie langweilig mir ist.

Orange.

Niemand hat orangene Schuhe.

Doch, ich.

Echt?

Nein.

Was siehst du, wenn du zum Fenster rausschaust?

Autobahn.

Welches Buch liest du gerade?

Ha! Das neueste von Kathy Reichs … hab's mir gestern gekauft. Deine Schuld, du hast mich drauf gebracht.

Vielleicht leih ich es mir von dir.

Das wird schwierig, es ist auf meinem Reader.

Wir könnten Reader tauschen.

Das war mal eine interessante Idee. Die Reader zu tauschen war so ähnlich, wie jemanden in sein Haus einzuladen und ihn die Bücherregale mustern zu lassen, nur dass ich öffentliche und private Bücherregale besaß. Auf dem Reader waren sie ein und dasselbe.

Lange Pause, bemerkte Marcus. *Verbotene Lektüre?*

Fifty Shades, *unter anderem.*

Taugt es was?

Sag ich dir nicht, du musst es lesen und dir selbst eine Meinung bilden. Ich mag's nicht, wenn jemand anhand der Aussagen anderer ein schlecht begründetes Urteil fällt!

Hochnäsig. Gefällt mir.

Der Nachrichtenmarathon dauerte bis Watford Gap, wo Marcus ankündigte, dass der Akku seines schicken Alleskönner-Tablets im Begriff sei, den Geist aufzugeben.

Siehst du, das hast du von moderner Technik!, meinte ich schadenfroh.

Ich erhielt keine Antwort.

Die nächste Stunde verging langsam, was es den Gedanken, die ich lieber ignoriert hatte, erlaubte, an die Oberfläche zu dringen.

Ich trat über die Schwelle und wäre fast umgekippt, als die Realität mich mit atemberaubender Klarheit traf. Sobald ich die Wohnung betreten hatte, war es, als würde ich plötzlich alles scharf sehen, und auf einmal fühlte ich mich viel älter. Das war wohl Erwachsenwerden.

Meine Beziehung zu Felix war vorbei. Traurigkeit. Bedauern. Leere. Nichts davon konnte die unerschütterliche Erkenntnis verändern. Es würde uns beide aufwühlen, aber er war nicht der Mensch, mit dem ich den Rest meines Lebens verbringen wollte. Er war nicht der Richtige für mich. Noch weiterzumachen, wäre ungerecht. Mir war übel bei der Vorstellung, mich hinsetzen und es ihm sagen zu müssen.

Wenn ich gekonnt hätte, wäre ich im Fernbus sitzen geblieben, um nach Harrogate zurückzufahren, nur dass das bedeutet hätte, wieder davonzulaufen, sich den Dingen nicht zu stellen, und so war ich überhaupt erst in diesen Schlamassel hineingeraten.

Felix würde in ein oder zwei Stunden heimkommen, allerdings erwartete er mich erst morgen zurück. Wie er es wohl aufnehmen würde? Ich wusste, es würde ihn fertigmachen. Nun da ich die Entscheidung getroffen hatte, graute es mir davor, es ihm zu sagen. Ich wollte einfach nur, dass es vorbei war. Wie lange wir wohl brauchen würden, um uns voneinander zu lösen? Wir waren fünf Jahren zusammen gewesen. Die Wohnung gehörte mir, aber ich konnte ihn nicht einfach vor die Tür setzen. Ich wollte ihn nicht verletzen. Vielleicht konnten wir Freunde bleiben. Ich lachte freudlos, was für ein Witz. Wenn man ehrlich war, waren wir ohnehin eher Freunde als irgendetwas anderes. Ich konnte mich nicht erinnern, wann wir das letzte Mal miteinander intim gewesen waren. Geschwisterliche Umarmungen, keusche Küsschen auf die Wange oder auf die Stirn waren alles, was unseren Körperkontakt in den letzten Monaten … oder Jahren ausgemacht hatte. Kein Wunder, dass ich den Verdacht hegte, dass er eine Affäre hatte.

Die vielen Übernachtungen außer Haus und dass er ständig Nachrichten auf seinem Handy geschrieben hatte. Nun, da der Gedanke sich in meinem Kopf festgesetzt hatte, wirkte es offensichtlich.

Und ich konnte nicht über Marcus nachdenken. Zu schnell. Zu viel. Dennoch verfolgte mich dieser Kuss, zusammen mit dem Beinah-Kuss in Chatsworth. Der schwindelerregende Bann, den seine Berührung auslöste, wirkte sogar jetzt noch, da ich nur daran dachte.

Als ich zur Garderobe ging, stolperte ich über ein Paar Schuhe. Ich blickte hinab und erstarrte. Einen Augenblick kam es mir vor, als würde die Erdachse kippen, eine Art Dr.-Who-Moment, in dem ein Zeitriss oder Ähnliches stattfand. Obwohl mein Verstand mir sagte, dass etwas nicht stimmte, ergab es keinen rechten Sinn. Senfgelbe Fick-mich-Schuhe aus Krokodilleder.

Langsam ging ich Richtung Schlafzimmer und wurde fast niedergedrückt von einem gewaltigen Gefühl der Furcht, das sich plötzlich in mir ausbreitete. Diese entsetzliche Empfindung, es zu wissen. Aber ich musste sichergehen.

Leises Gemurmel drang aus dem Zimmer, dennoch stieß ich die Tür auf.

Zuerst bemerkten sie mich nicht. Vince lag auf der Seite und strich Felix das Haar aus dem Gesicht. Die Geste war so zärtlich, dass es sich anfühlte, als hätte jemand mir ein Loch in die Eingeweide gerissen. Felix lag auf dem Rücken und lächelte zu ihm hoch, seine Hand streichelte Vince' Handgelenk. Mir krampfte sich der Magen zusammen, weil die beiden so innig wirkten. Neid, Eifersucht und Traurigkeit ballten sich zusammen, eine riesige formlose Masse, die auf meiner Lunge lag, sodass ich fast nicht mehr atmen konnte.

Wahrscheinlich hatte ich nach Luft geschnappt, denn plötzlich setzte Felix sich auf und hielt sich das Laken vor die Brust.

»Tilly!«

Ich konnte mich nicht rühren.

Vince bewegte sich langsam, trotzig und fast triumphierend. Er legte Felix eine Hand auf die Brust, als wolle er ausdrücken, dass dieser ihm gehörte.

Ein Brechreiz stieg in meiner Kehle auf, und ohne Felix' flehenden, verzweifelten Blick zu beachten, machte ich kehrt und rannte aus dem Zimmer.

Was für eine absolute und totale Idiotin ich doch war. So unglaublich dumm.

Ich hatte immer gewusst, dass Felix sich nicht für andere Frauen interessierte. Ich zuckte zusammen angesichts meiner dämlichen, selbstgefälligen Überzeugung. Plötzlich ergab seine häufige Abwesenheit schrecklich viel Sinn. Wie er immer ängstlich bestrebt gewesen war, zu erfahren, wo ich war, wann ich zurückkommen würde.

Ich musste hier weg.

Zum Glück brannte in Jeanies Reihenhäuschen Licht, als ich durch den schmalen Vorgarten zur Haustür ging. Ich konnte mich nicht mehr recht an die Busfahrt hierher erinnern, allerdings hatte ich es fertiggebracht, die richtige Haltestelle zu verpassen, sodass ich an der nächsten hatte aussteigen müssen. Wasser rann mir übers Gesicht, ließ meine Locken schwer werden und tropfte mir den Hals hinunter. In meiner Eile, zu entkommen, hatte ich mir die unpassendste Jacke gegriffen, ein Exemplar aus Samt, das jetzt vollkommen durchweicht war. Während ich so dastand und meine Gedanken sich ununterbrochen im Kreis drehten, wobei sie versuchten, sich wieder rational zu verankern, klopfte ich heftig an die Tür und kanalisierte so einige meiner quälenden Empfindungen.

Jeanies Gesicht zeigte eine ganze Palette von Gefühlen – Überraschung, Entsetzen, Ausweichen und schließlich Verwirrung.

»Tilly … was … Ach, du liebes bisschen, komm rein. Komm doch rein.«

Während ich zur Tür hineinstolperte, befreite sie mich bereits von meinem durchnässten Mantel.

»Süße, was ist passiert?«

Ich schüttelte den Kopf und fing an zu lachen. »Ich war so blöd! Felix … er …« Ich brachte die Worte nicht heraus und bekam erneut einen nervösen Lachanfall. »Er.«

Jeanies Miene war von Betroffenheit und Bestürzung erfüllt, was auch angemessen war, doch ich fühlte mich plötzlich, als sei eine gewaltige Last von mir genommen.

»Komm, Liebes, komm rein.«

Sie führte mich ins erleuchtete Wohnzimmer, wo mich plötzlich Wärme umhüllte. Da erst merkte ich, wie kalt mir war. Ich schüttelte den Kopf, ließ mich in den Sessel sinken und brach auf der Stelle in Tränen der Wut aus.

Irgendwann legte sich der Sturm, und ich konnte wieder richtig atmen.

»Tut mir leid, ich mache alles nass.«

»Red keinen Unsinn, der Sessel ist nicht aus Zucker.« Ihre pragmatischen Worte waren das, was ich hören wollte. Ein Anker.

»Tut mir leid, dass ich unangemeldet hier aufgekreuzt bin. Du hältst mich sicher für verrückt.«

»Alles gut.« Ihre Körpersprache, als sie sich halb dem Sofa auf der anderen Seite des Zimmers zuwandte, verriet mir, dass noch jemand anwesend war. Ich sah hinüber und wäre am liebsten vor Scham gestorben.

»Hallo.« Carsten Kunde-Neimoth, der berühmteste Tenor der Welt, winkte mir zurückhaltend zu.

Jeanie deutete ein Achselzucken an und lächelte, als wolle sie sagen: Was soll man machen?

Mir fiel die Kinnlade herunter. »Heilige Scheiße.« Ich zeigte von ihm zu ihr und wieder zurück. »Nein!«, erhob ich verblüfft die Stimme. »Nein!« Mein Finger bewegte sich hin und her wie ein Metronom. »Nein! Ihr beide!«

Jeanie wurde knallrot und gestikulierte aufgeregt.

»Wow! Und ich hab nichts davon bemerkt. Jeanie! *Du?* Im Ernst!«

Jeanie schürzte noch stärker die Lippen, bis sie dem Rückenpanzer einer Schildkröte ähnelten. An diesem Punkt wurde mir klar, dass ich vielleicht ein Stück zurückrudern sollte, da das Ausmaß meiner Überraschung schon fast unhöflich war.

»Entschuldigt.« Ich richtete mich auf. Schließlich hatte ich es mit einem musikalischen Superstar zu tun, dem weltweit Respekt gezollt wurde, und mit meiner Chefin. Echt mal, beide hatten etwas mehr verdient …

»Mensch, das kommt ein wenig überraschend. Wann hat das … alles angefangen?« Ich hatte noch zig weitere Fragen, aber ich wusste nicht, wo ich anfangen sollte. Dass Jeanie mit einem Mann zusammenzog, war ein Schritt in die richtige Richtung, aber direkt einer von so einem Kaliber … Das hatte ich nicht erwartet.

»Carsten, sei so gut und hol uns was zu trinken.«

Zu meinem Erstaunen stand Mr Wahnsinnig-berühmter-Opernstar auf und trottete folgsam in die Küche, wobei er seine große Gestalt im winzigen Türrahmen duckte.

Ich starrte Jeanie an.

»Eine lange Geschichte … aber was ist mit dir? Nutz das ja nicht für eine deiner üblichen Vermeidungsstrategien, bei denen du alles ignorierst, worüber du nicht reden willst.« Sie drohte mir mit dem Finger.

»Verdammt, du musst mit Christelle unter einer Decke stecken. Sie sagt das auch immer.«

»Weil es stimmt.« Streng fixierte sie mich.

Ich zuckte die Achseln. »Manchmal ist es einfacher so.«

»Verdrängung ist ja schön und gut, aber eines Tages holt es dich wieder rein.«

»Ein«, berichtigte ich sie automatisch.

Sie hob eine Augenbraue. »Deine Launen gingen hoch und runter wie ein Meteorit. Ich bin nicht doof, weißt du.«

Ich lächelte traurig. »Nein, das bist du nie gewesen. Ich allerdings schon. Ich Depp.« Ich schlug die Hände vors Gesicht. »Wie konnte ich so dumm sein?«

»Hör auf, dich selbst runterzumachen, und erzähl mir, was passiert ist. Ich gehe davon aus, dass es wegen Felix ist, und ich schätze, der Blödmann ist nicht gestorben oder so.«

»Nein!«, fauchte ich. Ich war furchtbar wütend, aber hauptsächlich auf mich selbst. Und eifersüchtig. Auf das, was er hatte. Es war so offensichtlich gewesen, und ich hatte die Augen davor verschlossen und war blind durch die Gegend gelaufen. Nein, blind war noch zu nett ausgedrückt. Ich hatte mir selbst etwas vorgemacht. Ich hatte es gewusst. Wie hätte ich es nicht wissen können?

»Felix ist schwul.« Ich klang ungläubig, aber aus Jeanies Gesichtsausdruck schloss ich, dass es für sie nicht gerade eine Enthüllung darstellte. »Du wusstest das?«

»Und du nicht.«

»Nicht … wirklich.«

Sie sah skeptisch drein. »Wirklich nicht?«

Ich biss mir auf die Lippe und versuchte, ihrem durchdringenden Blick auszuweichen.

»Tilly? Im Ernst? Dir ist nie der Verdacht gekommen?«

»Nein«, meine Stimme erreichte die höchste Oktave, »nie.«

»Oh«, sie klang ziemlich irritiert und verwirrt. Sie streckte die Beine aus und betrachtete starr einen Punkt auf der anderen Seite des Zimmers.

»Woher … wusstest du es?« Ich stupste sie an, damit sie mich ansah.

»Ähm, hallo. Da es in unserer Branche jede Menge Schwule gibt, habe ich dafür einen recht zuverlässigen Radar.« Sie hob die Schultern. »Ich nahm einfach an, dass er vielleicht bi sei und dass das für dich okay wäre.«

Mir blieb der Mund offen stehen. Wirkte ich tatsächlich so? Ich wusste nicht, ob ich mich geschmeichelt fühlen oder entsetzt sein sollte. Innerlich war ich in vieler Hinsicht die Tochter meiner Eltern. Wenn es um Sex und moralische Fragen ging, war ich enorm konservativ.

Ich zupfte an meinem Ärmel und wollte sie nicht anschauen. »Aber wir hatten vor zu heiraten«, murmelte ich und klang dabei trotzig, weil ich die Tatsachen nicht wahrhaben wollte. »Warum hätte er das tun sollen, wenn er … du weißt schon?« Jetzt war mir, als wäre mein Gehirn mit Watte vollgestopft, so dicht, dass ich nicht mehr durchkam.

»Weil er ein Idiot ist.« Sie war Boudicca in einer Kriegerinnenpose, ihre gesamte Körpersprache drückte Kampfeslust aus. »Und ihr hattet beide den Kopf in den Wolken.«

Ich fing an zu widersprechen, aber sie hob die Hand. »Nein, hör mir zu. Stellen wir uns den Tatsachen, ihr habt die Hochzeitsplanung immer weiter hinausgeschoben. Die meisten Frauen fangen schneller mit der Anprobe der Hochzeitskleider an, als eine Maus, der man den Schlüssel zu einer Käsefabrik überreicht hat, sich den Bauch vollschlägt. Himmel, als ich mich verlobt habe, stand ich schon am nächsten Tag vor der Tür von Pronuptia, eine Stunde bevor sie geöffnet haben.« Abscheu erfüllte ihre Miene. »Obwohl, guck nur, was dabei herauskam.«

Ich zuckte die Achseln. »Das hat rein gar nichts zu bedeuten. Wir sind wesentlich älter, als du damals warst, und heutzutage laufen die Dinge eben anders.«

»Tilly«, sie zog meinen Namen in die Länge und hängte noch ein paar Silben dran. »Das ist doch Quatsch. Gib's zu, Felix' Antrag war für dich ein absoluter Schock.«

Ich funkelte sie an. »Okay, es war nicht das, was ich erwartet hatte, als wir den Tagesausflug nach West Wittering unternommen haben.«

Ich dachte an den Tag zurück, an dem er mir den Antrag gemacht hatte. Wie er den Strand entlanggerannt war und herumgealbert hatte. Es war ein herrlicher, windiger und sonniger Frühlingstag gewesen, und aus einer plötzlichen Laune heraus waren wir mit einem Mietwagen an die Küste gefahren. Wir hatten Eis gegessen und im eiskalten Wasser geplanscht. Ein typischer Felix-Tag: spontan, lustig, vergnügt. Bei der Erinnerung daran war mir wieder nach Weinen zumute. An diesem Tag waren wir vor Fröhlichkeit ganz berauscht gewesen. Als er mich nass gespritzt hatte und dann fast hingefallen war, wobei seine Strümpfe im Wasser gelandet waren, hatte er sich umgewandt und in den Wind gelehnt. »Komm, Frau, lass uns heiraten.«

Wir hatten mit Fisch und Fritten gefeiert, und mit einem Ring von einer Fantadose, den er mir feierlich angesteckt hatte. Ehrfurchtslos und verrückt wie immer, zwei Freunde, die zusammen einen richtig schönen Tag verbracht hatten.

»Ja, stimmt«, räumte ich ein und seufzte, weil es mir absolut widerstrebte, zugeben zu müssen, dass sie recht hatte. »Es war eine ganz spontane Entscheidung, aber genau das gefiel mir. Gefällt mir, meine ich.« Jeanie zog nur die Augenbrauen hoch. Mein Kiefer spannte sich an. »Dass Felix so spontan ist.«

»Süße, es gibt spontan, und es gibt völlig weltfremd. Felix gehört in letztere Kategorie. Ich glaube nicht, dass du je wirklich heiraten wolltest, und Felix wollte das bestimmt erst recht nicht.«

»Doch, damals wollte er.« Ich blieb hartnäckig und wünschte mir plötzlich, dass es stimmte.

»Der einzige Mensch, der will, dass Felix heiratet, ist seine Mutter.« Jeanie sah mich fest an. »Man braucht kein Genie zu sein, um das zu durchschauen. Sie verschließen beide die Augen vor der Wahrheit. Du hast selbst erzählt, dass sie es kaum erwarten kann, eine Hochzeit zu organisieren. Ich frage mich, ob sie nicht vielleicht ein bisschen *zu* versessen darauf ist.«

Ich saß kurz da und ließ die Wahrheit zu mir durchdringen. Die Verlobung war für uns beide ein Rettungsanker gewesen. Ich hatte die Kluft überwinden müssen, die in meinem Leben entstanden war, als ich mich von meiner Familie entfremdet hatte, und – das sah ich jetzt deutlich – er hatte wohl gehofft, dass ich für seine Mutter die Lücke füllen würde. Jetzt schien es so offensichtlich. Hinterher war man immer schlauer.

»Also«, fragte Jeanie pragmatisch wie immer, »was ist heute vorgefallen? Flamenco delicto?«

»Ja, ich habe ihn im Bett erwischt mit …« Ich konnte es nicht. Ich konnte es ihr nicht erzählen. Es war schlimm genug, dass Felix eine Affäre mit einem Mann hatte, und dann auch noch mit einem meiner besten Freunde. Ich konnte mich nicht dazu überwinden, Vince' Namen zu sagen. Sein Verrat tat weh. Dieser hinterhältige, triumphierende Blick, als er Felix für sich beansprucht hatte, hatte mich tief getroffen.

Er würde erwarten, dass ich es Jeanie erzählte. Erwarten, dass ich es allen erzählte, um Mitleid zu erregen, und ihn damit zum Opfer machte.

Und wenn ich es Jeanie jetzt verriet, würde es aus Gehässigkeit geschehen.

Ich weigerte mich, so tief zu sinken. Vince würde seinen Mann stehen und den Leuten selbst erzählen müssen, was er getan hatte. Nicht ich.

»Ich habe ihn mit einem anderen Mann im Bett erwischt.«

»Aua … das tut mir so leid, Liebes … aber wie geht es dir?«

Ihr aufmerksamer Blick brachte mich zum Lächeln. »Ich bin erleichtert.« Ich stieß ein halbes Lachen aus. »Grotesk, oder? Es müsste mir das Herz brechen. Stattdessen bin ich auf mich selbst wütend. Das ist das Schlimmste. Ich bin so ein Trottel. Dennoch ist es eine Erleichterung, weil es so vieles erklärt. Und …« Ich konnte ihr noch nicht von meinen Gefühlen für Marcus erzählen, sie waren zu frisch und zu kostbar, um sie zu offenbaren.

»Nun, hier bist du richtig.« Jeanie schloss mich in eine weitere der zwischen uns untypischen Umarmungen. »Wir kümmern uns um dich.«

Wir unterhielten uns noch eine weitere halbe Stunde ruhig miteinander, während meine Gefühle langsam wieder ins Lot kamen. Jeanie schlug mir vor, über Nacht zu bleiben und mir morgen über die praktischen Dinge Gedanken zu machen.

»Und darf ich jetzt fragen? Wie lange läuft *das hier* schon?« Carsten hatte sich offensichtlich diplomatisch im Nebenzimmer versteckt gehalten, denn er wählte diesen Augenblick, um mit zwei Gläsern dampfenden Rotweins hereinzukommen, wobei er übers ganze Gesicht grinste.

»Glühwein für die Damen.« Er reichte jeder von uns einen, ehe er sich Jeanie zuwandte. »Ach Liebling … jetzt ist die Wahrheit ans Licht gekommen«, neckte er sie und bedachte sie mit einem innigen Blick.

Mir blieb der Mund offen stehen. Er war … Auf der Bühne warfen Frauen ihm Rosen vor die Füße, bildschöne Promis gingen mit ihm über den roten Teppich, und er wurde von Paparazzi verfolgt.

Nun ergab alles einen Sinn, und das erklärte, warum es in letzter

Zeit keine Zusammenkünfte an unseren freien Abenden mehr gegeben hatte.

»Es kommt mir ein bisschen komisch vor, euch offiziell miteinander bekannt zu machen, aber, Tilly, das ist Carsten, und Carsten, das ist meine liebe Freundin Tilly, die du auch schon in der Maske getroffen hast.«

»Es ist mir ein Vergnügen, dich richtig kennenzulernen. Die ganze Zeit habe ich mich wie bei Blaubart mit vertauschten Rollen gefühlt, eingesperrt, während diese schlimme Frau nach Belieben mit mir verfährt. Verständlicherweise«, er zwinkerte ihr schalkhaft zu, »will sie ihre anderen Verehrer nicht enttäuschen.«

Jeanie verschluckte sich an ihrem Wein.

»Verständlicherweise«, sagte ich ernst. »Schließlich stehen sie bei ihr Schlange.«

Er nickte mit einem frechen Grinsen. »Ich war bereit, sie alle in die Flucht zu schlagen.«

»Oh, hört schon auf, ihr zwei.«

Ich sah, wie sie errötete.

Sein Superstarlächeln hätte mich aufgemuntert, aber das liebevolle Strahlen, das er Jeanie gegenüber zeigte, weckte echte Freude in mir. Sie hatte dieses Glück verdient, und zwar richtig viel davon. Ihre erste Ehe war eine leidselige Angelegenheit gewesen.

Während ich mit meinen eiskalten Fingern den wunderbar heißen Wein festhielt, wärmte ich mich auf und zwang mich, Carstens selbstironischer Darstellung zu lauschen, wie er Jeanie bezirzt hatte, bis sie sich bereit erklärte, über den betrüblichen Zufall seiner Geburt hinwegzusehen – die Tatsache, dass er dem männlichen Geschlecht angehörte – und es zu riskieren, mit ihm etwas trinken zu gehen. (»Kein Date«, rief sie ihm nachdrücklich ins Gedächtnis, als er diesen Teil der Geschichte wiedergab.)

»Er hat mich mürbegemacht«, sagte Jeanie seufzend, aber ihr glückliches Gesicht drückte etwas anderes aus.

»Ich habe dir den Hof gemacht.« Carsten zwinkerte ihr zu.

»Mich erpresst.« Sie warf ihm einen vorwurfsvollen Blick zu, in den sich eine Spur Stolz schlich. »Wir waren auf der Seitenbühne. Er«, zischte sie dramatisch, »hätte auf der Bühne sein sollen und flüsterte mir ins Ohr, dass er nur gehen würde, wenn ich einwilligte, mich für diesen Abend nach der Aufführung mit ihm auf einen Likör zu verabreden.«

Carsten schmunzelte. »Du hättest ihr Gesicht sehen sollen. Der Vorhang hob sich bereits, und sie diskutierte immer noch mit mir.«

Jeanies verkniffene Lippen kräuselten sich ganz leicht. »Ich mache Tia Maria für meinen Sturz verantwortlich. Der Mann hat es geschafft, mir drei davon einzuflößen.« Sie wechselten einen Blick.

Die Wärme ihrer gegenseitigen Zuneigung rührte mich. Jeanie verdiente es, glücklich zu sein. Bei all ihrem Zynismus war das Leben doch dafür da, dass man es mit jemandem teilte, und ich sah, wie wohl sie sich miteinander fühlten.

»Nun, meine Damen, ich habe ein schönes Bœuf Stroganoff zubereitet. Tilly, leistest du uns Gesellschaft?«

»Aber natürlich«, verkündete Jeanie, ehe sie mich prüfend betrachtete. »Du musst dich abtrocknen. Ich suche dir was zum Anziehen heraus.«

»Ich habe meine Reisetasche dabei … ich war gerade aus Harrogate zurückgekommen, habe die Wohnung betreten und dann gleich wieder verlassen. Allerdings ohne frische Unterhose.« Nicht dass mich das kümmerte.

Jeanie grinste. »Typisch, du hast also deine Schmutzwäsche dabei. Geh ein heißes Bad nehmen. Wenn du wieder runterkommst, essen wir. Und dann kannst du uns helfen, den Weihnachtsbaum zu schmücken.« Sie deutete auf die Tanne, die an der Wand lehnte.

Traurigkeit stieg in mir auf. Ich hatte immer noch keinen Baum.

Jetzt war ich mir nicht mal sicher, ob ich mir überhaupt die Mühe machen sollte, einen zu kaufen.

»Es tut mir so –«

»Kein Wort mehr. Alles in Ordnung. Du bist immer willkommen. Das weißt du. Jetzt setz deinen Hintern in Bewegung, in einer halben Stunde ist das Abendessen fertig, und ich sage dir, so lieb er auch ist, Carsten wird unleidlich, wenn sein Essen warten muss. Er kocht beinahe so gut, wie er singt.«

Ich konnte nicht widerstehen und frotzelte: »Gibt es noch was, worin er gut ist?«

»Das geht dich mal gar nichts an, junge Frau.«

Achtundzwanzigstes Kapitel

Eine Welle des Kummers überkam mich, als ich das gerahmte Foto von mir, Vince und Felix im Regal meiner Besenkammer sah. Die schreckliche, düstere Empfindung drohte mich zu überwältigen, als ich das Bild anstarrte. Wir drei strahlten ins Blitzlicht, die Arme umeinandergelegt. Ich holte es heraus und betrachtete es für einen Moment. Felix, der Größte, in der Mitte, sein übliches munteres Lächeln erhellte sein gut aussehendes Gesicht. Wie immer war er eine echte Stimmungskanone. Unsere Augen glänzten, wir waren voller Leben und wirkten, als könnten wir jeden Moment aus dem Foto heraustreten. Wir hatten uns irgendeine Comedy-Show am Leicester Square angesehen, und als wir am Ende herausgestolpert waren, hatte uns ein Paparazzo abgelichtet, der auf B-Promis lauerte.

Ich starrte das Bild an. Jetzt sah ich es. Die ungewollte Dritte am Rand. *Das war ich.*

Mit verzogenem Mund warf ich das Bild in den Müll.

Es wäre leicht gewesen, zu brüten und Gedanken zu wälzen, aber mir stand immer noch das Treffen mit Alison Kreufeld bevor.

Abrupt straffte ich mich und schlug entschlossen auf den Arbeitstisch. Ich würde diese Stelle ergattern. In den nächsten zehn Tagen würde ich AK zeigen, dass ich verdammt noch mal die beste Maskenbildnerin der Welt und die Hohepriesterin der Bestandskontrolle war. Keine Traumtänzerin mit all den Verzögerungstaktiken mehr. Hartnäckig wie Sekundenkleber würde ich mich der Aufgabe widmen und jedes Produkt ins System bekommen, das wir verwendeten. Ich würde bis aufs Wattestäbchen genau vorgehen und alles einpflegen, bis hin zur letzten falschen Wimper und Glühbirne. Okay, vielleicht nicht die Glühbirnen, dafür war die Gebäudebetreuung zuständig. Ich würde außerdem noch einen draufsetzen und ein vollständiges Verzeichnis aller Perücken erstellen, die wir eingelagert hatten. Das würde mächtig Eindruck machen. Alison Kreufeld würde nicht die geringste Ausrede haben, mir die Stelle nicht zu geben. Sie gehörte mir.

Zum Glück hatte Vince sich krankgemeldet, doch obwohl ich mich in meine Arbeit vergrub und mich selbst mordsmäßig beeindruckte, indem ich eine ganz passable Tabelle anlegte, in der ich alle unsere Perücken auflisten wollte, zog der Tag sich in die Länge, und als es schließlich Zeit zu gehen war, musste Jeanie mich zum Aufbruch zwingen.

»Komm, Liebes.« Sie schaute zu mir hinunter. »Du bist mir immer willkommen, aber du musst mit Felix sprechen. Wenn du es nicht tust, wirst du es nur immer weiter hinauszögern, und alles wird in der Schwebe bleiben. Sobald du mit ihm gesprochen hast, kannst du anfangen, Entscheidungen zu treffen und die Dinge zu regeln. Dann wird es dir sehr viel besser gehen.«

»Ich weiß«, sagte ich und ließ die Schultern kreisen, in dem Versuch, die Muskelverspannung zu lindern, die mich im Nacken zwickte. Dann schlüpfte ich in meinen Mantel und knipste die Lampe in meinem Kämmerchen aus.

Im Nieselregen von der U-Bahn nach Hause zu laufen, anstatt den Bus zu nehmen, passte perfekt zu meiner Stimmung. Tatsächlich sah es wieder ein wenig nach Schnee aus, aber die jämmerlichen Graupeln würden nicht liegen bleiben. Ein paar Minuten lang stand ich draußen vor der Wohnung und sah zum erleuchteten Schlafzimmerfenster hoch. Felix war zu Hause. Ich holte meinen Schlüssel aus der Tasche und ging die Treppe hinauf, wobei meine Beine bei jedem widerwilligen Schritt schwerer wurden. Das Echo meiner Schritte wirkte wie ein unheilvolles Omen, als ich mich der Wohnungstür näherte.

In der Schlafzimmertür blieb ich stehen, denn das war der letzte Ort, an dem ich ihm entgegentreten wollte, und wartete. Ich wollte, dass er als Erster sprach.

Felix wandte sich langsam um, und es war ein Schock für mich, dass er vollkommen normal aussah. In Gedanken hatte ich ihn zu einem Unmenschen hochstilisiert. Nein. Er war immer noch Felix, obwohl er geschrumpft zu sein schien. Der Schwung und Übermut des aufgeregten Labradorwelpen waren verschwunden und der Müdigkeit eines schwermütigen alten Bluthundes gewichen. Seine ganze Miene war von Traurigkeit geprägt, vom trüben Blick seiner Augen bis hin zu den senkrechten Falten um seinen Mund.

»Es tut mir leid, Tilly«, flüsterte er.

Ich war wie gelähmt beim Anblick der Träne, die seine Wange hinunterlief. Er sank aufs Bett und vergrub das Gesicht in den Händen, ein so elendes Bild des Jammers, dass all der Hass, den ich zu hegen geglaubt hatte, sich in Luft auflöste. Ich hatte ihn doch geliebt.

Ich setzte mich neben ihn, sodass unsere Oberschenkel sich berührten.

Die Luft um uns herum schien von Traurigkeit geschwängert und dämpfte den Zorn, der mir zunächst Auftrieb gegeben hatte.

»Du bist nass.«

»Ja. Es regnet. Ich bin heimgelaufen.« Alles, um meine Rückkehr hinauszuzögern.

»Es tut mir leid.«

»Das hast du schon gesagt. Ich würde dich gerne hassen.« Sobald ich die Worte ausgesprochen hatte, bereute ich, wie hässlich sie klangen. Felix war nicht gemein oder bösartig. Er war Felix.

»Tilly. Ich wollte nicht … Es ist nur …« Seine gebrochenen Worte klangen heiser, während sein Gesicht sich in Falten legte. »Nie. Ich wollte das nicht. Ich liebe dich.« Er wandte mir das Gesicht zu, und ich sah die dunklen Ringe unter seinen Augen und den Schmerz darin. »Nur nicht … nicht … Ich dachte, wir könnten es hinbekommen. Dann habe ich …« Ich hob die Hand. Ich wollte nicht, dass er Vince' Namen sagte. »Ich liebe ihn.« Er schluchzte atemlos, die Tränen liefen ihm übers Gesicht. »Ehrlich. Ich habe versucht, es nicht zu tun. Ich habe immer wieder mit ihm Schluss gemacht.«

Ich legte ihm den Arm um die bebenden Schultern, und ein paar Minuten lang saßen wir schweigend da, während ich mich mit starrem Blick im Zimmer umsah. Die Fußleisten bedeckte eine dicke Staubschicht, beim Kleiderschrank fehlte der Sockel, und an der Wand war ein Kaffeespritzer. Die Vernachlässigung spiegelte unsere Beziehung wider, ich hatte zu wenig unternommen, um die Makel anzusprechen, von denen ich genau gewusst hatte, dass es sie gab.

Als Felix' Schluchzen abebbte, sprach ich. »Ich verstehe es nicht. Warum hast du bei mir so getan, als wärst du …«

»Ich wollte so sein … wie Kev … wie die anderen … und du … du warst so nett.«

»Nett!« Ich zuckte zurück. Das tat weh. Nett. »Danke.«

»Du warst wundervoll. Wirklich. Ich meine, du hast immer etwas Gutes in mir gesehen. Wir waren das Mojito-Team. Du hast mir immer das Gefühl gegeben, ich könnte besser sein, als ich tatsächlich war. Ich dachte, wir würden zurechtkommen, aber dann wurde es einfach immer schwerer. Ich habe … andere Männer gesehen und mir Gedanken gemacht. Vince wusste Bescheid. Er wusste es, sobald du uns einander vorgestellt hattest. Er hat mich immer wieder bearbeitet. Dass ich mir selbst nicht treu wäre. Dass es falsch wäre, nicht anzunehmen, was ich sei. Damals wusste ich noch nicht, dass er auf mich stand. Dann, als du nicht … Wir konnten nicht anders.« Felix wurde rot, aber seine Augen leuchteten, als würde er die Erinnerung noch einmal durchleben.

Ich war nah dran zu fauchen: »Natürlich konntet ihr«, aber ich verkniff es mir. Vielleicht weil ich mich noch so deutlich an den magischen Blitz der Anziehung erinnern konnte, den ich bei meiner ersten Begegnung mit Marcus gespürt hatte, an die Aufregung und die reine sexuelle Energie – aber das bedeutete verdammt noch mal nicht, dass man dem nachgeben musste.

Ich hatte niemanden hintergangen.

»Wie lange läuft das schon?«, fragte ich mit dumpfer, tonloser Stimme.

»Wir sind vor Ewigkeiten mal abends zusammen weggegangen.« Erschauernd sog er die Luft ein. »Da wusste ich es, aber ich habe keine Taten folgen lassen. Sehr lange nicht. Ich schwöre es.«

Ich hob eine Augenbraue.

»Bei unserem ersten Treffen haben wir uns nur geküsst.« Er zuckte die Achseln, als sei diese Einzelheit unwichtig. »Dann beschlossen wir, uns nicht mehr zu treffen.« Er vergrub das Gesicht in den Händen. »Es war so schwer. Ich hab's versucht. Aber als ich vor ein paar Wochen weg war, ist er zu mir ins Hotel gekommen.«

Ich spürte, wie die Matratze sich senkte, als er den Kopf hob.

»Es sollte … eine einmalige Sache sein. Ich hatte noch nie … Ich musste wissen …« Sein ganzes Gesicht war von Traurigkeit erfüllt. Ich streckte die Hand aus und berührte seine, und er umschloss meine Finger.

Sein Mund verzog sich, und sein Kinn zitterte. »Danach ließ er mich nicht mehr in Ruhe. Ließ nicht zu, dass ich es beendete. Ich habe es versucht, aber es war zu schwer.« Felix schluckte mit glasigem Blick.

»Ich liebe ihn.« Die schlichten, unverblümten Worte, bar seines üblichen Schwungs und seiner Übertreibungen, schlugen mir ein Loch ins Herz.

»Ich liebe ihn wirklich. Und ich … ich habe die ganze Zeit eine Lüge gelebt und etwas vorgetäuscht. Es tut mir leid, dass ich dir etwas vorgemacht habe, dabei bist du …« Eine Träne lief ihm übers Gesicht. »Meine beste Freundin.« Er drückte mir die Hand. »Du solltest nicht nett zu mir sein.« Er schluchzte, bekam einen Schluckauf und atmete tief ein.

»Nein, das sollte ich nicht«, sagte ich mit einem schmerzlichen Lächeln und betrachtete sein vertrautes Gesicht. Er hob eine Hand und wischte mir eine der Tränen fort.

»Es tut mir leid, Tilly.«

Wir saßen schweigend da, während ich zu verarbeiten versuchte, was er durchgemacht hatte. Ihn so zu sehen, machte es irgendwie fast leichter. Es war für uns beide traurig.

»Gab es andere … andere Männer?« Es fühlte sich komisch an, das zu fragen.

»Nein. Nein. Wie ich dir erzählt habe … er war …« Ein verträumtes Lächeln erhellte sein Gesicht. Eifersucht, Neid und Demütigung kämpften um die Vorherrschaft unter meinen aufgewühlten Gefühlen. »Er war mein Erster.«

Er wandte sich mir zu. »Ich hatte nie vor … das ist eine Zeile aus einem Popsong, oder? Ich wollte dich nie verletzen …«

Wieder schlug er die Hände vors Gesicht. »Was für ein Chaos, nicht wahr?«

Langsam erhob ich mich und wandte mich ihm zu.

»Ich brauche was zu trinken.« Ich ging auf direktem Wege in die Küche und holte mir ein Bier aus dem Kühlschrank. Er folgte mir, und mit beiderseitiger Zustimmung setzten wir uns an den Küchentisch.

»So, was jetzt?«, fragte ich.

Er wirkte unschlüssig. »Du willst wahrscheinlich, dass ich ausziehe.« Mein Herz wand sich. Es kam so plötzlich und wirkte so endgültig.

Ich sah ihm ins Gesicht, in dem ein Anflug von Hoffnung aufblitzte.

»Oder ich könnte ins Gästezimmer ziehen.«

»Im Ernst?« Ich fühlte mich betäubt, hatte keine Ahnung, was richtig war. Es schien der falsche Zeitpunkt zu sein, um große Entscheidungen zu treffen. »Ich weiß nicht, Felix. Ich kann nicht mehr in unserem … diesem Bett schlafen.«

»Bitte, Tilly. Ich will nicht, dass wir so auseinandergehen. Ich … Ich liebe dich immer noch. Nur nicht so wie du …«

Ich hob eine Hand und seufzte. »Lass es. Es hat schon länger einiges nicht gestimmt.«

Resigniert und traurig lächelten wir einander zu.

»Du kannst bleiben … und ich ziehe ins Gästezimmer. Fürs Erste. Aber er kann nicht herkommen.«

Felix nickte. »Verständlich.«

»Was zum Teufel sagen wir deiner Mutter?«

Er hielt sich die Hände vors Gesicht und schauderte.

Neunundzwanzigstes Kapitel

Vince war noch immer nicht auf der Arbeit aufgetaucht, doch als ich am nächsten Tag gerade im Keller war und mich entschlossen auf den Weg zum Lagerraum dort unten machte, schluckte ich. Ich war schon seit mehreren Stunden hier unten, und meine Kehle war trocken und staubig. Sehr trocken. Ich brauchte einen Kaffee, und es würde sehr viel schneller gehen, einen in der IT-Abteilung zu schnorren, als den ganzen Weg in die Kantine zu gehen.

Wem wollte ich etwas vormachen? Ich wollte unbedingt einen Vorwand haben, ihn zu sehen.

»Hallo.« Marcus sah vom Innenleben eines Computers auf, an dem er gerade arbeitete. »Was führt dich hier herunter?« Er warf einen Blick auf meine Hände. »Und dir hat niemand Daumenschrauben angelegt.«

»Ich schätze, Stand-up-Komiker steht nicht in deinem Lebenslauf.«

»Aua, jetzt bin ich verletzt.« Seine Augenwinkel kräuselten sich schelmisch. »Weißt du, dass du graues Zeug im Gesicht hast?«

Schnell wischte ich es weg. »Ich habe im Keller herumgestöbert und Perücken aufgelistet. Dank dir habe ich mir wahrscheinlich irgendeine schlimme Lungenkrankheit geholt, weil ich den ganzen Staub eingeatmet habe. Alles deine Schuld.«

»Wie kommst du darauf?«

»Deine verdammt geniale Idee, alles zu katalogisieren, was sich bewegt.«

»Aha.«

»Allerdings habe ich ein paar Perücken gefunden, die wir wiederverwenden können, was Jeanies Budget guttun wird. Sie ist hocherfreut.«

Er zog eine Augenbraue hoch, woraufhin ich ihm einen bösen Blick zuwarf.

»Sagst du jetzt ›Ich hab's dir doch gesagt‹?«

»Das würde ich nie wagen.« Er grinste mich lässig an.

»Ich bin auch vorbeigekommen, um zu fragen, ob du dir das Buch von Kathy Reichs ausleihen magst, ich hab es im Fernbus nach Hause fertig gelesen. Nachdem du aufgehört hattest, mir zu schreiben.«

»Ich sorge nur dafür, dass deine technischen Fähigkeiten aktuell bleiben. Obwohl mit diesem Klotz eine Nachricht zu schreiben, genauso sein muss, wie etwas auf eine Steintafel zu meißeln.«

»Hallo, wessen Akku hat länger gehalten als der deines neumodischen Touchscreen-Teils?«

»Das liegt daran, dass ich alle möglichen interessanten Apps im Hintergrund laufen habe, die die Akkulebensdauer reduzieren. Zum Beispiel die Mail-App.«

»Na, jetzt, da ich weiß, dass du's bist, brauchst du mir nicht mehr zu mailen. Du kannst mir SMS schreiben.«

»Oder bei Signal? Twitter? Instagram?«

»Ha!«, sagte ich und machte eine Geste wie ein Musketier, der einen Gegner überlistet. »Aber da kein Handy ohne Akku funktioniert, nützt das alles nichts, deshalb würde ich sagen, dass meines in technischer Hinsicht weit überlegen ist. Es tut alles, was es soll, und hat sogar noch Akku übrig.«

Triumphierend verschränkte ich die Arme. »Hast du vielleicht einen Kaffee für mich?«

»Ah, deshalb bist du hier.«

Bildete ich es mir nur ein, oder sah er kurz enttäuscht aus, als er verschwand, um mit zwei Tassen zurückzukommen? Ich schnupperte. Es roch himmlisch.

»Würdest du es in Erwägung ziehen, ins oberste Stockwerk zu liefern?«

»Nein«, entgegnete er lachend, »weil ich genau weiß, wo du deinen Kaffee abstellst.«

»Tatsächlich?« Seiner Reaktion nach glaubte ich es nicht, da er viel zu gelassen und sogar ein wenig belustigt wirkte.

»Ja, Fred hat es mir verraten.«

»Dir was verraten?« Nein, immer noch zu gelassen.

»Nur weil das CD-Laufwerk genau die richtige Größe für einen großen Becher von Costa hat, brauchst du es noch lange nicht als Ablagefläche dafür zu benutzen.«

Meine Züge entgleisten. »Scheiße! So ein Verräter. Ich dachte, Fred wäre auf meiner Seite.«

»Bestimmt gibt es noch einiges, das er nicht erwähnt hat. Und wie läuft es so seit deiner Heimfahrt?«

»Ah.« Er hatte mir die perfekte Vorlage geliefert, ihm von Felix zu erzählen, doch aus irgendeinem Grund zögerte ich. Würde er dann immer noch mit mir ausgehen wollen?

»Du hast dich nicht wieder mit deiner Mum verkracht, oder? Nicht nach all meinen erstklassigen Ratschlägen.«

Ich lachte über seine Neckerei und war dankbar, da sie meine Anspannung linderte. »Ich dachte, du meintest, wie es mit Felix läuft.«

»Oh.« Plötzlich schien das Innere des Computers schrecklich faszinierend zu sein.

»Er hat tatsächlich eine Affäre.« Die Worte kamen fürchterlich sachlich heraus.

Marcus hob den Kopf. Ich erkannte Entsetzen in der Miene, das schnell von Betroffenheit abgelöst wurde.

»Erst als du es erwähntest, habe ich die Möglichkeit auch nur in Betracht gezogen. Und jetzt fragen mich alle ständig, ob ich es denn nicht wusste? Warum fragt mich das jeder? Hätte ich es wissen müssen?« Die Worte sprudelten voller Bitterkeit aus mir heraus. »Oder ist es eine unterbewusste Sache, jeder nimmt an, man müsste es gewusst haben, aber man wollte der Wahrheit nicht ins Auge sehen?«

»Nun aber mal langsam.« Er hob die Hände, als wolle er den außer Kontrolle geratenen Güterzug der Eingeständnisse aufhalten. Doch nun, da ich zu reden angefangen hatte, schien ich nicht mehr aufhören zu können.

»Ja«, sagte ich mit einem verzweifelten Unterton. »Nicht bloß eine Affäre. Sondern auch noch. Mit. Einem. Mann.«

Marcus' Augenbrauen schossen hoch.

»Ja, richtig. Ein Mann.« Im Stakkato sprach ich weiter, die Worte kamen wie Geschosse, die in Kies abgefeuert wurden und Gift versprühten. »Wie dumm bin ich eigentlich? Ziemlich minderbemittelt, was?« Ich zog eine Grimasse.

Marcus lehnte sich zurück. »Und du wusstest es nicht?«

»Nein«, heulte ich. »Für alle anderen war es anscheinend offensichtlich. Warum hätte ich mich mit ihm verlobt, wenn ich es gewusst hätte?«

»Ein berechtigter Einwand.«

»Nur dass Jeanie wohl angenommen hat, ich wüsste es und es wäre okay für mich.«

»Für manche Leute ist es das auch.«

»Und für manche nicht!« Ich sah ihn finster an und sackte dann auf meinem Stuhl zusammen.

»Und du hattest keine Ahnung … Ich meine«, er zuckte zusammen, »tut mir leid.«

»Wenn ich etwas geahnt hätte, hätte ich kein kleines Vermögen für Push-up-BHs, sinnliche Badezusätze und neue Lampen ausgegeben.«

Marcus versuchte offenbar, seine Belustigung zu verbergen, aber es gelang ihm nicht allzu gut, das Grübchen in seiner rechten Wange war zu verräterisch.

»Wag es bloß nicht, zu lachen«, warnte ich ihn. »Es ist so peinlich, wenn man versucht, seinen eigenen Freund zu verführen.« Ich stöhnte bei der Erinnerung. »Tanz der sieben Schleier. Dekolleté entblößen. Kein Wunder, dass er nie Interesse zeigte. Du lachst gleich … das sehe ich.«

Er schluckte. »Ich geb mir Mühe … es tut mir leid«, kicherte er. »Es ist … nur … du bist … na ja, es ist schwer vorstellbar, dass irgendein Mann dich abweisen würde.«

»Felix hat es jedenfalls geschafft«, sagte ich mit einem mürrischen Schmollmund und verschränkte die Arme, obwohl seine Worte eindeutig dafür sorgten, dass mich ein Schauer der Erregung überlief.

Und dann brachen wir beide in Gelächter aus, weil das Ganze so absurd war.

»Es ist nicht lustig«, sagte ich und versuchte, zu Atem zu kommen, ehe ich einen weiteren Lachkrampf bekam. »Es ist peinlich.«

»Und wie geht es jetzt weiter?«

Ich blies die Backen auf und ließ langsam die Luft entweichen. »Ich habe ihm erlaubt zu bleiben. Ich komme mir so dumm vor, aber ich kann ihn nicht vor die Tür setzen. Irgendwie bin ich selbst schuld, weil ich es nie bemerkt habe. Und das Schlimmste ist, es *ist* wirklich meine eigene Schuld. Jetzt ist mir das völlig klar. Ich war so ein Trottel. Wirklich unreif. Habe immer anderen die Schuld gegeben.«

»Ich muss sagen, du bist netter als die meisten Leute.«

Ich zuckte die Schultern. »Wir waren so lange befreundet.« Ich schüttelte den Kopf. »Ich komme mir nur so blöd vor.« Wenigstens machte es mich wütend. »Und hässlich.«

»Hässlich?« Er klang erstaunt.

»Innerlich … ganz sauer, verbittert … eklig.« Ich öffnete und schloss die Hände. »Ich hasse es«, platzte es aus mir heraus.

Eindringlich sah er mich an. »Du bist auf keinen Fall hässlich, weder innerlich noch äußerlich.«

Die Luft knisterte vor unterschwelliger Anziehung, und doch standen wir beide ganz reglos, aufeinander konzentriert, als gäbe es einen unsichtbaren Faden, der uns zueinander zog. Als ich einen Schritt machte, tat er bereits dasselbe, wir trafen uns in der Mitte und standen dann volle dreißig Sekunden lang nur da und sahen uns an. Ich war ganz kribblig vor Aufregung und Erwartung, als stünde etwas sehr Bedeutsames bevor. Langsam kamen wir zueinander und bewegten uns dabei Zentimeter für Zentimeter vorwärts, als wollten wir den Augenblick in die Länge ziehen, von dem ich mir sicher war, dass er mir auf ewig ins Gedächtnis gebrannt sein würde.

Manchmal weiß man einfach, dass etwas richtig ist, selbst wenn Aufruhr herrscht, man weiß es einfach. Die Gewissheit stellte sich schlagartig ein, sobald sich unsere Münder trafen. Wir verfielen in eine langsame, gründliche Erkundung, die Lippen und Zungen umspielten sich so vorsichtig wie die Schritte eines ersten Tanzes.

Schließlich wurde ich ruhiger und ließ mich einfach von Marcus' Armen umfangen, genoss die Wärme seines Oberkörpers durch die feine Baumwolle seines Hemdes. Er roch köstlich, und ich spürte das stetige Pochen, den Schlag seines Herzens unter meiner Wange. Seine Arme an meinem Rücken hielten mich fest, und ich wollte für immer dort bleiben. Es konnte nichts Schlimmes geschehen, solange ich hier stand. Marcus war so zuverlässig und beständig wie ein Leuchtturm, der aufs Meer hinausstrahlte. Ein sicherer Hafen. Merkwürdigerweise genau das, wogegen ich immer so stark angekämpft hatte.

Sein Kinn ruhte auf meinem Scheitel und erinnerte mich an den Trost, den er mir geboten hatte, als wir Chatsworth besucht hatten. Nur dass ich dieses Mal der Versuchung nachgab, an der weichen, nach Moschus duftenden Haut an seinem Hals zu schnüffeln. Als ich das tat, wurde sein Griff kurz fester, als ob er versuchte, das

Richtige zu tun, und dann, mit einem Stöhnen, fanden seine Lippen wieder meine.

Es war ein beruhigender Kuss, gezügelt, doch er versprach mehr.

Er zog sich zurück und strich mir über den Wangenknochen.

»Tut mir leid, vielleicht hätte ich das nicht tun sollen, es ist nicht gerade tolles Timing, aber …«, er sah mich sehr direkt an, »*ich* finde dich sehr attraktiv.«

Dieser Blick traf mich voll, und ich bekam weiche Knie, während mein Herzschlag sich beschleunigte.

Ich öffnete den Mund, doch es kam nichts heraus. Meine Wangen hatten sich erhitzt, ich war eindeutig errötet, ich fühlte, wie die Farbe an meinen Wangenknochen entlangkroch.

»Es ist klischeehaft, aber wenn du fertig bist, möchtest du mit mir was trinken und vielleicht auch essen gehen?«

»Liebend gern.« Ich schenkte ihm ein sehr dankbares und etwas scheues Lächeln. »Das macht einen miesen Eindruck, nicht wahr? Der Verlobte ist noch nicht mal unter der Erde … oder so.«

Marcus legte den Kopf schief. »Tilly, er interessiert mich nicht die Bohne. Seit dem Moment, in dem du rückwärts unter dem Tisch hervorgekrabbelt bist und diesen reizenden vorwitzigen Hintern präsentiert hast, in der fadenscheinigsten Unterhose, die ich je gesehen habe, kann ich nicht aufhören, an dich zu denken. Und ich weiß aus sehr guter Quelle, dass du eine ausgezeichnete Auswahl besitzt, was meinen äußerst unangemessenen Gedanken, wie ich dich bestrafen könnte, wenn dir das nächste Mal am Computer ein Missgeschick passiert, weitere Nahrung gegeben hat.«

»Oh«, quiekte ich, überrascht davon, wie sich plötzlich seine Pupillen weiteten.

»Komm schon, die Spannung zwischen uns baut sich schon länger auf.«

»I-Ich war mir nicht sicher, ob es dir aufgefallen war. Ich dachte, es wäre nur ich, die das Gefühl hatte …« Schnell hörte ich auf zu reden.

»Ich habe versucht, Abstand zu halten, weil ich wusste, dass du verlobt bist.« Mit einem frechen Grinsen sagte er: »Tut mir leid, aber jetzt ist alles möglich.«

»Okay.« Plötzlich war ich ziemlich kurzatmig und wuschig, er hatte so sardonisch den Mund verzogen, was andeutete, dass er etwas im Sinn hatte. Ich war es nicht gewohnt, dass man mich verfolgte.

»Leider sind wir Vollblutkapitalisten so. Wir verschwenden keine Zeit, stürzen uns direkt auf das, was wir wollen.« Er senkte die Stimme, sein Blick verdunkelte sich, und mich überlief ein Schauer der Erregung. Es war verdammt lange her, dass mir jemand das Gefühl vermittelt hatte, ganz Frau zu sein, aber er bekam es recht gut hin.

»Wann hörst du heute auf?«

»Gegen sechs, wo wollen wir uns treffen?«

»Weißt du was, ich komme dich abholen, ich muss sowieso noch zu den Damen in der Kostümabteilung.« Er seufzte schwer.

Glücklich grinste ich. »Was haben sie angestellt? Doch nicht etwa Schlimmeres als ich?«

»Niemand ist so schlimm wie du.«

Als ich wieder in der Abteilung war, schien niemand bemerkt zu haben, wie lange ich weg gewesen war. Ich beschloss, die Notizen abzutippen, die ich mir unten im Lager gemacht hatte. Ehrlicherweise wollte ich die erwachenden Gefühle für Marcus vorerst für mich behalten und die Anfangsaufregung und dieses zaghafte Perlen sexueller Anziehung auskosten, ebenso wie das herrliche Gefühl, gewollt und begehrt zu werden.

Nachdem ich es geschafft hatte, die Excel-Tabelle auf den neuesten Stand zu bringen, wobei ich ziemlich erfreut war, dass ich es hinbekommen hatte, ohne sie zu zerschießen, schaute ich in Jeanies Büro vorbei.

»Alles okay bei dir?«, fragte sie.

»Ja. Es wird.«

Die Uhr tickte den ganzen Nachmittag mit hartnäckiger Langsamkeit, doch ich haute eifrig am Computer in die Tasten.

Als Marcus auftauchte, waren die meisten aus meiner Abteilung schon in die Dunkelheit des frühen Abends entschwunden, und ich hatte sämtliche Posten ins neue System eingegeben.

»Tut mir leid, das hat länger gedauert als erwartet«, sagte er.

»Siehst du, ich bin nicht die Schlimmste.«

»Es ist ein Kopf-an-Kopf-Rennen. An deiner Stelle wäre ich nicht zu selbstsicher.«

Sein Lächeln nahm den Worten jegliche Beleidigung.

»Bist du fertig?«, fragte er.

»Ja, und ich habe Neuigkeiten.«

»Die da wären?«

Ich verließ die Besenkammer und ging hinüber zu der Reihe von Haken, wo mein Mantel hing. Dabei lächelte ich vor mich hin, als ich mir seine Reaktion vorstellte, wenn ich ihm erzählte, dass ich das Projekt abgeschlossen hatte und sogar fast damit fertig war, ein Verzeichnis der Perücken zu erstellen.

Als ich in meinen Mantel schlüpfte, sah ich, wie Marcus sich unter meinen Arbeitstisch beugte.

»Was hat Vince angestellt, um dich so zu verärgern?«, fragte er und zog das Foto von mir, Felix und Vince aus dem Müll.

»Beide«, sagte ich und nahm ihm das Bild aus der Hand. »Felix.«

Mit dem Finger spießte ich Felix in der Mitte des Fotos auf.

»Das ist Felix?« Seine Stimme ging in die Höhe.

Mir wurde kalt, weniger wegen der Verwirrung in seiner Stimme, sondern eher, weil er plötzlich völlig reglos dastand. Als hätte er Angst, auch nur einen Muskel zu bewegen, als könne dies bewirken, dass alles um ihn herum zusammenbrach. Sein Finger folgte meinem und zog eine Linie, die das Bild halbierte, dort wo Felix zwischen mir und Vince stand.

»Oh Gott, du weißt es, nicht wahr?« Einen Moment lang rauschte es in meinen Ohren, und ich konnte mich kaum konzentrieren.

Der heftige Kummer in Marcus' Gesicht verriet mir alles, was ich wissen musste.

Verstohlen sah ich mich um, obwohl ich wusste, dass alle anderen entweder schon nach Hause oder hinunter in die Maske gegangen waren.

»Der Mann, mit dem Felix eine Affäre hat, ist Vince«, flüsterte ich grimmig. »Du darfst es niemandem verraten.«

»Aber …« Ein schmerzerfüllter Ausdruck huschte über sein Gesicht. »Ich habe sie gesehen.«

Ich schloss die Augen, und mein Körper spannte sich an, weil ich auf einmal verstand. »Wann?«

Er verzog das Gesicht. »Neulich nach der Galavorstellung. Ein paar von uns standen draußen vor dem Bühneneingang. Philippe, Guillaume, Leonie. Vince kam aus dem Theater und ist direkt hinübergerannt. Ich …« Marcus zog die Schultern hoch. »Ich weiß es noch, weil es ein so leidenschaftlicher Kuss vor aller Augen war. Und niemand hat irgendetwas gesagt, aber es hat eine komische Atmosphäre geherrscht, allerdings habe ich mir nicht allzu viel dabei gedacht.«

»Oh Gott. Sie wissen es alle.« Ich krümmte mich und hielt mir den Bauch, als der körperliche Schmerz des Verrats tief in mich hineinschnitt, gefolgt von einem Gefühl äußerster Demütigung. Es erklärte, warum Leonie in letzter Zeit so kühl zu Vince und Philippe an jenem Abend so besorgt gewesen war. »Ich brauche dringend was zu trinken.«

Skepsis huschte über Marcus' Gesicht. Er wusste wahrscheinlich nicht so recht, wie er mit einer emotionalen Frau umgehen sollte. Seine Skepsis war durchaus angebracht. Ich brauchte einen sehr großen Drink.

Ich ließ ihm nicht viel Handlungsspielraum. Ich schnappte mir meinen Mantel und raste an ihm vorbei, eine zerstörerische Kriegerkönigin auf ihrer Mission. Wild entschlossen, meine Sorgen zu ertränken, schleppte ich ihn direkt zum *Marquess of Anglesey*.

Dreißigstes Kapitel

Ich stech ihm das Auge aus … nein, beide Augen. Reiß ihm die Eier ab … 'tschuldigung.«

Marcus zuckte zusammen. »Häng sie oben ans Dachdingsda … und das is' nur Felix und erst der Anfang. Ich verbrenn alle seine Anzüge … und Krawatten … und Schuhe … und CDs. 'n Riesenfreudenfeuer … auf der Straße, weil wir keinen Garten ham.« Ich streckte meinen krummen Rücken durch und zeigte mit zittrigem Finger auf Marcus. Dieser runzelte besorgt die Stirn. »Du hältst mich für besoffen, nich'?« Mein Kopf schien beschlossen zu haben, dass er zu einer Thunderbirds-Puppe gehörte, und wackelte gefährlich, während ich mich heftig bemühte, ihn aufrecht zu halten. Die Schwerkraft hatte andere Vorstellungen.

Angestrengt versuchte ich, mich zu erinnern, was genau ich hatte sagen wollen. Es war mir entfallen.

»Du findest, ich rede Mist, nich'?« Ich nickte weise. »Ich rede Mist.« Ich nahm mein gerade wieder aufgefülltes Weinglas in die Hand, das gefährlich schwankte, das Licht brach sich im Glas wie das Warnsignal eines Leuchtturms. Viel zu spät. »Noch Wein, Herr Pfarrer?« Ich prostete Marcus zu, der es eindeutig bereute, mir ein viertes Glas bestellt zu haben. »Die nächste Runde geht auf mich.«

Ich versuchte, ihn charmant anzulächeln, was ziemlich schwierig war, da alle meine Gesichtsmuskeln offenbar einen kurzen Abstecher woandershin unternahmen. Sein fragender Blick drückte aus, dass er fand, ich habe genug.

»Sogar wenn du ganz miss… missbilligend und überlegen schaust, hast du'n *sehr* schönes Gesicht. Weißt du? *So schöne* Augen. Slaw… slawische Wangenknochen. Wetten, alle Mädels in dieser kranken Bank da, wo du vorher gearbeitet hast … kapiert, Bank –

krank, die war'n alle in dich verknallt, nich'? Du bist okay … wenn du dich mal'n bisschen locker machst. Du guckst total missbillig… missbilligend.« Ich kicherte. »Das hab ich schon mal gesagt, nich'?«

»Ja, Tilly.«

»Ja, nich' wahr?« Ich trank noch einen großen Schluck Wein. »Verdammt schön.« Um mich herum drehte sich alles. Scheiße, ich musste mich zusammenreißen. So tun, als ob ich nüchtern wäre. Ich setzte mich gerade hin und konzentrierte mich auf sein Gesicht. Zum Teufel, seine Augen waren hinreißend.

»Weißt du was? Du hast verdammt schöne Augen.«

»Das hast du schon mal gesagt.« Nahm er mich gerade auf den Arm?

»Echt?«

»Ja.« Er war ganz leutselig und überheblich.

Ich fuchtelte fieberhaft leugnend mit den Händen. »Ich meine, sie sind sehr att… attraktiv … auf einer reinen Beob… Beobachterebene. Das heißt nich', dass ich in dich verknallt bin oder so. Ich beob… beobachte nur.« Ich versuchte, mich auf sein Gesicht zu konzentrieren. »Nee, ich bin kein bisschen in dich verknallt. Nich' mein Typ …« Als ich das sagte, fühlte ich, wie ich einknickte. Spöttisch und freudlos lachte ich mich selbst aus. »Mein Typ. Ha! Das is' witzig, nich'. Mein Typ. Ein Typ, der auf andere Typen steht … und nich' auf mich. Wetten, du stehst nich' mal auf mich, nich'?«

Jetzt lachte er über mich und versuchte nicht einmal, es zu verbergen.

»Lach bloß nich' über mich.« Ich stach streitlustig mit dem Finger in seine Richtung, nur dass ich ihn verfehlte und den Finger stattdessen in die gepolsterte Wand hinter ihm drückte.

Er nahm meine Hand und küsste die Handfläche, in seinen Augen funkelte Belustigung. »Du hast ein sehr kurzes Gedächtnis.«

»Du hältst dich für soooo lässig, nich'?« Mein Kopf schien wirklich schwer zu sein. Ich erinnerte mich an den Kuss vorhin. »Lässig und kannst gut küssen. Extrem gut. Küsst du alle Mädels so? Du bist gut. Echt gut.« Ich betrachtete ihn aus zusammengekniffenen Augen. »Has' wohl viel geübt.«

Er grinste. »Ich bin tatsächlich lässig, und du bist total dicht.«

Ich versuchte, meine Würde zusammenzukratzen. Ich war vielleicht ein bisschen angeheitert, aber so schlimm war es nicht. Nicht wirklich, obwohl der Raum einen etwas merkwürdigen Winkel angenommen hatte. Ich schloss kurz die Augen. Nein! Oh! Das war viel schlimmer. Ich öffnete sie wieder, was sehr anstrengend war, und fokussierte mich auf Marcus' Gesicht. Nur dass es immer wieder verschwamm. Wie machte er das nur? Cooler Trick.

»Machst du das …« Es war wie in einem Goldfischglas, nur dass Goldfische nicht so gut aussahen. Er war wirklich durchtrainiert. »Wie machst du …« Ich blinzelte, doch sein Gesicht bewegte sich weiterhin, seine Lippen waren erst da und dann wieder weg. Je länger ich sie anstarrte, desto stärker wollte ich sie küssen. Sie waren so verdammt schön. Wer hätte gedacht, dass Lippen so schön sein könnten und sooo magnetisch. Ich fühlte mich von ihnen angezogen. Vielleicht kam es mir auch nur so vor. Mein Kopf hing herab, und ich musste ihn wieder hochhieven. Jep, die Lippen sahen immer noch anziehend aus. Die Augen waren immer noch grün, jep, sie sahen irgendwie …

Oh verdammt, mir waren wieder die Augen zugefallen, und mein Kopf fühlte sich sehr schwindlig an.

»Tilly?«

»Mmmm.« Meine Augen wollten nicht mehr spielen. Zu schade, er bot nämlich ein Bild für die … die Augen.

»Tilly?«

Inzwischen drehte sich der Raum um mich, und sein Gesicht entschwand durch einen Tunnel, aber Junge, roch er lecker. Ich schnüffelte und merkte, dass meine Nase an seinem Hals lag. Warme, wundervoll riechende Haut.

Ich küsste diese so schöne, leicht stoppelige Haut direkt unter diesem starken, festen Kinn. Köstlich. Ich streckte die Zungenspitze heraus, um zu schmecken. Salz. Stoppeln. Während ich tief einatmete, fühlte ich, wie seine Arme sich um mich schlossen.

»Tilly.« Ich fühlte, wie er versuchte, mich aufrecht zu halten, und alles war wie Spaghetti. »Tilly, es kann nicht sein, dass du so wenig verträgst. Du hattest nur vier Gläser Wein. Du kannst nicht so«, er hielt inne, und ich spürte, wie sein Griff fester wurde, »so betrunken sein.«

Ich blinzelte zu ihm hoch. »Betrunken? Ich? Neeein.« Wieder blinzelte ich. »Vielleicht. Vielleicht sogar sehr.« Lächelnd sank ich ihm in die Arme. Er war verdammt wundervoll.

»Komm schon, Tilly.« Marcus klang wie die Mitarbeiterinnen in der Schulkantine. Streng, aber freundlich.

Ich kämpfte mich in meinen Mantel, was sich plötzlich anfühlte, als wollte ich einen Oktopus anziehen. Warum hatte ich so viele Arme? Warum funktionierten sie so schlecht?

Er legte mir meinen Seidenschal um und schlang ihn mir einmal zu oft um den Hals, anstatt ihn hübsch durch eine Schlaufe zu ziehen, dann versuchte er, mich auf die Füße zu stellen.

»Hab ich mein Glas getrunken?«, fragte ich und wollte zum Tisch zurück.

»Nein, aber du hattest genug.«

»Nur zwei«, sagte ich in einem Ton, der sehr an Joyce Grenfell erinnerte, und schwenkte vor ihm die entsprechende Anzahl Finger. »Nur zwei. Nur zwei. Nur zwei.« Mit jeder Wiederholung wurde ich schriller und lauter. Es klang fast wie ein Lied und ziemlich hübsch. Um die Wirkung zu verstärken, legte ich ein wackliges Tänzchen hin, was schlecht endete, da ich gegen einen Tisch torkelte und lauter Pints überschwappen ließ.

»Ups, sorry.« Ich lächelte die drei Kerle am Tisch breit an und winkte ihnen kurz zu.

Marcus legte einen Arm um mich und führte mich zur Tür. Ich wusste nicht, warum er das für nötig hielt, es ging mir prima.

Als wir aus dem Pub traten und plötzlich auf dem geschäftigen Bürgersteig standen, hielt ich inne, überfordert von dem Kaleidoskop von Farben, Gerüchen und Geräuschen. Covent Garden an einem kalten Winterabend war einzigartig. Touristen eilten vorbei. Schwarze Taxis rumpelten vorüber. Alles war voller Leben und Energie. Eine ziemlich vergnügte Atmosphäre. Ich lächelte hinauf in Marcus' Gesicht. Er hatte diesen nachsichtigen, geduldigen Blick aufgesetzt, den ich, offen gestanden, überhaupt nicht von einem Draufgänger und Jetsetter wie ihm erwartet hätte. War er überhaupt ein Jetsetter? Vielleicht irrte ich mich da?

»Fliegst du weit in 'nem Jet?«, fragte ich. Die Worte stimmten nicht ganz, aber ich kam nicht drauf, warum.

»Was?«

»Bist du 'n Jesttetter?« Ich griff nach seinem Arm als zusätzliche Stütze. »Hoppla, wer hat den Gehsteig bewegt?«

Während er mich mit einem Arm festhielt, sah ich zu, wie er ein Taxi heranwinkte. Obwohl um uns herum jede Menge andere Leute waren, die dasselbe versuchten, hielt das Taxi für ihn.

»Du bist 'n dunkler Lord, nich'?«

»Was?« Sogar wenn er verdutzt war, sah er sexy aus. So schön geformte Augenbrauen über diesen grünen Augen.

»Oder eher 'n Lord der dunklen Künste? Der Taxis aus dem Dunkeln herbeiruft? Bin ich mit dem Teufel im Bund?«

»Tilly. Halt den Mund.« Das sagte er sanft und unterbrach die Worte mit einem Küsschen auf meinen Scheitel, als er mich an sich zog. Einen Moment lang genoss ich, wie er roch und sich anfühlte, wie seine Brust sich gleichmäßig hob und senkte. Lord der dunklen Künste oder nicht, ich fühlte mich sehr sicher und behaglich. Dann spürte ich, wie ich zwischen seinen Armen hindurchglitt, gerufen von der Schwärze betrunkenen Vergessens.

Einunddreißigstes Kapitel

Jemand hatte in meinem Kopf einen Minenschacht aufgemacht, und kleine Hämmer schlugen mit widerhallender Häufigkeit darin herum. Warum hatte ich immer noch nicht meine Lektion gelernt? Wodka, Gin, sogar Rotwein konnte ich mit hemmungsloser Hingabe hinunterkippen, aber ich wusste ganz genau, was Weißwein mir antat.

Verdammte Scheiße. Alle auf der Arbeit wussten Bescheid. Und ich hatte Felix erlaubt, in der Wohnung zu bleiben. Sie würden mich für bescheuert halten.

Ich rollte mich herum, um mich in die Matratze zu kuscheln, damit ich wieder einschlafen konnte, aber ich hatte kein Glück, sie war hart und unnachgiebig, nicht wie meine schöne weiche Matratze daheim. Alarmglocken schrillten. Nicht mein Bett. Oh scheiße. Eindeutig nicht mein Bett. Nicht mein Schlafzimmer. Nicht mein Zuhause.

Als ich rasch mein Gedächtnis durchforstete, kamen nur einige vage Fakten ans Licht. Ich war mit Marcus von der Arbeit weggegangen. Ich hatte mich in Marcus' Gegenwart abgefüllt. Mit Marcus das Pub verlassen. Und war mit ihm in ein Taxi gestiegen.

Die entsetzliche Übelkeit, mit der sich mein Magen zusammenkrampfte, hatte rein gar nichts mit meinem Kater zu tun. Sehr stilvoll, Tilly. Super. Ich zwang mich, die müden, verklebten Augen zu öffnen, blinzelte und stützte mich auf die Ellbogen. Einen Moment lang drehte sich das Zimmer um mich herum.

Violette Vorhänge mit Hyazinthenmuster, gegenüber eine Kiefertür, das laute Rattern der Heizung und das Gurgeln der Klospülung direkt hinter der Wand. Ich ließ mich wieder in die Kissen sinken. Gott sei Dank. Jeanies Gästezimmer.

»Morgen.« Jeanies übertrieben fröhliche Stimme drang in meinen Halbschlaf. In einem Morgenmantel mit Paisleymuster stand sie neben dem Bett, das charakteristisch rot und rosa gefärbte Haar stand ihr fast zu Berge, als hätte sie sich in der Nacht erschreckt. Zu meiner ewigen Dankbarkeit hielt sie in der einen Hand eine Tasse Tee und in der anderen ein Glas mit einer sprudelnden, klaren Flüssigkeit.

»Alka Seltzer, Fräulein.« Sie wartete, bis ich mich vorsichtig aufgesetzt hatte, und drückte es mir dann in die Hand. »Trink.«

»Gemein«, krächzte ich. Sie wusste, dass ich das Zeug hasste, und hatte ausgenutzt, dass ich nur halb bei Bewusstsein war, aber ich verzieh ihr, weil sie heißen Tee dabeihatte. Es machte mir nichts, als ich mir daran fast die Zunge verbrannte, weil er den scheußlichen kreideartig schleimigen Geschmack vertrieb.

»Oh Gott«, stöhnte ich.

»So kann man es ausdrücken.« Sie hockte sich aufs Bett. »Erinnerst du dich noch an irgendwas von gestern Nacht?«

»Schon«, wich ich aus. Es gab furchtbar viele Lücken.

»Das heißt also nein.« Sie kannte mich und mein lückenhaftes Gedächtnis. »Du warst völlig hinüber, als Marcus dich gestern Nacht wieder hierhergebracht hat.«

Ich strich mir das strubbelige Haar aus dem Gesicht. Lieber Gott, ja. Marcus. Nach und nach fiel mir mit fürchterlicher, farbenfroher Deutlichkeit alles wieder ein.

»Er schien es ziemlich witzig zu finden. Obwohl das wahrscheinlich daran lag, dass du immer wieder zu mir meintest, wie gut aussehend er wäre und was er für schöne grüne Augen hätte.«

»Oh Gott, nicht wirklich.«

»Oh Gott, doch.«

Ich schlug die Hände vors Gesicht, es war mir so gnadenlos peinlich, dass meine Wangen brannten.

»Du wolltest nicht, dass er ging. Hast ihn gebeten zu bleiben.«

Ein amüsiertes Lächeln umspielte ihre Lippen, fast schon ein Grinsen.

Ich zuckte zusammen, weil ich mich daran erinnerte, wie ich ihm die Arme um den Hals geschlungen und dämlich zu ihm hochgegrinst hatte.

Ich stöhnte. »Das ist nicht witzig. Hab ich mich komplett zum Affen gemacht?«

»Kann man so sagen.«

Ich trank noch einen Schluck heißen Tee. »Was denkt er jetzt nur von mir?«

»Tatsächlich hat er sich wie ein ziemlicher Gentleman verhalten.«

Ich warf ihr einen misstrauischen Blick zu. Sie war gerade viel zu nett. Nettigkeit war eigentlich nicht ihr Stil.

»Was hat er gesagt?«

»Nicht viel, er sagte nur, dass du sehr aufgewühlt gewesen wärst. Meinte auch, es sei enorm günstig, mit dir auszugehen, und dass er noch nie erlebt hätte, dass jemand so schnell so betrunken war.« Jetzt lachte sie über mich. »Du hast dir eindeutig nicht die Mühe gemacht, ihn von deinem kleinen Weißweinproblem in Kenntnis zu setzen, ehe er angeboten hat, dich auf einen Drink einzuladen.«

»Eindeutig«, sagte ich. Ich fand ihre offensichtliche Erheiterung angesichts meiner Verlegenheit kein bisschen lustig. »Ich hätte es dir erzählen sollen.« Ich lachte unfroh. »Alle anderen wussten es. Es ist Vince.«

»Vince?«

»Er und Felix.«

»Vince!« Der entsetzte, heisere Schrei, mit dem sie vom Bett aufsprang, ließ mich zusammenfahren. »Vince! Dieser dumme, dumme, dumme …«

Ich versuchte zu verbergen, wie verräterisch abgehackt mein Atem ging.

»Oh, mein armes Mädchen«, sagte sie, ehe sie böse hinzufügte: »Diese Kröte! Warte, bis ich ihn in die Finger kriege.«

»Wir beide«, schniefte ich halb lachend.

»Wie konnte er nur? Dieser hinterhältige, verlogene kleine Dreckskerl. Verdammte Männer. Sind doch alle gleich.«

Ich lächelte über ihre Empörung. »Sogar Carsten.«

»Er zeigt sich noch von seiner Schokoladenseite. Bewahrung. Wir werden sehen. Aber was machen wir mit dir?«

»Bewährung«, korrigierte ich sie automatisch. Wenigstens ein Gutes hatte das Ganze. Ich hatte das neue Computersystem rechtzeitig für mein Gespräch mit Alison fertigbekommen.

»Ich könnte den kleinen Schuft feuern.« Ihre Miene drückte etwas anderes aus. Wir wussten beide, dass sie das nicht ernst meinte.

»Aus welchen Gründen? Gibt es eine Regel, dass man anderen nicht den Freund ausspannen darf?«

»Mir würde schon etwas einfallen.«

»Danke, Jeanie. Ich hatte ein bisschen Angst, es dir zu erzählen.« Ihre Hand schloss sich um meine, und wir verfielen in Schweigen.

»Hmm. Wir brauchen Frühstück. Sandwiches mit Frühstücksspeck. Mit leerem Magen kann ich nicht denken, und du brauchst auch was zu essen, du bist so blass, dass wir fast die Ghostbusters rufen könnten. Zieh dich an, wir treffen uns in der Küche.«

Jeanies bedingungsloses Mitgefühl bewirkte, dass es mir sehr viel besser damit ging, zur Arbeit gehen und Vince begegnen zu müssen.

Ich erzählte ihr die ganze jämmerliche Geschichte, während wir an ihrem Küchentisch saßen und dicke Scheiben Toast mit fettglänzenden Speckscheiben in uns hineinstopften.

Jeanie kaute wild ihr Sandwich, als ich ihr erzählte, wer sonst noch Bescheid wusste.

»Wie sieht der Plan aus? Der N. O.«

»N. O.?«

»Nodus Operandi … Das kennst du doch bestimmt, so viele Krimis, wie du liest.«

»Es ist lateinisch und heißt Modus Operandi.«

»Bist du sicher?« Jeanie schien nicht überzeugt. »Wenn du meinst.«

Ich gab auf, es war sinnlos, mit ihr zu diskutieren, außerdem hatten wir Wichtigeres zu besprechen. »Ich hab absolut keine Ahnung. Ein Teil von mir will angriffslustig reinpreschen, ihn in Stücke reißen und ihm sagen, dass ich nie wieder ein Wort mit ihm rede. Der andere Teil möchte so tun, als wäre nichts passiert.« Meine Miene entgleiste. »Ich will einfach nur, dass alles wieder wie früher ist.« Ich brach in Tränen aus. »V-Vince und F-Felix«, schluchzte ich und legte den Kopf auf den Tisch.

»Ach, Süße.« Sie streichelte mir den Arm.

»Ich fühle mich, als wäre meine Welt zerbrochen. Alle wussten es, außer mir … und dir. Bestimmt halten alle mich für dumm wie Brot. Warum hat niemand was gesagt?«

In der Werkstatt war es verhältnismäßig ruhig, nur ein paar Leute arbeiteten leise vor sich hin. Und da, auf der anderen Seite des Raumes, befand sich Vince. Er sah auf, als ich hereinkam. Im Raum wurde es sehr still, und ich ging mit großen Schritten zu ihm hinüber, plötzlich von ruhiger, selbstsicherer Wut erfüllt.

Vince erstarrte, so wachsam wie eine Gazelle, die Gefahr witterte. Er schien bereit, jeden Augenblick davonzuspringen, als wüsste er, dass etwas sehr Ernstes im Gange war.

»Tilly …« Er streckte die Hände aus.

Hocherhobenen Hauptes trat ich zurück, obwohl mir übel war.

Er schluckte schwer, und sein Adamsapfel hüpfte, als ringe er nach Worten. Ich sah fast, wie er versuchte, seine Strategie zu finden. Die richtigen Worte zu wählen. Wofür? Um sich zu entschuldigen? Es zu erklären?

Ein flehender, schmerzerfüllter Ausdruck huschte über sein Gesicht.

»Tilly«, bat er mit ausgestreckten Händen.

»Wag es bloß nicht«, fauchte ich. »Stell dich nicht als das Opfer dar.«

Ich musste hier raus. Ich ertrug es nicht, aber als ich mich umdrehte und meinen Arbeitsplatz mit der halb fertigen Perücke sah, fasste ich plötzlich einen Entschluss. Ich würde nicht davonlaufen. Keine dramatische Szene hinlegen. Ich hatte Arbeit. Professionelle Arbeit. Privates musste außen vor bleiben. Ich würde das, was mir wichtig war, nicht wegen so etwas verlieren.

Ich zwang mich, mich ihm wieder zuzuwenden, und sagte mit leiser, ruhiger Stimme: »Vince. Ich bin sehr mitgenommen.« Ich reckte das Kinn und nahm den letzten Rest meiner Würde zusammen. »Ich möchte das nicht bei der Arbeit besprechen.«

Er schmollte. »Na, es sind ja auch alle auf deiner Seite. Philippe und Leonie weigern sich, mit mir zu reden.«

»Und du fragst dich, warum?«, meinte ich gedämpft.

»Ich wette, du hast auch Jeanie auf deiner Seite.«

Ich schüttelte den Kopf. »Werd erwachsen, Vince. Es gibt keine Seiten. Du solltest dein eigenes Gewissen befragen. Freunde … tun einander so etwas nicht an.«

Ich kehrte ihm den Rücken zu und ging wieder an meinen Arbeitsplatz, wo ich die Perücke für Julia zur Hand nahm. Ich würde sie nicht mehr ablegen oder irgendetwas anderes tun, bis ich mit dem letzten Löckchen fertig war. Und ich würde nicht noch einmal zu Vince hochschauen, oder zumindest nicht, bevor ich mit drei der Locken fertig war.

Als ich gerade bei der zweiten Locke war, sah ich aus den Augenwinkeln, wie er sich in Jeanies Büro schlich. Eigentlich schlich er nicht wirklich, doch er hatte verstohlen die Schultern hochgezogen und umrundete langsam den Raum, bis er bei ihr war. Durch die Scheibe sah ich, wie er erregt mit ihr sprach. Seine Hände bewegten sich schneller als bei einem Übersetzer für Gebärdensprache.

Ein kleiner Teil von mir, der nicht sonderlich nette, war erfreut zu sehen, dass ihr Gesicht nichts als Abscheu ausdrückte. Ich wusste nicht, was sie sagte, doch aus seiner eingeschüchterten Miene und der Geschwindigkeit, mit der er wieder an seinen Arbeitstisch eilte, schloss ich, dass sie kurzen Prozess mit ihm gemacht hatte.

Ich verfiel in ein Muster und hatte den hinteren Teil der Perücke fertig, als Jeanie mit finsterem Blick aus ihrem Büro rauschte. Sobald sie weg war, trippelte auch Vince hinaus, das Handy umklammert. Keine Frage, wen er anrief.

»Hier ist was für dich.« Wie ein guter Geist tauchte Marcus auf und reichte mir eine Tasse Kaffee. Ich schmolz fast vor Dankbarkeit, als ich den herrlichen Geruch einatmete.

»Oh, danke.« Ich nahm sie ihm ab und legte beide Hände um die Tasse, genoss die Hitze. »Ich glaube, ich liebe d–« Sobald die Worte mir herausgerutscht waren, wollte ich sie wieder ungesagt machen, vor allem, weil ich ihn dabei direkt ansah.

Sein Gesicht wurde weicher, Lachen verbarg sich in seinem Lächeln, und dann trat etwas Entschlossenes in seinen Blick, bei dem mir der Atem stockte.

»Du bist auch nicht übel.« Er nahm auf der Bank Platz. »Wie geht es dir heute Morgen?«

»Nicht so toll.« Ich verzog das Gesicht, zum Glück fühlte ich mich noch zu elend, als dass das eben Gesagte mir allzu peinlich gewesen wäre.

»Was macht dein Kopf?« Einer seiner Mundwinkel zuckte, doch

er schaffte es, eine ernste Miene beizubehalten. »Gestern Abend hast du gut gebechert.«

»Schon okay.« Ich wand mich. »Tut mir leid, ich hätte dich wegen des Weins vorwarnen sollen.«

»Ja, was hat es damit auf sich? Ich hab ja schon von günstigen Verabredungen gehört, aber diese war ein absolutes Schnäppchen.«

»Das passiert nur bei Weißwein«, sagte ich entrüstet. Noch etwas, das nicht mehr in Vergessenheit geraten würde. Wahrscheinlich hielt er mich für vollkommen durchgeknallt. »Meiner Mum geht es genauso. Normalerweise rühre ich ihn nicht an.«

»Es sei denn, du willst dir komplett die Kante geben.«

»Mmm, ich hatte wohl schon bessere Ideen.«

Marcus lächelte. »Ich weiß nicht, es hatte auch Vorteile.«

Ich hielt mir die Hände vors Gesicht. »Ich weiß nicht mehr viel davon …« Und ich würde ihm ganz sicher nicht aufzählen, an was ich mich erinnerte.

»Schon okay. Ich kann dich informieren.« Das halb belustigte Lächeln auf seinem Gesicht war ein klein wenig herausfordernd. »Offenbar findest du mich toll, und ich habe zwei richtig schöne Augen, aber du bist nicht in mich verknallt. Das ist also in Ordnung. Obwohl du findest, dass ich extrem gut küsse.«

Ich verschluckte mich an meinem Kaffee. Hatte ich das Wort »verknallt« benutzt? Wie alt war ich eigentlich?

»Jedenfalls bin ich froh, dass wir das geklärt haben, ich habe mich nämlich gefragt, ob du Lust hättest, am Samstag mit mir zu einem Fußballspiel zu gehen. Arsenal gegen Liverpool. Start ist um drei im Emirates-Stadion. Ich habe zwei Karten.«

Ich konnte mich nicht entscheiden, ob ich ihn böse anschauen oder es leichtnehmen sollte. »Du machst Witze.«

»Nur eine Idee.«

»Mein Gott, liebend gern … weißt du, dass ich … das weißt du, ich hab's dir erzählt. Wow. Das wäre so fantastisch.« Es war bestimmt sehr schwer, an solche Karten zu kommen.

»Super. Danach vielleicht noch Abendessen.«

»J-Ja, das wäre … das wäre. Sehr gut.« Karten für Arsenal und Abendessen. Ein Date mit Marcus. Ich wollte auf meinem Stuhl herumhibbeln, doch ich schaffte es, mich zu beherrschen, während wir besprachen, wo wir uns treffen würden, ehe er zur Tür hinaus verschwand.

Juchhu. Dann hibbelte ich auf meinem Stuhl, mit einer raschen Umdrehung obendrein. Ich kreischte leise, die Werkstatt war verlassen. Oder auch nicht. Mein Gehör nahm das verräterische Quietschen einer Tür wahr. Ein Schatten fiel über meinen Arbeitstisch, und ich merkte, dass jemand hinter mir stand.

»Du bist es noch mal, oder?«, fragte ich.

»Leider. Ich musste noch was loswerden.«

Ich hielt ihm den Rücken zugewandt und versuchte, locker zu bleiben.

»Nur eins.« Er beugte sich hinunter und strich mir mit den Lippen über den Nacken, ein dahingehauchter Kuss, ehe er sehr leise sagte: »Dass du nicht in mich verknallt bist, bedeutet nicht, dass ich nicht in dich verknallt bin.«

Als ich schließlich wieder genügend Geistesgegenwart erlangt hatte, um mich herumzudrehen, war er verschwunden. Währenddessen pulsierte mein Puls fröhlich vor sich hin.

Zweiunddreißigstes Kapitel

Fußball!« Jeanie schüttelte mit offensichtlichem Missfallen den Kopf und schenkte mir Rotwein nach. Als sie sich auf dem Sofa ausgestreckt und das Gesicht dem Feuer zugewandt hatte, das im Kamin knisterte, fügte sie hinzu: »Ich kann mir nichts Schlimmeres vorstellen.«

»Warst du denn schon mal bei einem Fußballspiel?« Ich saß ihr gegenüber in dem Sessel, der in meiner Vorstellung schon meiner war, und hatte mir das kleine grüne Samtkissen direkt hinter den schmerzenden Rücken geschoben.

»Nein.«

»Woher willst du es dann wissen? Vielleicht gefällt es dir ja.«

Sie senkte ihr Weinglas. »Ich bin auch noch nie von einem Löwen gefressen worden, aber ich bin mir sicher, dass es mir nicht gefallen würde.«

»Das Beispiel ist total beliebig.«

»Zu dieser Uhrzeit und nach einem so langen Tag wie heute fällt mir kein besseres ein.«

Wir waren nach einer besonders strapaziösen Schicht beide todmüde. Vince war heute nicht aufgetaucht, da er sich wieder krankgemeldet hatte. Obwohl das für uns zusätzliche Arbeit bedeutete, hatte es auch eine Riesenerleichterung dargestellt. Jedenfalls für mich. Jeanie hätte wahrscheinlich gern darauf verzichtet, das Team neu aufzuteilen, um sicherzustellen, dass alle pünktlich auf die Bühne kamen.

Noch immer hätte ich ihn am liebsten ermordet. Komisch, dass ich Felix verzeihen konnte, Vince jedoch nicht. Der gestrige Tag hatte sich in die Länge gezogen. Dass mich den ganzen Tag noch mein Kater geplagt hatte, hatte auch nicht gerade geholfen. Es folgte eine schlaflose Nacht, in der ich beim Gedanken an Marcus zwischen Hoffnung und freudiger Erwartung schwankte und meine Gefühle in Schwermut und tiefe Enttäuschung umschlugen, wann immer ich an Vince und Felix dachte. Soweit es meine heftigen Gefühlsumschwünge betraf, erschien es mir wie eine hervorragende Lebensentscheidung, Nonne zu werden. Ich hatte mich zu Jeanie zurückgezogen, weil ich keine weitere Konfrontation mit Felix ertrug, ebenso wenig wie die Bestätigung, dass ich ein noch größerer Depp als angenommen war, weil ich ihm erlaubt hatte, bei mir wohnen zu bleiben. Ich hätte ihn bitten sollen auszuziehen, aber dafür fehlte mir die Kraft.

»Was zieht man zu einem Fußballspiel an?«

»Kleidung?«

»Ich meinte, was du anziehst, Ms Kitten Heels.«

»Nun ja … die werde ich natürlich nicht tragen.« Aber was würde ich dann anziehen? Die Zeiten, in denen ich mit einer großen wollenen Pudelmütze, einem gestreiften Schal und in einem Paddington-Düffelmantel in Begleitung meines Dads zu Leeds United gegangen war, waren schon lange vorbei. »Ich hoffe nur, dass es nicht schneit. Laut Wettervorhersage könnte das nächste Woche passieren.«

Wir verfielen in Schweigen.

»Du kannst dir meine Jacke von North Face ausleihen. Die wird dich warm halten.«

Gleichzeitig würde ich so aufgeblasen aussehen wie das Michelin-Männchen … auf der anderen Seite hatte es einiges für sich, nicht zu frieren. Marcus hatte mich schon oft gesehen, betonte meine vernünftige Seite. Die eitle Seite, die insgesamt mehr zu sagen hatte, wies darauf hin, dass es sich immerhin um ein erstes Date handelte. Ich war es mir selbst schuldig, so gut wie möglich auszusehen.

»Ich wünschte, du hättest mir diese Frage nicht gestellt«, grummelte ich. Mir stand eine weitere schlaflose Nacht bevor.

Mit einem großen moosgrünen Samtschal, in Jeanies North-Face-Jacke, dunkelgrünen Röhrenjeans (heute Morgen frisch bei H&M gekauft), einem Paar Budapester-Schnürstiefeletten und mit einer Arsenal-Mütze auf dem Kopf wartete ich darauf, dass Marcus auftauchte, und hoffte, dass ich in der Menge der Fußballfans angemessen schick, aber nicht fehl am Platz aussah. Wir hatten vereinbart, uns direkt ums Eck vom Stadion an einer Kreuzung zu treffen. Auf den Straßen drängten sich schon ausgelassene und freudige Gruppen, die alle zum Spiel unterwegs waren. Ich hüpfte auf der Stelle herum, als sei mir kalt, aber tatsächlich konnte ich nicht still stehen. Ich war schon jahrelang nicht mehr bei einem richtigen Spiel gewesen und hatte vergessen, was dort für eine Atmosphäre herrschte. Das Gemeinschaftsgefühl, wenn alle in Richtung des Geländes schwärmten. Diese undefinierbare Empfindung, dazuzugehören. Mit völlig Fremden, die alle dasselbe Ziel hatten, ein Lächeln auszutauschen und ein paar Worte zu wechseln. Der Geruch nach Bier und Burgern. Kleine Kinder, die neben ihren Vätern herhüpften, mit zusammenpassenden Schals und Mützen. Die hohen Mauern des Stadions, bei deren Anblick sich einem vor Aufregung die Nackenhaare sträubten, als sei man Teil einer nervösen Armee, die im Begriff war, die Burg zu stürmen.

Ich entdeckte Marcus schon, ehe er mich sah, und nahm mir die Zeit, ihn genau zu beobachten, während er mit großen Schritten auf mich zukam. Wie konnte es sein, dass er sogar noch schärfer als gewöhnlich aussah? Die Jeans trugen definitiv viel dazu bei. Ein paar Frauen schauten sich nach ihm um, und wer konnte es ihnen verübeln? Eine schwarze Lederjacke betonte seine breiten Schultern und wurde nach unten hin schmaler, um schlanke Hüften und diese langen Beine hervorzuheben. Eine echte Augenweide. Ich konnte mir ein Lächeln nicht verkneifen, er war einfach zum Anbeißen.

»Tilly.« Er begrüßte mich mit einem Wangenküsschen. »Freust du dich schon aufs Spiel?«

Ich nickte, kurzzeitig sprachlos, als er zu mir hinunterlächelte. Perfekte weiße Zähne und ein Lächeln wie ein Filmstar. Man hätte ihm einen Warnhinweis aufkleben sollen. *Dieser Mann wird Ihr Herz schneller schlagen lassen, als medizinisch betrachtet gut für Sie ist.*

»Es wird sicher gut. Ich hab Taschentücher für dich dabei«, bemerkte er.

»Warum, damit ich deine Tränen aufwischen kann, wenn meine Jungs euch gnadenlos schlagen?«

Er stieß mich in die Rippen. »Ja, genau.«

Plötzlich hielt ich inne. Weder Mütze noch Schal. Er hätte jeden unterstützen können. Das verhieß nichts Gutes.

»Marcus?«

»Ja.« Er klang argwöhnisch.

»Auf welcher Seite sitzen wir?«

Er lachte. »Alles gut. Ein Kumpel von mir hat eine Dauerkarte für Arsenal. Wir sitzen bei den hiesigen Fans. Ich bin derjenige, der den Mund halten muss.«

»Das wird bestimmt eine Herausforderung.«

Auf dem ganzen Weg aufs Gelände und hoch zu unseren Plätzen, die sich so weit oben befanden, dass mir fast schwindlig wurde, tauschten wir alberne Neckereien aus.

»Es ist genauso schlimm wie Drury Lane, auch wenn man hier ein bisschen mehr Beinfreiheit hat.«

»Typisch, dass du es mit einem Theater vergleichst.«

»Wenigstens nenne ich die Halbzeit nicht Pause!«, rief ich ihm ins Gedächtnis.

Er lachte.

Schäkern war an der Tagesordnung. Zwischen uns gab es keine Verlegenheit oder Scheu, ebenso wenig wie den Versuch, sich von seiner besten Seite zu zeigen. Es war ein bisschen schwierig, jemandem gegenüber schüchtern zu sein, der gnadenlos unhöflich meinen Lieblingsspieler disste und ihn mit einem Esel mit drei Holzbeinen verglich oder murmelnd den Torhüter beleidigte, der einige Male brillant den Ball hielt. Wir waren beide anderer Meinung als der Schiedsrichter, allerdings nicht zum gleichen Zeitpunkt.

Es fühlte sich gut an, von so viel geradlinigem, unkompliziertem, nüchternem Testosteron umgeben zu sein. Ich erinnerte mich an seine frühen Mails. Verfolgungsjagden im Auto. Ich lächelte.

»Warum grinst du? Es steht immer noch null zu null.«

»Nichts«, sagte ich, noch immer lächelnd.

Mit einem verschmitzten Grinsen zog er mir die Mütze vom Kopf, wodurch mein Haar in alle Richtungen quoll. Was auch immer er hatte tun oder sagen wollen, geschah nie, da es einer dieser Augenblicke war, in denen alles anhielt und wir einander nur anstarrten. »Du hast wunderschönes Haar.« Er strich mir eine Partie aus dem Gesicht und benutzte diese dann, um mich sanft zu sich zu ziehen.

Wir waren so in den Kuss vertieft, dass wir kaum das plötzliche Brüllen der Menge bemerkten, als alle um uns herum sich erhoben.

»Ich glaube, jemand hat möglicherweise ein Tor geschossen, und wir haben es verpasst«, murmelte ich schließlich, als ich wieder zu Atem kam, wobei ich noch ganz benommen von dem Gefühl war, sehr gründlich geküsst worden zu sein. Ein Plastikbecher prallte von Marcus' Kopf, ab und jemand johlte: »Nehmt euch ein Hotelzimmer.«

Er umschloss meine Hand mit seiner, und den Rest des Spiels saßen wir schicklicher da.

Beim nächsten Tor sprang ich auf und schrie mit dem Rest der Zuschauer. Aus offensichtlichen Gründen fiel Marcus nicht ein.

Als wir in der fröhlichen, feiernden Menge aus dem Stadion strömten, war es schon dunkel. Ein freundlicher Pulk von Menschen kam heraus, alle unterwegs in Richtung U-Bahn. Im Gedränge hielt ich Marcus' Hand.

»Komm.« Er zog mich in eine Seitenstraße. Diese war zwar auch noch belebt, doch es gab genug Platz, um auf dem Bürgersteig zu laufen anstatt auf der Straße.

Mittlerweile war ich ganz durchgefroren.

»Du hast ja schon fast blaue Lippen.«

»Meine Füße sind Eisklumpen.«

»Bis zu meiner Wohnung sind es nur zehn Minuten zu Fuß, und ich hatte dir ein Abendessen versprochen.«

»Meinst du das, was Männer darunter verstehen, oder sind es wirklich nur zehn Minuten zu Fuß?«

»Wo liegt der Unterschied?«

»Für meinen Dad dauert ein zehnminütiger Fußweg oft eine gute halbe Stunde.«

»Nein, es sind wirklich nur zehn Minuten.«

»Dann nur zu, Macduff.« Und ich war neugierig. Ich konnte es kaum erwarten, seine Wohnung zu sehen. Ich schätzte, dass sie sauber und aufgeräumt sein würde, voll glänzender Oberflächen wie sein Büro auf der Arbeit. Wahrscheinlich überhaupt nicht mein Geschmack.

»Darf ich dich hier korrigieren, tatsächlich heißt es: ›*Stich zu, Macduff.*‹«

»Und das gefällt dir, nicht wahr?« Geschah mir recht dafür, dass ich ihn so zur Schnecke gemacht hatte, weil er nichts über die Oper wusste.

Er grinste mich an. »Ja.«

Er wohnte in einem historischen Mietshaus, was ich nicht erwartet hatte.

»Ich dachte, du würdest in einem dieser Dinger aus Glas und Stahl wohnen, die dem Gott des Modernen gewidmet sind«, sagte ich, als wir durch eine hübsche alte Buntglastür gingen, über einen schwarz-weiß gefliesten Boden und eine Treppe mit filigranen schmiedeeisernen Verzierungen und Messinggeländer hinauf.

»Ich habe darüber nachgedacht und hätte fast eine Wohnung in Canary Wharf gekauft … aber meine Eltern wohnen in Watford.«

»Du hast Eltern.« Wie dämlich, natürlich hatte er Eltern. Er drückte mir die Hand, die er nicht losgelassen hatte, sogar als er die Haustür unten aufgeschlossen hatte. Er hatte auch eine Schwester, auf unserer Fahrt in den Norden hatte er mir alles von ihr erzählt.

»Ja, ich sehe sie alle paar Wochen, und mit dem Auto ist es nur eine Dreiviertelstunde bis zu ihnen. Deshalb habe ich mich für die Wohnung hier entschieden.«

Wir gingen eine weitere Treppe hoch, ehe wir vor seiner Wohnungstür stehen blieben.

»Komm rein.« Er zog mich hinein.

Wärme schlug uns entgegen. »Himmlisch«, sagte ich, zog meine Mütze aus und schüttelte meine Haare.

»Lass mich dir den Mantel abnehmen.« Er zog mir den Mantel von den Schultern, und während ich die Arme still hielt, hielt er inne und beugte sich zu mir, um mich zu küssen, ehe er den Mantel herunterzog. Keiner von uns achtete darauf, dass er zu Boden fiel. Seine Küsse machten zunehmend süchtig, und wie ein Tanzpaar schienen wir bereits zu wissen, wie wir uns zusammen bewegen mussten. Seine Zunge neckte meine Lippen, und ich öffnete den Mund, spürte all meine Nervenenden in Flammen aufgehen, als er den Kuss vertiefte.

Mit sanfter, verführerischer Gründlichkeit erkundete er meinen Mund und übernahm mit köstlicher Autorität die Führung. Es war so lange her, dass ich mich das letzte Mal begehrt gefühlt hatte, weshalb diese ganz und gar männliche Aufmerksamkeit in mir Begierden weckte, die lange unberührt geblieben waren. Es gab keinen Zweifel – diese Berührungen und dieses Verlangen hatte ich so sehr gebraucht.

Als er sich von mir löste, hätte ich ihn beinahe wieder zurück an mich gezogen, doch sein träges Lächeln versprach so viel, dass ich fast ein warmes Stechen weiblicher Befriedigung verspürte. Das erhitzte Leuchten seiner Augen machte mich ziemlich selbstzufrieden.

»Alles okay mit dir?«

»Gerade so.« Ich rieb mir die Lippen und sah wohl ein bisschen benommen aus. Ich errötete, hatte ich das wirklich laut gesagt? Ich war die Wirkung seiner Küsse nicht gewohnt. Mir war ein bisschen schwindelig zumute.

Mit seinen schmalen Hüften und den langen Beinen in gut sitzenden Jeans schien er sich in seinen eigenen vier Wänden absolut wohlzufühlen, und diese Küsse voller gezügelter Lust hatten ein Schwelen entfacht. Gleichzeitig vermittelte der besitzergreifende Kuss an der Grenze zu seinem Gebiet mir das Gefühl, er hätte mich in seine Obhut genommen. Hier war ich Gast, und man musste sich um mich kümmern. Plötzlich kam mir die Erkenntnis, wie anstrengend der Alltag mit Felix tatsächlich gewesen war. Immer hatte ich die Vernünftige sein müssen, Geldentscheidungen treffen und dafür sorgen müssen, dass die Rechnungen bezahlt wurden und wir die richtigen Versicherungen abschlossen, es war, als würde man sich um ein Kind kümmern. Felix hatte keinerlei Verantwortungsbewusstsein. Zuerst hatte es sich großartig angefühlt, ohne Druck, das Richtige zu tun, doch nach und nach hatte unser zwangloses Zusammenleben einen schalen Beigeschmack bekommen. Gott, er und Vince würden zusammen katastrophal sein.

»Darf ich dir was zu trinken anbieten? Weiß… nein, keinen Weißwein. Roten? Verträgst du Rotwein? Wodka? Gin? Ein Bier?«

Ich grinste. »Bis auf Weißwein kann ich alles trinken.« Ich folgte ihm durch den Flur, von dem mehrere Türen abgingen. Er betrat eine überraschend große Küche mit einer Kochinsel.

»Wow, wie angenehm. In dieser Küche könnte man fast meine gesamte Wohnung unterbringen.«

»Die Vorteile eines City-Gehalts.«

Die eine Wand säumten deckenhohe Vitrinenschränke, zwischen denen sich ein Backsteinkaminsims mit einem großen Edelstahldoppelofen mit fünf Gasbrennern befand.

»Setz dich, ich hol dir was zu trinken.« Mit dem Kinn deutete er auf einen der beiden Barhocker auf der anderen Seite der Insel.

»Danke.« Ich erklomm einen davon und stützte mich mit den Ellbogen auf die Arbeitsplatte aus Nussbaum.

»Ich habe eine schöne Flasche Barolo.« Aus einem schmalen Regal zwischen den Vitrinenschränken und dem Backsteinkaminsims zauberte er eine Flasche hervor.

»Das wäre wundervoll.« Zwar kannte ich mich mit Wein kaum aus, aber Pietro liebte einen guten Barolo, und er konnte sich teuren Wein leisten.

»Gut, ich koche italienisch, daher wird er perfekt passen.«

»Du kochst?« Ich dachte daran, was Felix sich unter Kochen vorstellte. Ein Riesenchaos, zu viele Gewürze und jede Menge Nudeln.

»Schau nicht so besorgt.«

Ich sah auf und schüttelte den Kopf. »Mir geht's gut.«

»Keine Angst, an meinem Essen ist noch niemand gestorben.« Er grinste. »Bisher zumindest.«

»Du kannst also kochen?«, reagierte ich auf seine Neckerei.

»Man nennt mich nicht umsonst Jamie Oliver Walker. Warte, bis du meine Pasta Pomodoro e Prosciutto probiert hast.« Er küsste seine Finger und nahm einen fürchterlichen italienischen Akzent an.

»Das klingt sehr gut … was ist es?«

»Bella pasta, mamma mia, vino rosso. Oregano.«

Als Antwort sagte ich: »*Un bel di vedremo levarsi un fil di fumo sull'estremo confin del mare. E poi la nave appare.*«

Er machte ein langes Gesicht. »Sprichst du das etwa fließend?«

Mit einem unbekümmerten Schulterzucken ließ ich folgen: »*Come un mosca prigionera l'ali batte il piccolo cuor!*«

»Ich kann keine einzige Fremdsprache. Wenn ich im Ausland bin, komme ich mir immer ein bisschen arschig vor. Noch ehe man versucht hat, ein Wort in der Landessprache zu sagen, reden die Leute schon perfektes Englisch mit einem.«

Ich wandte mich ab und presste die Lippen aufeinander.

»Sag noch mehr, es klingt …« Er hob die Augenbrauen und deutete damit den Rest des Satzes an.

Mit betont heiserer Stimme sagte ich: »*Che gelida manina! Se la rasci riscaldar. Cercar che giova? Al buio non si trova. Ma per fortuna – e una notte di luna, e qui la luna l'abbiamo vicina.*«

»Was hast du jetzt gesagt … oder kannst du es mir nicht verraten?« Übertrieben schlüpfrig ließ er die Augenbrauen zucken.

Ich tat so, als würde ich kurz nachdenken, und sagte dann, ohne eine Miene zu verziehen: »Deine winzige Hand ist ganz kalt. Lass sie mich in meiner aufwärmen. Warum hinsehen, wenn die trübe Dunkelheit verweilt? Doch mit etwas Glück scheint heute Nacht der Mond hell, und hier oben ist er unser nächster Nachbar.«

Er schlug mit einem Küchentuch nach mir. »Oper, nehme ich an.«

»Hast du es etwa nicht erkannt?« Ich kicherte vor mich hin. »Dabei stammt es aus deiner Lieblingsoper.« Ich hielt inne und zog die Augenbrauen hoch. »*La Bohème.*«

»Sehr witzig.« Er legte mir das Küchentuch um den Hals und zog mich für einen weiteren schwelenden Kuss dicht zu sich.

»Irgendwann schauen wir sie uns zusammen an.« Die Worte

sprudelten heraus, ohne dass ich darüber nachgedacht hatte, doch sobald ich sie ausgesprochen hatte, ließ seine ernste Miene mein Herz einen Schlag aussetzen.

»Darauf komme ich zurück«, sagte er leise. »Ich habe den Verdacht, dass ich so einige Opern kennenlernen werde. Also«, er verließ mich kurz und ging die Weinflasche öffnen, »kannst du Italienisch oder nur Liedtexte?«

»Nur Liedtexte«, sagte ich lachend. »Tut mir leid, man hört sie so oft, dass man anfängt mitzusingen. Natürlich nicht vor Leuten wie Carsten oder Pietro, und die englische Übersetzung steht fürs Publikum auf dem Bildschirm. Vince und ich haben immer …«, ich stockte.

»Ich muss zugeben, dass ich es nicht kapiere.« Marcus schenkte mir ein sanftes Lächeln, und sein unausgesprochenes Mitgefühl ließ mein Herz höherschlagen. »Aber ich bin bereit, es auszuprobieren. Du kannst mich bilden.«

Plötzlich stiegen mir Tränen in die Augen. Das war vielleicht das Netteste, das er zu mir hätte sagen können.

»Tilly.« Er stellte die Flasche ab. »Ich hatte Vince und Felix vergessen.«

»Nein, es ist nicht wegen ihnen. Es ist einfach so nett von dir, dass du etwas darüber lernen willst.« Ich schenkte ihm ein zittriges Lächeln. »Ehrlich gesagt, mag ich Ballett viel lieber. Was Musik angeht, wäre die Oper nicht meine erste Wahl. Sie hat zu viel mit meiner Arbeit zu tun. Ich würde lieber zu einem Konzert von den Foo Fighters oder Imagine Dragons gehen.«

»Ich erinnere mich … Snow Patrol.«

Während wir uns über Musik und unsere Lieblingsbands unterhielten, sah ich zu, wie er sich mit ökonomischer Effizienz im Raum umherbewegte, zwei Gläser Rotwein einschenkte und mir meines reichte. Mit gelassener Anmut holte er Zwiebeln aus dem Schrank, schaltete eine Musikanlage ein, die den Raum mit den

Stereophonics erfüllte, und schnippelte, briet und rührte unbefangen, ohne weiter Konversation zu betreiben. Ich fand es enorm wohltuend und sah es als Zeichen seiner ruhigen Selbstsicherheit. Felix hätte die Stille mit geistlosen Bemerkungen gefüllt, als ob Schweigen eine Art Versagen darstellte. Marcus sah hin und wieder mit einem Nicken oder Lächeln zu mir herüber, klopfte im Rhythmus und sang manchmal mit rauer Stimme bei der Band mit. Seine Stimme klang gar nicht schlecht … und ich hatte schon die besten der Welt gehört, doch es gefiel mir, ihn so zu erleben, entspannt und daheim in seinen eigenen vier Wänden.

Während ich Rotwein trank und ihm zusah, fühlte ich mich sicher und vollkommen heimisch. Die Weinflasche leerte sich langsam, wobei ein schöner Gesprächsfluss entstand. Ich hatte noch nicht mal den Rest seiner Wohnung gesehen, doch das schien keine Rolle zu spielen. In Marcus' Gegenwart hier in der Küche zu sitzen, mit dem Geruch von Tomaten und Zwiebeln sowie Musik, die mich angenehm berieselte, fühlte sich richtig an. Keine Dramen, keine hektische Aktivität, nur ruhige Zufriedenheit. Es fühlte sich an wie zu Hause, daheim bei meinen Eltern – das sichere, normale Aufwachsen, gegen das ich so lange gekämpft und mich zur Wehr gesetzt hatte.

Nachdem er das Gericht in den Ofen geschoben und die Zeitschaltuhr gestellt hatte, wurde es plötzlich sehr still.

Ich schluckte. Die Luft vibrierte zwischen uns, ich spürte Erwartung, Nervosität und eine gewisse Achtsamkeit, als sei uns beiden klar, dass vom nächsten Schritt viel abhing.

Er nahm mich bei der Hand und führte mich hinüber ins Wohnzimmer, schaltete im Vorbeigehen ein paar Lampen ein, sodass das Zimmer in gedämpftes Licht getaucht war.

Während er behutsam mit mir anstieß, wandte Marcus sich auf dem Sofa mir zu, sodass unsere Knie sich berührten.

»Tilly, zwischen uns hat es so gewaltig gefunkt, dass man damit dieses Haus in die Luft jagen könnte.« Er sog die Luft ein und stieß einen tiefen Seufzer aus, während er die Lippen aufeinanderpresste.

»Funkensprühen, Dramen, heftige Gefühle …« Er hielt inne. »Das ist nicht meine Art. Das ist alles ein bisschen überwältigend. So was bin ich nicht gewohnt.«

Verwirrung überschattete sein Gesicht. »Und sogar jetzt, da ich das sage, kann ich nicht glauben, dass ich es tue. Ich hatte noch nie so starke Gefühle für irgendjemanden. Du erinnerst mich an ein wütendes Kätzchen, das ständig faucht, und dennoch hegst du eine so große Leidenschaft für das, was du tust. Es ist ein wesentlicher Teil deines Lebens; deine Arbeit und deine Freunde hängen alle zusammen. Das ist mir fremd, und dennoch fühle ich mich wie ein Junge, der seine Nase an die Scheibe drückt und hineinwill.«

Mein Herz schlug höher und setzte dann kurz aus. Ich kaute auf meiner Lippe und erwiderte seinen stetigen, ernsten Blick. In seinen Augenwinkeln bildeten sich Fältchen, als er widerwillig lächelte. Das bedeutete wohl, dass er mich mochte.

»Als ich diese Stelle antrat, war ich zutiefst zynisch und davon überzeugt, dass ihr alle unzuverlässige Künstlertypen wärt, undiszipliniert, unbeständig, und ich wollte euch ablehnen, doch dann sah ich eine andere Seite.«

»Oh«, sagte ich und hoffte, dass er etwas Positives gesehen hatte. »Eine gute Seite?« Ich nahm einen Schluck Wein, um Zeit zu schinden. »Warum hast du denn bei der LMOC angefangen, wenn du das so empfunden hast?«

»Es war keine bewusste Karriereentscheidung.« Er verzog den Mund. »Eher eine Flucht. Ich hatte eine tolle Stelle bei einer Bank. Ich fand sie super. City-Kultur. Echte Kerle. Alphamänner. Harter Konkurrenzkampf. Störte mich nicht. Ich hatte Spaß, habe jede Menge Geld verdient und hart gearbeitet. Es war ein Hochleistungsjob. Alle waren gleich, selbst die Frauen.« Er lachte gezwungen und zog vor Abscheu die Mundwinkel nach unten. »Sophie. Meine damalige Freundin. Sie hat perfekt reingepasst. Sie war im Aktienhandel. Hat mich gefragt, ob ich mit ihr ausgehe. Wir waren ein paar Jahre zusammen. Ich dachte, es wäre was Ernstes, jedenfalls so ernst, wie eine City-Beziehung sein kann. Wir haben die meiste Zeit außer Haus verbracht, die ganze Nacht in Restaurants und Bars gesessen. Auswärts gebruncht. Rückblickend betrachtet, war alles sehr oberflächlich.«

»War das die Freundin, die dir die Krawatte geschenkt hat?«, fragte ich.

Er nickte und fuhr fort: »Offenbar hatte mein Chef mit einem anderen Kollegen eine Wette abgeschlossen. Ob einer von ihnen sie rumkriegen könnte, obwohl ich mit ihr zusammen war.« Er trank einen großen Schluck, und ich erkannte seinen Ekel daran, dass er plötzlich die Schultern hochzog. »Typisches testosterongetriebenes, beschissenes Konkurrenzverhalten, das an diesem Arbeitsplatz eigentlich an der Tagesordnung war. Die Sache ist, sie hörte davon … und da sie genauso kompetitiv war, schlief sie mit einem ganz anderen Kollegen, um die beiden zu ärgern.«

»Echt?« Das klang mehr als oberflächlich.

Marcus stupste mein Knie mit der Hand an, als wolle er mich halbherzig für meine Unbeschwertheit tadeln, doch ich hatte ihn zum Lächeln gebracht.

»Ich dachte, ich würde sie lieben. Das hat es wahrscheinlich noch schlimmer gemacht, als mir klar wurde, dass es mir so oder so egal war. Es hat mich entsetzt. Diese Gleichgültigkeit. Da wusste ich, dass ich aus diesem Umfeld rausmusste. Ich habe sofort gekündigt. Bei der LMOC wurde die Stelle ausgeschrieben. Für den Übergang schien es okay zu sein, und ich habe sie angenommen, weil sie so weit wie möglich von der City entfernt war.«

»Auch wenn wir alle künstlerische Loser sind.«

»Nun«, er lächelte sacht, »nicht alle. Für dich könnte ich eine Ausnahme machen.«

Ich hob eine Augenbraue.

Schüchtern und mit übervollem Herzen sah ich auf meine Knie hinunter. Wenn es jemals einen Spruch gegeben hatte, mit dem man eine Frau ins Bett bekam, hatte er ihn gerade von sich gegeben. Er konnte mich so akzeptieren, wie ich war. Zwar war ich ohnehin schon halb verliebt in ihn, doch diese Erklärung hatte mir endgültig den Rest gegeben. Er berührte mein Gesicht, und ich wagte es, ihn wieder anzusehen. Da war er wieder, dieser halb belustigte, halb ernste Ausdruck. Ich spürte, wie sein Daumen über meine Wange strich. Mein Herz machte schon wieder Sperenzchen, es flatterte übertrieben aufgeregt. Ich konnte den Blick nicht von seinem abwenden.

Wie Magneten zog es uns irgendwie zueinander hin, bis der Kuss unausweichlich wurde. Ich versank darin und holte ihn zu mir, bis ich ausgestreckt auf dem Sofa lag, genoss das Gewicht seines Körpers auf mir und seine Lippen, die über meine strichen. Ich hörte, wie er meinen Namen stöhnte. Dann vertiefte sich der Kuss und entzündete alle meine Nervenenden. Er konnte wirklich göttlich küssen. Ich zog mich leicht zurück, um zu Atem zu kommen, und kicherte.

»Worüber lachst du?«, flüsterte Marcus mir ins Ohr und knabberte sich an meinem Hals hinunter.

»Du kannst extrem gut küssen.«

»Ich glaube, das hast du schon mal gesagt. Du bist auch nicht schlecht.«

Er streichelte mein Gesicht und fuhr die Umrisse meiner Wangenknochen nach. »Weißt du was? An dem Tag, als du Fred und mich geschminkt hast …« Sein Finger glitt meine Stirn hinunter und folgte dann meiner Augenbraue. »Dir zuzusehen, wie du mit ihm umgegangen bist, hat mich schon komplett aus der Bahn geworfen. Gott, und als ich dann an der Reihe war, du mein Gesicht umfasst und mir deine vollständige Aufmerksamkeit gewidmet hast …« Ein verruchtes Lächeln schärfte seine Züge. »Sehr erotisch. Ich musste an einige ernste Dinge denken und habe heftig gebetet, dass du nicht nach unten schauen würdest.« Damit neigte er den Kopf, und seine Lippen folgten meiner Kinnlinie, während seine Hand meinen Körper hinabglitt und neckend meinen Brustansatz streifte, dann meine Taille, ehe sie an meiner Hüfte liegen blieb.

Unsere Körper drückten sich dichter aneinander, und meine Hand fuhr seinen Rücken hinunter, fühlte die fest ausgeprägten Muskeln unter meinen Fingern. Ich streckte mich an ihm, als könnte ich nicht genug von ihm bekommen. Abgehackte Atemgeräusche erfüllten das Zimmer. Ich wollte ihn so sehr, und es war einfach ein köstliches Gefühl, dass diese Lust erwidert wurde. Die Leidenschaft machte mich ganz benommen. Während ich seine Küsse schmeckte, spürte ich mein Herz aufgehen wie eine Blume, die vor Verlangen blühte. Ich war berauscht von der Aufregung, begehrt zu werden. Wie ein Strahl leuchtenden Sonnenlichts wurde mir etwas eindringlich bewusst: Ich war keine erlebnishungrige Halbwüchsige mehr, die sich ungeachtet der Konsequenzen in etwas hineinstürzte und das Flüstern der Vernunft ignorierte. Dieses Mal wollte ich mehr. Nicht von Augenblick zu Augenblick leben.

Mit heftigem Bedauern zwang ich mich dazu, langsamer zu machen und mich von ihm zu lösen. Dieses Mal wollte ich es richtig hinbekommen. Bewusste Entscheidungen treffen, anstatt mich mitreißen zu lassen. Marcus reagierte völlig synchron und legte keuchend die Stirn an meine. Innerlich glühte ich vor selbstzufriedenem Triumph. Es war gut, dass meine Wirkung auf ihn ebenso stark war wie seine auf mich. Etwa eine Minute lang verharrten wir so und kamen wieder zu uns, wobei unser Herzschlag sich normalisierte. Es fühlte sich leicht und friedvoll an.

»Tilly, gehst du mit mir ins Bett?«

Er zeigte die vertraute und so liebenswerte ernste Miene. Es fühlte sich erwachsen an. Wie ein Entschluss. Ich traf eine Entscheidung, anstatt mich in etwas hineinzustürzen.

Dreiunddreißigstes Kapitel

Warme Haut, männlicher Geruch. Ich atmete tief ein. Ich hatte vergessen, wie schön es war, sich an den Körper eines anderen Menschen zu schmiegen und mit dem Kopf auf einer Schulter den stetigen Schlag eines anderen Herzens zu spüren. Marcus' Hand streichelte träge meinen Hintern. Benommen und behaglich lagen wir nach dem Sex unter seiner Bettdecke. Ernster, stetiger Sex. So anders als das scherzhafte, halbherzige Gefummel, wenn Felix sich mal aufgerafft hatte. Jetzt ergab alles Sinn.

Marcus liebte mit einer Eindringlichkeit und Gründlichkeit, die einer Frau das Gefühl vermittelte, auf der ganzen Welt gäbe es nichts außer ihr. Ich fühlte mich von seiner Aufmerksamkeit und Fürsorge bis ins Innerste erwärmt, und nun schien er damit zufrieden zu sein, eng umschlungen mit mir dazuliegen und den Sex nachklingen zu lassen, ruhig, aber ohne sich zurückzuziehen.

»Hast du jetzt irgendwelches Italienisch für mich?«, fragte er und verlagerte sich leicht, sodass wir einander ansehen konnten. Da eine Nachttischlampe brannte, war es hell genug, dass ich die sanfte Belustigung auf seinen Zügen sehen konnte.

»Oh! sventata, sventata! La chiave della stanza dove l'ho lasciata?«

»Lass mich raten.« Er streichelte mir den Rücken und zog mich näher an sich. »Oh, wie umwerfend. Der Mann ist ein großartiger Liebhaber, möge niemand etwas anderes behaupten.«

Ich schenkte ihm ein Wimpernklimpern. »Wow, du bist ziemlich nah dran.« Einen Moment lang ließ ich ihm seine Selbstzufriedenheit, ehe ich ergänzte: »Ach herrje. Wie gedankenlos von mir. Wo habe ich nur meinen Zimmerschlüssel gelassen?«

Er zog mich an sich, um mich zu küssen. Wenn das eine Strafe sein sollte, nahm ich sie gerne jedes Mal auf mich.

Irgendwann lösten wir uns wieder voneinander.

»Bleibst du über Nacht?«

»Ich sollte Jeanie schreiben und Bescheid geben, dass ich in Sicherheit bin.«

»Das ordne ich mal als ›Ja‹ ein.«

Ich nickte und küsste ihn.

»Bist du eine Lerche, oder schläfst du lieber aus?«

»Du machst Witze, oder? Bei meiner Arbeit mache ich oft erst nachts um elf Schluss, und dann gehen wir noch was trinken. Eine Nachteule, und …« Ich kräuselte die Nase. »Ich bin morgens absolut furchtbar.«

»Oh nein, da sind wir also gleich. Ich muss mir immer zwei Wecker stellen. Einen als frühmorgendliche Warnung und dann den richtigen, bei dem ich wirklich aufstehen muss.«

»Der Himmel stehe uns bei. Dann bekomme ich von dir also keinen Tee ans Bett …«

»Wir müssen uns so einen Teeautomaten holen, wie alte Damen sie haben. Wie heißen die noch mal?«

»Goblin Teasmade. Meine Oma hatte einen.«

»Genau.«

»Ob die wohl noch hergestellt werden?«, dachte ich laut nach, während ich gleichzeitig über das »wir« sinnierte. Das klang ziemlich gut für mich. Es stellte eine Art solider Gestrigkeit dar, die von Felix' unbesonnener Spontaneität meilenweit entfernt war. Man schaue sich nur an, wo mich das hingeführt hatte.

Okay, vielleicht ging ich direkt von einem Mann zum nächsten über, doch ich hatte tatsächlich keinen Gedanken daran verschwendet, wo sich das mit Marcus hin entwickeln könnte. Nun, da ich hier war, fühlte sich alles so richtig an – zwei Puzzleteile, die dazu bestimmt waren, zusammenzupassen.

»Wir könnten auf eBay schauen.«

»Wonach?«

»Nach einer Teemaschine.«

»Oh«, kicherte ich, während ich noch immer an Puzzleteile dachte und das Knurren meines Magens vernahm.

»Immer noch hungrig?«, fragte Marcus und hob frech eine Augenbraue. »Na, du hast ja einen ziemlichen Appetit.«

»Du hast mir noch nichts zu essen gegeben!«, empörte ich mich.

Marcus zog mich näher und schob sein Bein zwischen meine, sodass ich an ihn gedrückt dalag, das Gesicht an der warmen, weichen Haut seines Halses. Seine Hand strich sanft über die Härchen in meinem Nacken. Ich vergrub die Nase in der warmen Kuhle zwischen seiner Schulter und seinem Hals und genoss den schwachen Duft nach Rasierwasser und die kräftigere männlich riechende Kopfnote.

Mit einer Hand rieb ich über den Hüftknochen, der mir am nächsten war, und strich mit einer rhythmischen Bewegung auf und ab, wobei ich nur mit einer federleichten Berührung den Ansatz seines Oberschenkels streifte und das dickere Haar dort ertastete.

Zur Antwort bewegte er die Hüfte, und ich spürte, wie er sich regte. Lippen berührten meinen Haaransatz, und eine Hand umschloss meine Brust, die Finger glitten zielsicher direkt zum Mittelpunkt.

»Mmm.«

Mein Magen unterbrach uns erneut.

Marcus' Hand wanderte hinunter und tätschelte mir sanft den Bauch. »Du bist aber keine dieser Frauen, die ständig was zu essen wollen, oder?«, flüsterte er und knabberte liebevoll an meinem Ohrläppchen. Wohlig schmiegte ich mich an ihn. Haut an Haut. Es war so ein köstliches Gefühl.

»Tilly, wenn du nicht sofort damit aufhörst, kann ich nicht … ooh.«

Am Ende mussten wir Essen beim Inder bestellen, weil das Nudelgericht komplett verkohlt war.

»Und, war der Fußball gut?«, frotzelte Jeanie grinsend, als ich am nächsten Tag in einem weißen Hemd von Marcus und den Röhrenjeans vom Vortag die Werkstatt betrat.

»Sehr, Arsenal hat zwei zu null gewonnen.« Wir hatten uns aneinandergekuschelt und mit einer Tasse Tee *Das Spiel des Tages* angeschaut, und er hatte das Bett verlassen und ihn kochen müssen, weil ich immer noch als Gast durchging. Obwohl ich es ihm vergalt und ihn dann dort zurücklassen musste, da er sonntags nicht arbeitete. Die Büroangestellten, darunter die Personalabteilung, die PR, die Buchhaltung und die IT, hatten in der Regel normale Arbeitszeiten.

»Hervorragend. Hat Marcus das Spiel gefallen?«

Ich ignorierte bewusst ihre eindeutige sexuelle Anspielung. »Nicht so sehr, er ist Liverpool-Fan.«

Ich schielte hinüber zu dem leeren Arbeitsplatz. »Ist Vince schon wieder nicht da?«

»Er hat wohl eine Lebensmittelvergiftung. Immer noch am Reihern.«

Bei uns gab es eine Regel, dass man bei Magen-Darm-Problemen erst wieder zur Arbeit kommen durfte, wenn die letzte Übelkeit oder der letzte Durchfall mindestens achtundvierzig Stunden her war. »Wie praktisch.«

»Nicht für uns. Kannst du Carol anrufen und fragen, ob sie reinkommen und ein paar Stunden zusätzlich machen kann?«

Obwohl Carol reinkommen konnte, hatten wir alle Hände voll zu tun. Sie konnte zwar beim Chor helfen, aber Vince' Abwesenheit bedeutete, dass wir in derselben Zeit wie sonst zwei Hauptdarsteller mehr schminken mussten. Zum Glück konnte ich mir Pietro etwas früher schnappen, da er eine Heidenangst hatte, zu spät zu kommen, weshalb er immer extra früh im Theater auftauchte.

Ich fand ihn in der Kantine, wo er einen schwachen Schwarztee trank und sich mit Guillaume und Philippe unterhielt.

»Pietro.«

»Tilly«, antwortete er und ahmte scherzhaft meinen Was-bin-ich-froh-dich-zu-sehen-Ton nach.

Ich ignorierte Philippe, der verzweifelt versuchte, meinen Blick auf sich zu ziehen.

»Okay, kannst du mir vielleicht einen Gefallen tun? Ginge es irgendwie, dass du früher in die Maske kommst, damit ich dich schminken kann? Wir sind heute unterbesetzt.«

»Was meinen die Herren?« Pietro drückte die Schultern zurück und wirkte sofort wie ein König, der seine Untertanen ansprach. »Soll ich der Jungfrau in Nöten helfen?«

Ich stemmte die Hände in die Hüften und neigte den Kopf.

Guillaume nickte munter wie immer. Ich beäugte ihn, eine vage Idee schoss mir durch den Kopf. Er bemerkte meinen starren Blick und errötete, ehe er wegsah. Hmm, interessant.

Philippe schmunzelte. »Da sie deine Falten tiefer schminken, dir ein Doppel- oder Dreifachkinn und zweifellos auch eine kahle Stelle und eine Stirnglatze verpassen könnte, glaube ich, dass es klug wäre, sich den Wünschen der Dame zu beugen.«

»Und ob das klug wäre, Philippe.« Ich warf ihm einen geringschätzigen Blick zu.

»Da du es bist, liebe Tilly, komme ich sofort mit.« Pietro stand auf und nickte. »Gehabt euch wohl, die Herren.«

»Tilly! Warte.« Philippe sprang auf. »Kann ich kurz mit dir sprechen?«

Ich zucke die Achseln. »Ich bin …«

Er ignorierte meinen offensichtlichen Widerwillen und zog mich zur Seite. »Es tut mir so leid. Jeanie hat es mir erzählt. Ich wusste nicht, was ich tun sollte. Du weißt, wie Vince ist, bei ihm hält nichts. Ich habe sie einmal zusammen gesehen.«

»Tilly, ich brauche dich.« Pietro schlich sich zwischen uns. Ich hätte ihn küssen können. Ich war wütend auf Philippe und würde ihm letztlich verzeihen, aber ich kam mir immer noch so dumm vor, weil so viele Leute davon gewusst hatten.

»Danke, Pietro. Ich bin dir was schuldig.« Zusammen betraten wir den Aufzug.

»Nein, Tilly. Ich bin dir was schuldig. Du warst sehr diskret, nachdem ich dir, du weißt schon was, erzählt hatte.«

Mein Herz pochte unangenehm in meinem Brustkorb. Am liebsten wäre ich vor Scham gestorben.

Ich bekam kein Wort heraus und lächelte gezwungen. Zumindest brauchte ich mir keine Sorgen mehr zu machen, dass Felix mich in Schwierigkeiten brachte, indem er weitere Geschichten verkaufte.

Vierunddreißigstes Kapitel

»Verfluchte Personalabteilung. Sie wollen mich sofort sehen, Tilly. Eigentlich treffe ich mich in zwanzig Minuten mit Anna Bridgeman, der neuen Zweitbesetzung für Julia. Um halb vier. Kannst du sie stattdessen treffen, ein paar Fotos machen und ihre Maße nehmen? Es wäre toll, wenn wir dieselben Perücken für sie verwenden könnten, aber ich glaube, ihr Haaransatz liegt sehr viel tiefer als der von Brigitte.« Jeanie drückte mir ein Notizbuch in die Hand. »Und hast du das Wetter gesehen, es fängt verdammt noch mal gerade zu schneien an.«

»Wirklich?« Ich rannte ans Fenster. Tatsächlich gab es ein paar weiße Flocken, die am Himmel kreisten. »Er wird nicht liegen bleiben«, sagte ich seufzend.

»Gut«, sagte Jeanie. »Das ist das Letzte, was ich heute brauche.«

»Ist alles in Ordnung?« Ich fragte mich, ob Vince' häufiges Fehlen vielleicht ein paar Fragen aufgeworfen hatte. Heute Morgen war er wieder erschienen und hatte für jemanden, der das ganze Wochenende mit einer Lebensmittelvergiftung im Bett gelegen hatte, kerngesund ausgesehen.

»Keine Ahnung. Sie zitieren mich zu sich.« Sie legte die Betonung auf das Verb und schüttelte dabei den Kopf. »Wahrscheinlich weitere neue Richtlinien. Ehrlich, als würde es mich groß kümmern, wie unsere Gleichstellungsgrundsätze oder Arbeitsschutzvorstellungen aussehen. Ich will einfach nur mit meiner Arbeit vorankommen.«

Ihre Mundwinkel bogen sich nach unten. »Verdammt inkonsequent. Ich brauche meine Zeit für Wichtigeres. Und behalt Vince im Auge. Ich will nicht, dass er sich vor der Arbeit drückt und irgendwohin verschwindet.« Sie wandte sich um und bedachte ihn mit einem strengen Blick.

Ich fragte mich, ob es möglicherweise etwas mit der Stelle der stellvertretenden Abteilungsleitung zu tun hatte. Es waren nur noch fünf Tage bis zu meinem Probezeitgespräch mit Alison. Fünf Tage bis Weihnachten. Und ich hatte immer noch keinen blassen Schimmer, wie ich Weihnachten verbringen würde. Obwohl ich nicht zu Judith gehen musste, war die Aussicht, plötzlich allein zu sein, ein bisschen beängstigend.

Tatsächlich war Jeanie wieder da, lange bevor Anna auftauchte. Mit zerzaustem Haar und rot angelaufenem Gesicht kam sie durch die Tür. Ihre steifen, sorgfältigen Bewegungen erinnerten mich an eine widerwillige Marionette, die gezwungen wurde, zur Tat zu schreiten.

»Tilly, du musst hoch in die Personalabteilung.«

»Was? Sofort?«

»Ja.« Ihre monotone Stimme drückte keinerlei Gefühl aus, doch ich sah, wie sich ihr Kiefer anspannte.

Ich warf einen Blick auf Vince, der neugierig aufsah. Jeanie schüttelte leicht den Kopf.

Furcht lief mir über den Rücken.

»Stecke ich in Schwierigkeiten?«

»Du musst sofort dorthin.« Ehe sie den Kopf abwenden konnte, erhaschte ich einen Blick auf Tränen, die sich in ihren unteren Wimpern sammelten.

Ich nahm zwei Stufen auf einmal und ignorierte das schmerzhafte Klopfen meines Herzens, das gegen meine schnellen, großen Schritte protestierte.

Die Personalabteilung befand sich unter dem Dach und wurde im Haus oft übersehen. Marsha Munro, die Abteilungsleiterin, empfing mich und sah dabei eindeutig unbehaglich aus. In ihrem geräumigen Büro saßen neben Alison Kreufeld zwei Männer an einem runden Tisch: Julian Spencer, der Geschäftsführer, und … Marcus.

Das ließ meine Schritte stocken. Was tat *er* hier? Wenn sie mich entlassen wollten, hatte das doch sicher nichts mit ihm zu tun. Vielleicht war er hier, um über die Schulungen zu sprechen, die er mir gegeben hatte. Er hatte gesagt, dass sie vorhatten, sie für die gesamte Belegschaft anzubieten. Doch er erwiderte meinen Blick nicht, stattdessen wirkte er vollkommen teilnahmslos. Völlig anders als der scherzende und lachende Mann, dem ich gestern Vormittag einen Abschiedskuss gegeben hatte.

»Ms Hunter«, begann Marsha sehr förmlich. »Nehmen Sie Platz.«

Draußen waren die Schneeflocken inzwischen größer und fielen dicht und schnell, sodass der Himmel eine bedrückend graue Farbe angenommen hatte. Heute hatten sie nichts Magisches an sich, sondern wirkten Unheil bringend. Ich schauderte und wünschte mir, meine Fantasie könnte sich einmal zusammenreißen.

Fünfunddreißigstes Kapitel

Ich schloss die Wohnungstür auf.

Felix war da und hielt ein Kleiderbündel in den Händen. Erleichterung leuchtete auf seinem Gesicht, fast so, als dächte er, ich wäre gekommen, um ihn vor der Wäsche zu retten.

»Tilly! Schau, was ich heute gekauft hab.« Er ließ die Kleider fallen und zog mich Richtung Wohnzimmer. Ich hatte nicht die Kraft, mich zu widersetzen.

»Schau.« Er machte eine feierliche Geste.

An der Wand auf der anderen Seite des Zimmers lehnte der jämmerlichste, mickrigste Weihnachtsbaum, den ich je gesehen hatte.

»Ich wusste einfach, dass du wollen würdest, dass ich ihn rette und ihm ein gutes Zuhause schenke.« Felix strahlte mich an, als wäre in den letzten Tagen überhaupt nichts vorgefallen. Es war so typisch für ihn, dass ich ein leises, halb schnaubendes Lachen ausstieß. Er ließ sich nie von irgendetwas lange runterziehen.

Er packte den Baum und hielt ihn aufrecht. »Nicht der hübscheste, aber … Ich dachte, wir könnten ihn zusammen schmücken, so wie früher. Wir können immer noch Freunde sein, oder? Und du liebst Weihnachten. Ich will es dir nicht verderben. Du könntest immer noch mit mir zu meiner Mum gehen.«

Ich starrte die Zweige an, an denen nicht viel dran war, einige waren kaum von Nadeln bedeckt, und dann den Stamm, der zu weit links an der schmuddeligen Wand dahinter lehnte. Der Baum sah verloren und einsam aus. Ein Ausgestoßener, so wie ich.

»Ich bin meine Stelle los«, platzte es aus mir heraus.

»Was?« Felix richtete sich auf und ließ den Baum wieder zurück an die Wand fallen.

Ich holte Luft, wollte es nicht aussprechen, denn das würde es Wirklichkeit werden lassen.

»I-Ich«, ich unterdrückte ein Schluchzen. »S-Sie haben mich suspendiert.«

»Dich? Aber warum? Nicht wegen Vince. Das ist lächerlich. Es hat nichts mit der Arbeit zu tun. Sie können dich nicht feuern, weil ich … weil ich mit Vince zusammen bin, oder?«

»Nein.« Meine Hände zitterten, als er sie nahm und mich zum Sofa zog. »Aber sie können es, wenn sie glauben, dass man Geschichten an die Klatschpresse verkauft hat.« Ich sank aufs Sofa und spürte, wie mein Puls in meiner Schläfe pochte, während ich auf seine Hand starrte, die meine hielt. Das dunkle Haar fiel ihm nach vorn. Er war erwachsen, er sollte sich das Haar nicht so in die Stirn wachsen lassen. Ich befreite meine Hand und rückte von ihm weg. »Sie haben Beweise. Dass ich es war.« Das konnte ich noch immer nicht begreifen.

»Wer?«

»Die Geschäftsführung. Die Computerleute.« Ich trat gegen den Sofapfosten. »Wen interessiert das? Ich bin suspendiert worden. Wegen groben Fehlverhaltens. Ich. Sie glauben, dass *ich* Informationen an die Klatschpresse verkauft habe.«

»Aber du … kannst du es ihnen nicht sagen?«

»Ihnen was sagen?«

Er zuckte die Achseln. »Dass du es nicht warst?«

Sein Gesicht zeigte keinerlei Reue. Er begriff es tatsächlich nicht.

»Felix.« Ich schüttelte traurig den Kopf, weil ich wusste, dass er es nie verstehen würde und dass es ein Riesenfehler gewesen war, mich derart auf ihn einzulassen. »Es macht keinen Unterschied, ich hätte es dir nicht erzählen dürfen.«

»Was machst du jetzt?«

Einen Augenblick drehte sich das Zimmer um mich, und ich

brachte kein Wort heraus, weil ich es einfach nicht wusste. Ohne meine Arbeit hatte ich nichts.

»Tilly?«

Plötzlich merkte ich, dass ich völlig durchnässt war. Fast apathisch verließ ich das Wohnzimmer und war mir nur vage bewusst, dass Felix mehrmals meinen Namen rief. Im Gehen ließ ich meine Kleidungsstücke fallen, ehe ich mich im Bad einschloss.

Nachdem ich so heiß und lange geduscht hatte, dass meine Haut krebsrot und mir endlich wieder warm war, hatte ich es gerade geschafft, mich zur Hälfte anzuziehen, als er heftig an die Tür pochte.

»Tilly, dein Telefon.« Durch die Milchglasscheibe sah ich, wie er mein Handy schwenkte.

»Herrgott noch mal«, murmelte ich, öffnete die Tür einen Spaltbreit und streckte die Hand heraus, um es zu nehmen, ehe ich die Tür wieder zuschlug.

Christelles Worte sprudelten heraus, sobald ich mir das Handy ans Ohr hielt. »Oh Gott, Tilly, wo bist du, alles okay mit dir? Guillaume hat es mir erzählt … man hat dich aus dem Gebäude geführt. Was ist passiert? Warum haben sie das gemacht? Was hast du getan? Bist du suspendiert worden?«

Als Fachanwältin wusste sie natürlich, was das bedeutete. Dass es Übles verhieß, wenn man von seinem Arbeitsort weggeführt wurde. Erneut wurde mir schlagartig klar, in was für Schwierigkeiten ich tatsächlich steckte. Meine Wut auf Felix war eine willkommene Ablenkung gewesen.

Mir stockte der Atem, und ich schluchzte unwillkürlich auf. Ein zweiter Schluchzer folgte rasch, und dann noch einer und noch einer.

»Tilly?«

Ich sank auf den Toilettendeckel. Ich konnte es nicht mehr unterdrücken, und zum ersten Mal fing ich richtig zu weinen an.

»Tilly!«, rief die Stimme meiner Schwester, aber wie eine Schwimmerin, die fortgetrieben wurde, hatte die reißende Flut der Gefühle mich fest im Griff, und ich konnte das Schluchzen nicht unterbinden, das meinen Körper schüttelte.

»E-Es tut mir l-leid ... Es ist n-nur ...« Ich rang nach Luft und versuchte zu sprechen, aber nun, da ich angefangen hatte, konnte ich nicht mehr aufhören, und die Schluchzer überwältigten mich. »M-Meine Stelle ... Ich hab sie verloren.«

Ich brach zusammen und weinte sogar noch heftiger, rutschte vom Klodeckel und kauerte mich an die Wand, wo ich versuchte, mich so klein wie möglich zu machen. Ich legte das Handy beiseite und weinte in meine Hände.

Als ich mich schließlich langsam beruhigte, mit brennenden, müden und verquollenen Augen, saß ich auf dem Boden, und die Kälte der Fliesen betäubte meinen Hintern.

»Tilly.« Ich hörte Christelles drängenden Ton. »Sprich mit mir.«

Ich hob das Handy auf und flüsterte: »Du bist immer noch dran?« Sie war die ganze Zeit in der Leitung geblieben.

»Selbstverständlich, was dachtest du denn, wo ich hingehe?« Ihre knappe, sachliche Antwort brachte mich zum Lächeln. Einerseits typisch Christelle, andererseits auch vollkommen unerwartet. Es war ganz und gar nicht selbstverständlich. Mir fiel niemand anderes ein, der so lange in der Leitung gewartet hätte.

»Jetzt erzähl mir, was passiert ist.«

Während ich undamenhaft schniefte und mir mit Klopapier die Nase putzte, erzählte ich ihr die ganze elende Geschichte. Von dem Brief mit der Suspendierung, Vince und Felix. Marcus ließ ich aus, ich ertrug es nicht, dieses Detail zu enthüllen.

Sie hörte zu, ohne mich zu unterbrechen, gab bloß ein paar ermutigende Laute von sich. Schließlich kam ich zum Ende und verfiel in Schweigen. Den Kopf auf den Knien, die Augen geschlossen, als könne ich mir so die Welt vom Leib halten.

»Hast du es getan?«

»Nein, ich nicht, aber Felix …«

»Das ist aber nicht das, was man dir vorwirft. Hast du die Informationen an eine Klatschzeitung verkauft?«

»Nein.«

»Ergo kann es auch keine Beweise dafür geben, dass du es getan hast. Was sind die Beweise?«

»Sie meinten, Mails, aber ich habe nie irgendjemandem Mails geschickt. Jedenfalls nicht absichtlich –« Die Sache mit dem Virus konnte doch bestimmt nichts damit zu tun haben.

»Als dein Rechtsbeistand würde es mich sehr interessieren, diese Beweise zu sehen.«

»Mein was?«

»Tilly, ich bin Expertin für Arbeitsrecht. Anwältin bei einer der besten Kanzleien in London. Barrakuda. Ein Barrakuda, hörst du. Das ist keine Selbstbezeichnung, wie ich rasch hinzufügen möchte, aber wir werden das anfechten, das ist ja wohl glasklar. Wir werden dir deinen Job zurückholen.« So wie sie es sagte, klang es, als sei sie Weltmeisterin im Schwergewicht. »Und wir machen sie plaaaaaaatt.« Ich kicherte verdutzt. »Niemand legt sich mit meiner Schwester an. Jetzt pack deine Sachen.«

»Was?«

»Ich bin in zwanzig Minuten bei dir. Du ziehst erst mal zu mir.«

Sechsunddreißigstes Kapitel

Christelle kicherte, als Guillaume um sie herumgriff, um etwas aus dem Wok auf der Herdplatte zu stibitzen, wo sie geschäftig ein duftendes Wokgericht zubereitete. Der Geruch nach Knoblauch, Ingwer und chinesischem Fünf-Gewürze-Pulver erfüllte die Luft und weckte meinen Appetit. Ich hatte den ganzen Tag noch nichts gegessen.

Er beugte sich zu ihr, zupfte am Bändel ihrer Schürze von Cath Kidston (nur Christelle trug in der Küche eine Schürze) und sagte ihr ein bisschen zu laut etwas ins Ohr. Sie kicherte wieder und stieß ihn kokett weg.

Ich verzog das Gesicht. Guillaume hatte offensichtlich vergessen, dass ich jede der süßen Nichtigkeiten verstand, die er ihr immer wieder zuraunte – wobei die letzte kein bisschen süß war.

Das war das Problem an Christelles ultra-eleganter Wohnung, wie ich in den letzten vierundzwanzig Stunden festgestellt hatte. Den Turteltauben und ihrem Balzverhalten zu entkommen, war ein Ding der Unmöglichkeit.

Christelles palastartige Bude war schön, der letzte Schrei in Sachen Luxus, mit edlen Badarmaturen sowie Granitarbeitsplatten, glänzenden Oberflächen und teuren Haushaltsgeräten in der Küche und einem riesigen Wohnzimmer, in dem sich nicht nur zwei, sondern sogar drei cremefarbene Sofas befanden. Meine schäbige kleine Wohnung war kein Vergleich dazu, auch wenn ich mich daran hätte gewöhnen können, dass alles richtig funktionierte. Das Ganze entsprach dem Konzept offenen Wohnens, und seit Guillaume gekommen war, war es schwierig, ihre Begeisterung füreinander auszublenden. Und ich war eine elende, unglückliche, schreckliche alte Kuh. Wie konnte ich Christelle nur ihr offensichtliches

Glück missgönnen, vor allem, da sie so großartig gewesen war, seit sie wie ein Racheengel vorbeigekommen war und mich eingesammelt hatte?

Sobald sie mit mir hier angekommen war und sich dafür in ihrem VW Golf durch die verschneiten Straßen gekämpft hatte, hatte sie mich im Gästezimmer untergebracht und darauf bestanden, dass ich heiße Suppe mit knusprigen Brötchen und geschmolzenem Brie zu mir nahm. Dann setzte sie sich mit einem sehr offiziell aussehenden Schreibblock hin und nahm mich ins Kreuzverhör. Ihre erste Frage war knallhart. »Hast du diese Mail verschickt?«

Ich platzte fast vor Verzweiflung. »Natürlich nicht. Ich dachte, du würdest mir glauben.«

»Die Frage ist nicht, ob ich dir glaube. Manchmal muss ich Leute verteidigen, von denen ich weiß, dass sie mir ins Gesicht lügen, aber wenn sie mir etwas gesagt haben, muss ich damit arbeiten. Ergo muss ich die Frage stellen. Es spielt keine Rolle, ob ich dir glaube oder nicht.«

Ich nickte, als würde das vollständig Sinn ergeben. War »ergo« ein juristischer Fachbegriff oder nur einer dieser Ausdrücke, die typisch für Christelles Wortschatz waren?

»Tust du das oft?« Die Vorstellung, jemanden zu verteidigen, von dem man wusste, dass er schuldig war, kam mir vollkommen fremd vor.

»Ja, das gehört zu meinem Job dazu.«

»Oh.« Ich lehnte mich zurück. Das klang einfach falsch. »Wirklich?«, fragte ich, um mich zu vergewissern, dass das tatsächlich stimmte. »Holst du jemals Leute raus, von denen du weißt, dass sie schuldig sind?«

»Ja, Tilly.« Entnervt warf sie das Haar zurück.

»Oh.« Es war, als hätte man mit einer Nadel in einen Ballon gestochen. In diesem Moment veränderte sich mein Bild von ihrer professionellen, höheren Laufbahn. Zumindest war meine Arbeit ehrlich. Wir beförderten Menschen in eine Scheinwelt, aber unsere Zuschauer nahmen aus freien Stücken daran teil und setzten willentlich ihre Ungläubigkeit aus, sobald sie die Karten bezahlten.

Abends um elf war ich schließlich erschöpft, doch Christelle erklärte, dass sie über unsere Fortschritte hocherfreut sei. Mir kam es nicht vor, als wären wir sonderlich weitergekommen, aber sie teilte mir mit, dass sie jetzt eine Strategie habe. Alles hänge von den Beweisen ab, sagte sie. Sie hatte ein Schreiben aufgesetzt, das so voll von Juristensprache und Forderungen für ihre Klientin war, dass ich mir ziemlich sicher war, dass es die Chefin der Personalabteilung in Angst und Schrecken versetzen würde. Neben meiner Schwester, das sagte ich gern, wirkte Godzilla zahm.

»Okay, Schluss für heute. Und morgen lasse ich den Brief per Kurier zustellen.« Sie zog ihren Stuhl neben meinen und rückte zu mir, bis sich unsere Schultern berührten. Sie stupste mich an. »Wir werden das anfechten. Und du kannst so lange hierbleiben, wie du willst.« Ich hörte sie rasch Luft holen. »Ich … würdest du es in Erwägung ziehen, über Weihnachten zu bleiben? Wir könnten den Tag zusammen verbringen. Falls du nichts anderes vorhast. Du weißt schon. Dann könnte es, weißt du, schön sein.«

Angesichts ihrer plötzlichen Unsicherheit traten mir noch mehr lästige Tränen in die Augen.

Ich lehnte mich an sie. »Liebend gern. Das wäre schön. Wir beide. Wir könnten sogar versuchen, über Video mit Mum und Dad zu reden.«

»Ja.« Sie strahlte mich an. »Ihnen mit Sekt Orange zuprosten. Bagel mit Frischkäse zum Frühstück. Und ein richtiges Weihnachtsessen. Mit der Rede der Queen und allem, was dazugehört.«

»Eines musst du mir aber versprechen«, sagte ich. »Eigentlich sogar zwei Dinge. Wir schauen Dr. Who und …«

»Was?«, fragte sie argwöhnisch.

»Keine Maronifüllung!«

Trotz ihrer Zusicherungen, dass ich den Kopf nicht hängen zu lassen bräuchte, wachte ich am nächsten Morgen früh mit der entsetzlichen Erkenntnis auf, dass ich weder heute noch in absehbarer Zeit zur Arbeit gehen würde. Es war höchst unwahrscheinlich, dass vor Weihnachten oder auch nur Neujahr eine Disziplinarkommission tagen würde.

Ohne Arbeit und nicht in der Lage, irgendjemanden dort zu kontaktieren, fühlte ich mich in diesem seltsamen Teil von London isoliert und einsam. Ich war zu mutlos, um mich hier vor die Tür zu wagen. Als ich zum Fenster hinausschaute, stellte ich fest, dass der Schnee während der Nacht dahingeschmolzen war. Mir kam der furchtbare Gedanke, dass mit meiner Stelle vielleicht dasselbe passieren könnte.

Als Christelle am Morgen zur Arbeit gegangen war, hatte sie mir einen Schlüssel dagelassen, sodass ich kommen und gehen konnte, aber es war, als sei ich jeglichen Selbstvertrauens beraubt. Ich wollte die Sicherheit ihrer Wohnung nicht verlassen.

Stattdessen hatte ich den Tag damit verbracht, über der sagenhaften Aussicht auf die Themse zu brüten, die man von zwei Seiten der Fensterreihe aus sehen konnte, die die Wohnung säumte und mich zu quälen, indem ich die alten Mails auf meinem Reader las.

Marcus. Er gehörte wirklich auf die Bühne. Was für ein Schauspieler. Er hatte mich dazu gebracht, ihm zu glauben. Der Samstagabend hatte sich so echt angefühlt, und mir wurde speiübel, wann immer mir wieder klar wurde, dass er mir eine Falle gestellt hatte. Er hatte kein Wort von dem, was er mir an diesem Abend gesagt hatte, so gemeint. Und warum überraschte mich das eigentlich? Ich war so offensichtlich nicht sein Typ. Es war nicht einmal so, als hätte er jemals vorgehabt, bei der LMOC zu bleiben. Nun, da seine *Untersuchung* abgeschlossen war, würde er wahrscheinlich wieder zu den professionellen Businesstypen zurückkehren.

Obwohl es mir so wehtat, sie zu lesen, konnte ich mich nicht dazu durchringen, seine Mails zu löschen. Vielleicht würde ich sie behalten, als heilsame Erinnerung daran, wie absolut dumm ich gewesen war.

»In einer Viertelstunde gibt es Essen, Tilly. Würdest du den Tisch decken?«

Ich erhob mich, ohne zu antworten, und ging hinüber zur Besteckschublade. Guillaume warf mir einen entsetzten Blick zu. Ich musste lachen. Christelle hatte mich auf Französisch gebeten.

»E-Es tut mir leid«, stammelte er.

Ich grinste und sagte trocken: »Schon gut – langsam gewöhne ich mich dran.«

Er errötete und dachte eindeutig an all die Anspielungen, die er in der letzten halben Stunde gemacht hatte.

Christelle, die uns den Rücken zugekehrt hatte, zog die Schleife ihrer geblümten Schürze fest, während ihre Schultern vor unterdrücktem Gelächter bebten. Nervös sah Guillaume von ihr zu mir. Jedenfalls so gut er konnte, denn offenkundig war er von dieser verdammten Schürze fasziniert.

Ich war etwas befangen, nun, da wir drei am Tisch saßen. Wusste Guillaume, was man mir vorwarf? Redeten die Leute auf der Arbeit über mich? Gab es Getuschel und Fragen? Christelle hatte mich schon ermahnt, das Thema nicht anzuschneiden. Im Brief mit der Suspendierung stand deutlich, dass die Anschuldigungen vertraulich zu behandeln waren.

Guillaume sah zu Christelle, sie schüttelte leicht den Kopf, doch er schüttelte den seinen.

»Tilly, niemand glaubt es, weißt du.«

Christelle hielt sich die Ohren zu und sang »Lalala«. Guillaume lächelte.

»Das liebe ich an ihr, alles nach Vorschrift.« Er zwinkerte mir zu, als meine Schwester errötete. Liebe? Das ging ja schnell.

»Wem sagst du das …« Ich zwinkerte zurück. »Obwohl ich sie in diesem Fall um nichts in der Welt eintauschen würde.«

»Oh, Tilly.« Christelle griff nach meiner Hand und drückte sie.

»Du solltest eigentlich nicht zuhören«, sagte ich mit einem neckenden Lächeln.

»Das weiß ich, und ihr beide solltet eigentlich nicht darüber reden, aber es ist sehr nützlich, jemanden drinnen zu haben.«

Guillaume hob eine gallische Augenbraue. »Ich bin auch für andere Dinge nützlich, weißt du.«

»Ich weiß«, antwortete sie mit einem sinnlichen Blick.

»Ähm, entschuldigt …«, unterbrach ich die beiden.

»Tut mir leid.« Guillaumes unverwüstliches Grinsen legte nahe, dass es ihm kein bisschen leidtat. »Aber alle reden darüber und können nicht glauben, dass du irgendwas Falsches tun würdest. Alle halten sehr viel von dir. Philippe schlägt vor, dass wir streiken. Und Jeanie ist sehr wütend. Sogar Vince ist kleinlaut. Ich glaube, alle vermissen dich jetzt schon. Es liegt eine scheußliche Anspannung in der Luft. Es hat auch jeder mitbekommen, was Vince getan hat. Die meisten Leute sind darüber empört. Über Vince und Felix.«

»Wirklich? Wie das?«

»Jeanie und er hatten in der Kantine eine heftige Auseinandersetzung. Die meisten haben es mitgekriegt. Sie war außer sich vor Wut. Hat ihn den ganzen Tag gemieden und zu Philippe gesagt, sie könne es kaum ertragen, Vince anzusehen. Dann hat Vince sie in der Mittagspause erwischt und den Fehler gemacht, sie um Verzeihung zu bitten. Es war wie bei einem Vulkanausbruch. Sie ist«, er zuckte zusammen, »knallrot geworden, und dann, bumm, ist sie explodiert. Jetzt wissen alle Bescheid.«

Über meine Kollegen zu sprechen, versetzte mir einen schmerzhaften Stich in die Brust. Gott, wie ich das alles vermisste. Was würde ich tun, wenn ich nie mehr zurückkonnte? Christelle hatte wohl den Schmerz bemerkt, der sich in meinem Gesicht gezeigt hatte. Sie beugte sich zu mir und berührte mich am Handgelenk. »Gib nicht auf. Du musst optimistisch bleiben. Heute sollten sie meinen Brief erhalten haben.« Sie lächelte selbstzufrieden. »Jetzt machen sie sich bestimmt vor Angst in die Hose. Sie haben garantiert nicht damit gerechnet, dass du so schwere Geschütze auffährst.«

»Was meinst du?«

»Ich hab den Briefkopf der Kanzlei benutzt.« Sie schaute so süffisant wie eine Katze, die eine komplette Molkerei leer geschleckt hatte.

»Ist das gut?« Ich hatte noch nie von der Firma gehört, für die sie arbeitete, allerdings war es auch nicht gerade mein Fachgebiet.

»Jeder, der Arbeitsrecht macht, kennt uns.« Sie nannte einige sehr bekannte Fälle von Firmenchefinnen und Geschäftsführern, die wegen unberechtigter Entlassung, Vertragsbruch und Geschlechterdiskriminierung ihren Arbeitgeber erfolgreich um Millionenbeträge verklagt hatten.

»Wow. Das war mir nicht klar.«

»Ja, in deinem Fall ist es ein bisschen anders. Die anderen wollten recht bekommen. Du willst deine Stelle zurück. Deshalb müssen wir beweisen, dass eure Geschäftsführung im Unrecht ist. Sie sollen die Beweise vorlegen. Bis sie das tun, können wir nichts ausrichten.«

»Aber was für Beweise haben sie? Ich schwöre, ich habe nie irgendwelche Mails an die Zeitung geschickt.«

»Dann obliegt es ihnen zu beweisen, dass du es doch getan hast. Wir müssen diese Mails sehen.«

Wo bist du? Ich muss dringend mit dir sprechen. Triff mich um halb sechs im Costa bei Waterloo Station.

Jeanies Nachricht am Donnerstagmorgen um halb sieben riss mich aus dem Schlaf.

Sie brachte mich in eine Zwickmühle. Sollte ich Christelle davon erzählen oder lieber nicht? Es verstieß gegen die Regeln. Im Brief von der Personalabteilung stand schwarz auf weiß, dass ich nichts mit Kollegen besprechen durfte. Allerdings war ich zu dem Schluss gekommen, dass das Recht eine ziemlich schmutzige Angelegenheit darstellte, nachdem ich von Christelle gehört hatte, dass sie auch schuldige Menschen verteidigte.

»Du bist ja früh auf«, bemerkte Christelle, als ich ihre Küche betrat. In einem eng anliegenden schwarzen Kleid und einer kurzen Strickjacke aus Kaschmir, mit Türkisperlen um den Hals, war sie der Inbegriff von Eleganz. Der Schal, den ich ihr gekauft hatte, würde auf jeden Fall großartig zu dieser Kombination passen.

»Hab ich dich geweckt? Ich muss früher in die Kanzlei, weil ich vor der Verhandlung noch ein Treffen mit dem Anwalt des Beklagten habe. Richtig nervig, wir sind bereits alles durchgegangen. Wir werden verlieren. Der Mann ist ein Idiot und sein Klient auch. Und dann«, fuhr sie munterer fort, »können wir anfangen, über Weihnachten nachzudenken.« So wie sie mit einer Scheibe Toast zwischen den Zähnen durch die Küche flitzte und Papiere in einer Aktentasche aus weichem Leder verstaute, beschloss ich, dass es wahrscheinlich das Beste war, sie nicht mit der Nachricht zu behelligen.

»Du brauchst dir keine Sorgen zu machen. Ich habe mir die Unterlagen noch mal angeguckt. Und diese lächerliche Verschwiegenheitsvereinbarung, die sie eingefügt haben, als das Kind schon längst in den Brunnen gefallen war.«

Sie nahm einen Notizblock und schwenkte ihn vor mir.

»Füllung mit Salbei und Zwiebeln oder Wurstbrät? Oder ich könnte das Rezept von Jamie Oliver suchen.«

»Was?«

»Ich mache gerade meine Einkaufsliste. Ich dachte mir, wir könnten irgendwann im Laufe der Woche einkaufen gehen. Ich versuche, an einem Abend früher heimzukommen.«

»Christelle, übermorgen ist Heiligabend.«

»Hm, na ja, ich«, sie kräuselte die Nase, »ich krieg das irgendwie hin. Nicht heute, aber vielleicht morgen.«

Bei ihrem Enthusiasmus musste ich lächeln. Genug gegrübelt. Ich würde meine Stelle nicht wiederbekommen. Ich musste diese lethargische Mattigkeit loswerden. Sie entsprach mir kein bisschen. Plötzlich wusste ich genau, wie ich die Zeit herumbringen würde, bis ich Jeanie traf.

Siebenunddreißigstes Kapitel

Um zwölf war ich richtig auf Touren. Ich war nach Clapham in meine Wohnung gefahren und hatte Mums Geschenketasche geholt, die während der dramatischen letzten Tage in Vergessenheit geraten war, und hatte auf dem Rückweg zu Christelles Wohnung einen Einkaufsmarathon bei Sainsbury's hingelegt. In meinem Eifer überschritt ich das Verhältnis von Händen zu Tüten, weshalb ich mir ein Taxi rufen musste, um alles zurückzubefördern. Meine Finger hatten sich gerade erst von den Furchen erholt, die die schweren Plastiktüten hineingezogen hatten.

Ich hatte den Fahrer bei einem Gemüseladen anhalten lassen, und obwohl er nicht begeistert war, überredete ich ihn dazu, mir dabei zu helfen, einen Weihnachtsbaum in den Kofferraum des Taxis zu packen. Ich hatte die Spitze gekrümmt, damit er reinpasste, und Tannennadeln rieselten überallhin. Ich musste mehrmals mit dem Aufzug hoch- und runterfahren, um alles in Christelles Wohnung im neunten Stock zu bringen, und als ich schließlich die letzte Ladung hineingetragen hatte, wäre ich fast zusammengebrochen.

Jetzt, da die Weihnachts-CD von Michael Bublé lief, hatte ich ein bisschen wie bei der *Sendung mit der Maus* meine Zutaten aufgereiht und alles auf Tellerchen abgewogen. Das war das Schöne an Christelles Küche, sie hatte so viele Utensilien. Einen anständigen Mixer, Messbecher, Rührgerät, einen echten Kuchenpinsel und einen funktionierenden Herd. Ich hatte ihr Tablet auf der Anrichte aufgestellt und das besondere Rezept für die Füllung von Jamie Oliver gefunden. Zum Glück hatte ich die meisten Zutaten noch im Kopf gehabt, als ich einkaufen gewesen war, sogar den Salbei. Es war ein Lieblingsrezept unserer Familie, das wir übernommen hatten, nachdem wir eine Weihnachtskochsendung geschaut hatten.

Meine erste Ladung Weihnachtsküchlein war bereits im Ofen, und ich hatte Pi mal Daumen geschätzt, wie viel Orangensaft in den Teig gehörte, doch ich war zuversichtlich, dass sie ebenso gut schmecken würden wie die von Mum. Ich hatte die Früchtefüllung mit geriebener Orangenschale bestreut, ehe ich jedes Küchlein verschlossen hatte, genau wie sie es zu tun pflegte, und sogar in mühevoller Kleinarbeit winzige Stechpalmenblätter ausgeschnitten, um die Küchlein zu dekorieren, was sie nicht machte. Schnell wurde mir klar, warum. Es war langweilig zu versuchen, winzige Beeren zu rollen, und ich beschloss, dass die vor Eigelb glänzenden Stechpalmenblätter raffiniert genug waren. Die zweite Ladung würde undekoriert bleiben müssen. Das Leben war dafür zu kurz.

Ich ließ mich mit einer Tasse Tee auf eines der cremefarbenen Ledersofas plumpsen und ging im Geiste meine Checkliste durch, während ich die Aussicht bewunderte. Heute war einer dieser eisigen Tage mit tiefblauem, wolkenlosem Himmel, und der Ausblick aus den Panoramafenstern war in strahlenden Sonnenschein getaucht.

Obwohl es draußen fast null Grad hatte, war es drinnen angenehm warm. Keine zugigen Fenster oder schwachbrüstigen Heizkörper. Auch wenn die Wohnung für meinen Geschmack etwas zu modern war, fiel mir auf, dass es sich sehr viel bequemer lebte, wenn man alles richtig in Schuss hielt, sich darum kümmerte und für eine vernünftige Wartung sorgte. Beschämt dachte ich an meine Wohnung und meine nachlässige Einstellung ihr gegenüber. All die Dinge, an die ich mich so gewöhnt hatte, konnten verbessert und repariert werden. Ich war in einen Trott verfallen und nahm die Dinge so hin, wie sie waren.

Der Gedanke zersplitterte in tausend Richtungen, als mir dämmerte, dass ich ja umziehen konnte. Die Wohnung loswerden und mir eine andere kaufen. Immer vorausgesetzt, ich bekam meine Stelle wieder. Ich hatte genügend Eigenkapital, das ich als Sicherheit nutzen konnte, um eine kleine Hypothek aufzunehmen. Plötzlich kam es mir erwachsen und vernünftig vor, das zu tun.

Ich trank meinen Tee, stellte die Tasse auf einem Untersetzer ab und setzte mich auf. Sobald die Angelegenheit mit meiner Arbeit geklärt war, würde ich die Wohnung zum Verkauf anbieten. Nachdem ich diesen Entschluss für mich gefasst hatte, war ich sehr viel positiver gestimmt. Und nun, nach meiner kleinen Pause, war noch einiges zu tun. Ich sprang auf und sah Mums riesige Tasche durch, die sich als Offenbarung erwies. Sie hatte Weihnachten eingepackt. Es gab zwei Päckchen mit Baumschmuck, einschließlich glitzernden Girlanden, silbern für Christelle und golden für mich, dazu eine Auswahl vertrauter Familien-Deko ebenso wie einige neue. Zusammen mit dem Schmuck, den ich heute Morgen erstanden hatte, würde der Baum gut behängt sein.

Es gab auch mehrere eingepackte Geschenke für jede von uns, sowie zwei Strümpfe. Ich rieb mit dem Finger über das paillettenbesetzte »M« auf dem einen. Wir hatten sie schon ewig. Ich konnte mich an kein Weihnachten erinnern, an dem sie nicht mit großer Feierlichkeit an unsere Türklinken gehängt worden wären, ehe wir an Heiligabend schlafen gingen.

Wehmütig dachte ich an daheim und an unsere Familienfeste, unsere besonderen Traditionen. Sekt Orange zum Frühstück. Die Nachbarn kamen vorbei, um Cocktails mit Champagner zu trinken. Dad, der seine Elfenschürze trug und für den Truthahn zuständig war, und Mums hoffnungslose Versuche, den Plumpudding anzuzünden.

Ich würde dafür sorgen, dass Christelle und ich unser eigenes denkwürdiges Weihnachtsfest erlebten.

Den Baum aufzustellen, erwies sich als einer der problematischeren Bestandteile meiner Mission für ein perfektes schwesterliches Weihnachten. Ich fluchte. Ich war sehr bestrebt, alles fertig zu haben, bis Christelle von der Arbeit zurückkam. Im Supermarkt hatte ich zusätzlichen Baumschmuck und zwei Lichterketten gekauft, aber nicht darüber nachgedacht, wie ich den dusseligen Baum in eine aufrechte Position bekommen würde.

Ihre Schränke zu durchsuchen, brachte nichts. Ich nahm an, dass meine Schwester nicht allzu erfreut sein würde, wenn ich ihren größten Kochtopf verwendete, und ich würde immer noch etwas brauchen, um den Baum darin zu verankern. Da fiel mir der Sonnenschirm draußen auf dem Balkon ins Auge. Der Ständer würde perfekt sein.

Fast perfekt, wie sich herausstellte, aber mit etwas Schnitzen und Hobeln mit einem sehr scharfen Messer schaffte ich es, den Baumstamm in den Sonnenschirmständer zu rammen, wobei ich ordentlich ins Schwitzen geriet. Es war unglaublich, was man mit ein wenig Entschlossenheit hinbekam, dabei verwendete ich Christelles ältestes Messer von Sabatier.

Die Rushhour schlug gewaltig zu, und Waterloo Station war voller Lärm und Menschen, aber nachdem ich mich in Christelles ruhiger, stiller Wohnung verkrochen hatte, fühlte die geschäftige Atmosphäre sich an, als wäre ich aus dem Winterschlaf erwacht. Heute hatte ich viel geschafft bekommen, und in etwas besserer Stimmung machte ich größere Schritte und schlängelte mich mit wehendem Rock an den Leuten vorbei. Ja, ich war schon wieder viel mehr ich selbst. Es würde gut sein, Jeanie zu sehen, und ich hoffte, dass sie vielleicht einige positive Nachrichten für mich hatte.

Ich schnupperte genüsslich an meinem Cappuccino und sah mich aufmerksam im Coffeeshop um. Bisher war sie nirgends zu entdecken.

Während ich die Tische absuchte, übersah ich ihn beim ersten Mal, doch mit magnetischer Kraft wurde mein Blick erneut von einem Tisch weit in der Ecke angezogen, von wo vertraute grüne Augen mich beobachteten. Lächerlicherweise schaute ich mich immer noch nach Jeanie um.

Ich lief rot an, brennende Hitze schoss über meinen Körper wie heißer Sand, und plötzlich bekam ich weiche Knie. Die Gefühlsaufwallung, so verwirrend und stürmisch, ließ mich erstarren. Scheiße, ich wollte ihn nicht sehen. Ich hatte ihm nichts zu sagen. Ich konnte nur noch an diese schreckliche Situation mit ihm denken, als Marsha und Julian mich angestarrt hatten, wobei ihre steife Körpersprache eine einstimmige Anklage ausdrückte.

Plötzlich panisch, wirbelte ich herum. Ich musste hier weg, bevor mich alles überwältigte. Doch ehe ich die Tür erreichte, lief er mir nach und stolperte in seiner Eile über Stuhlbeine und Taschen. Er schob sich zwischen mich und die Tür, versperrte mir den Weg und legte mir eine Hand auf den Arm.

Ich schüttelte sie ab und trat einen Schritt zurück, wobei ich ihn böse ansah. »Wo ist Jeanie? Hast du sie gezwungen, mir zu schreiben?«

»Nein, ich habe sie gebeten, mir zu helfen, weil wir beide helfen wollten.«

»Helfen?«, fauchte ich. »Na klar. Was willst du wirklich, Marcus?«

»Was denkst du wohl, was ich will?«, fragte er in verärgertem Tonfall.

»Ich hab nicht die leiseste Ahnung.«

»Ich will dir helfen.«

»Ein bisschen spät, meinst du nicht?« Ich kniff die Augen zusammen, unerklärlich gereizt von seiner ruhigen, emotionslosen Miene. »Neulich bist du mir nicht zu Hilfe geeilt.«

»Bitte komm, setz dich.«

»Ich glaube, wir haben einander nichts zu sagen«, sagte ich und stieß ihn weg.

»Herrgott noch mal, Tilly.« Mit einer zornigen Berührung

nahm er mich am Arm und ließ dann gemaßregelt los, als ich ihn mit kalter Wut ansah. »Werd erwachsen. Es war nicht persönlich gemeint.« Rebellisch starrte ich ihn an. Er trug wieder seinen Anzug und war immer noch verdammt umwerfend. Mein Herz flatterte, das verräterische Miststück. Ich wollte ihn wirklich hassen. Ich hasste ihn, nur mein Körper hatte seine eigenen Vorstellungen.

»Du hast leicht reden. Es hat sich sehr persönlich angefühlt, als man mir *meine* Stelle weggenommen hat und ...« *Und das, nachdem ich mit dir geschlafen hatte.* Es tat weh, daran zu denken, wie ich an ihn gekuschelt im Bett gelegen hatte. Lieber starrte ich hinunter auf meinen Kaffeebecher, aus dem kleine Dampfwölkchen aufstiegen. Es half nichts. Bilder schossen mir durch den Kopf. Seine Hände, die meine Haut streichelten. Das schwere Gewicht seines Beins auf meinem. Sein warmer Atem an meinem Hals.

Mein Bauch verkrampfte sich schmerzhaft, während ich mich anspannte und darum kämpfte, die Erinnerungen unter Kontrolle zu halten. Ich konnte das nicht, nicht mit ihm. Meine Stimme klang leise und besiegt, als ich zu ihm hochsah und sagte: »Bitte lass mich in Ruhe.«

»Das kann ich nicht.« Er streckte wieder den Arm aus, doch ich entzog ihm meine Hand, während mein Kiefer sich verhärtete. Er hatte kein Recht, mich anzufassen. Nicht noch mal.

»Lass mich in Ruhe, Marcus. Du hast bekommen, was du wolltest. Du hast deine undichte Stelle gefunden. Hast so getan, als würdest du dich für mich interessieren. Ich weiß nicht, was du da gerade machst, aber ich bin –«

»Um Himmels willen, ich versuche zu helfen«, zischte er, während seine Wangen sich rot färbten.

Ein kleiner Teil von mir war hocherfreut, dass ich ihm eine Reaktion entlockt hatte.

»Warum?«, fragte ich so grob, wie ich nur konnte. »Schlechtes Gewissen?«

»Setz dich einfach und gib mir fünf Minuten. Was hast du schon zu verlieren?«

Ich stand da und dachte kurz darüber nach.

»Bitte.« Sein Gesichtsausdruck war jetzt zurückhaltend.

»Okay.«

Ich folgte ihm zurück zum Tisch in der Ecke und nahm Platz, ohne meinen Mantel abzulegen, um deutlich zu machen, dass ich nicht lange bleiben würde.

Ich spielte mit meinem Kaffeebecher herum, nur um es zu vermeiden, ihm ins Gesicht zu sehen.

»Etwas stimmt nicht. Ich glaube nicht, dass du diese Mails verschickt hast.«

»Komisch, bei der Sitzung hast du das gar nicht erwähnt«, murmelte ich zynisch und nestelte immer noch an der Pappmanschette am Becher, während das vertraute Gefühl äußerster Hilflosigkeit in mir aufstieg.

Verdrossenheit stahl sich in sein Gesicht.

»Schau, ich bemühe mich. Versuche, es zu verstehen. Ich sollte eigentlich gar nicht hier sein. Es könnte mich meine Stelle …«

»Deine Stelle kosten?«, schleuderte ich ihm entgegen. Wie konnte er es wagen? Ich straffte mich und zeigte auf ihn. »Du hast da gesessen«, ich kostete die Worte aus, während ich ihn anfauchte, »und nichts gesagt, während man mich beschuldigt hat, Mails an eine Zeitung geschickt zu haben. Du sagtest, ich sei die Absenderin.« Ich umfasste meinen Kaffeebecher und zog ernsthaft in Erwägung, ihn hier und jetzt damit zu bewerfen.

»Was zum Teufel hätte ich denn tun sollen?«, sprudelte es aus ihm heraus. »Und ich habe nicht gesagt, du seist die Absenderin. Ich habe gesagt, sie kamen von deinem Konto. Das ist ein Unterschied. Leider zählt es als Beweis. Als erdrückender Beweis, soweit es den Vorstand betrifft. Eine E-Mail-Spur führt von deinem Konto zu einer überregionalen Zeitung. Das ist ein unumstößlicher Beweis.«

»Na, deinen unumstößlichen«, ich hob die Finger und signalisierte übertriebene Anführungszeichen, »*Beweis* kannst du dir sonst wohin stecken, weil ich diese Mails nicht verschickt habe, aber offenbar hat jemand entschieden, dass ich es war, während du mich anderweitig beschäftigt gehalten hast.«

»Wie bitte?« Er versteifte sich.

»Du hast mich gehört. Ich bin nicht ganz dumm. Obwohl, eigentlich schon. Unfassbar dumm. Du hast die undichte Stelle gesucht. Komisch, dass du wunderbarerweise genau an diesem Wochenende die Antwort gefunden hast. Gehört jemanden zu vögeln zum neuen Polizeiaufgabengesetz?«, spie ich ihm entgegen und legte so viel Abfälligkeit in meine Worte, wie ich konnte. »Hast du deshalb mit mir geschlafen?«

Seine Hände krampften sich um den Becher, die Pappe knisterte, und Kaffee lief ihm über die Finger.

»Vielen Dank auch. Du hast ja eine hohe Meinung von mir. Glaubst du das wirklich? Denkst du tatsächlich so über mich?«

Ich zuckte die Achseln, reckte das Kinn und ignorierte, wie schrecklich gemein ich mir innerlich vorkam. »Ich würde sagen, die Beweise sind unumstößlich. Du hast die Untersuchung geleitet. Daher wusstest du wohl, was im Gange war, während wir beim Fußballspiel waren und … d-danach.« Meine Stimme brach, doch ich behielt trotzig das Kinn oben, während ich ihm einen eisigen Blick zuwarf.

Sein Kiefer spannte sich an, und an seinem Hals wurde sein Pulsschlag sichtbar, doch er schaffte es, kalt und kontrolliert zu klingen. »Das war ganz und gar nicht der Fall. Der Bericht des Sicherheitsberaters ging direkt an den Geschäftsführer ebenso wie an mich.« Mir war nicht klar gewesen, dass es so wehtun würde, als er nicht leugnete, dass Nachforschungen stattgefunden hatten, während ich mit ihm zusammen gewesen war.

Er fuhr fort: »Und wie ich schon sagte, gab es Beweise.« Er beendete seinen Satz und stützte beide Ellbogen auf den Tisch. Sein Fall war dargelegt, alles logisch nachvollziehbar.

Ich bedachte ihn mit einem verächtlichen Blick, während ich einen Schluck Kaffee trank, ehe ich abfällig meinte: »Das sagtest du bereits.«

»Herrgott noch mal, Tilly«, explodierte er, während sein Adamsapfel heftig auf und ab hüpfte. »Hör auf, so verdammt melodramatisch zu sein. Das bringt uns nicht weiter. Ich habe dich kontaktiert, weil ich nicht glaube, dass du es getan hast. Nein«, zischte er und schlug bestimmt mit beiden Händen auf den Tisch. »Ich *weiß*, dass du es nicht getan hast, aber wenn wir vorhaben, deinen guten Ruf wiederherzustellen, musst du verflucht noch mal mit mir reden und aufhören, mich anzugiften. Diese Sitzung kam für mich ebenso unerwartet wie für dich. Du warst es nicht. Okay.«

Ich rutschte auf meinem Stuhl zurück, entsetzt von seinem Ausbruch und unsicher, was ich jetzt sagen sollte.

»Du glaubst nicht, dass ich es getan habe? Wie nett von dir.«

Er holte Luft, und eine Spur von Reue zeigte sich in seiner Miene. »Es ist keine Frage des Glaubens. Ich weiß, dass du es nicht warst.«

»Und wie bist du zu diesem Schluss gekommen, Sherlock?«

Er wurde sehr still und hielt meinem Blick stand. »Weil es überhaupt nicht deine Art ist. Du … du würdest so was nicht tun.«

Seine raue Stimme weckte unwillkommene Empfindungen. »Das hilft aber nicht, oder? Du meintest, sie hätten Beweise.« Ich richtete mich auf, entschlossen, professionell zu bleiben.

Er schien andere Pläne zu haben. Als er sich vorbeugte, mich mit eindringlichem Blick am Unterarm berührte und leise sagte: »Ja, aber du hast diese Mails nicht verschickt, das war jemand anders«, musste ich gegen die zunehmende Wärme in meiner Brust ankämpfen. Ich konnte nicht zulassen, dass er mich noch mal berührte. Seine Arbeit stand an erster Stelle, und er kannte wenig Bedenken, wenn es darum ging, Ergebnisse zu erzielen.

»Was du nicht sagst, Sherlock«, spottete ich. »Ich glaube, so weit bin ich auch schon.«

Ein harter Zug legte sich um seinen Mund, doch die Botschaft kam bei ihm an. »Wir müssen nachweisen, dass jemand anders diese Mails verschickt und dafür dein Konto benutzt hat.«

Ich zog eine Grimasse und schüttelte den Kopf. »Leichter gesagt als getan. Ich schätze, dass es möglicherweise jemandem aufgefallen wäre, wenn dieser Jemand praktischerweise die Mails, die von mir kamen, mit seinem Namen unterschrieben hätte.«

Marcus' Mund verzog sich zu einem schiefen Lächeln. »Leider ist die Zeitung nicht sonderlich mitteilsam. Sie schützt ihre Quellen.«

»Darauf wette ich.« Nachdenklich stieß ich einen Seufzer aus. »Ich kann es dir genauso gut erzählen. Es war wahrscheinlich Felix.«

Ich wand mich unter Marcus' kühlem, abschätzendem Blick. »Weißt du noch, wie ich zu dir sagte, dass ich ihm nicht verzeihen könnte? Er hat das Foto von Katerina verkauft. Und andere Geschichten. Der Bruder eines seiner Freunde ist Reporter.« Ich biss mir auf die Lippe. »Darauf bin ich nie gekommen. Vermutlich hat er mein Mailkonto verwendet.«

»Das ergibt Sinn.«

»Wie meinst du das?«

»Weil wer auch immer es war, die Mail aus dem Gesendet-Ordner gelöscht hat und so versucht hat, seine Spuren zu verwischen oder dafür zu sorgen, dass du sie nicht zu Gesicht bekommst, aber die Sicherheitsberater, die wir engagiert haben, haben sie alle auf dem Server des Mailproviders gefunden.«

»Trotzdem hilft das nicht weiter.« Ich fühlte mich hoffnungsloser denn je. »Felix könnte seinen Laptop verwendet haben, als ich gerade nicht in der Nähe war. Meine Log-in-Daten erscheinen automatisch unter dem Link.«

Marcus blickte finster und rieb sich die Stirn. »Er hätte die Mails schreiben können, während du woanders warst.«

Ich konnte ihm nicht folgen.

»Wenn wir herausschreiben, wann genau die Mails verschickt wurden, und feststellen, wo du dich zu diesem Zeitpunkt aufgehalten hast, könnten wir ein Alibi für dich finden. Nutzt du … natürlich tust du das nicht.«

»Was?«

»Ich wollte sagen, einen elektronischen Kalender. Du hättest ihn mit mir teilen können, und dann hätte ich beides miteinander abgleichen können.«

»Ha! Ich hab was Besseres. Erinnerst du dich«, ich wühlte in meiner Handtasche, »noch an dieses komische Büchlein?« Ich schlug meinen Terminplaner auf und zeigte auf eine Wochenübersicht, die voller Notizen war. »Da stehen Daten drin. Das hier nennt man einen Stift, damit schreibt man. Ein eigenartiges Konzept, sicher, aber es funktioniert schon seit Jahrhunderten. Hast du je von diesem Kerl namens Samuel Pepys gehört? Oh, ich vergaß. Wir haben schon mal darüber gesprochen. Und du hast dich über das nützliche schwarze Büchlein lustig gemacht.«

Ich blätterte die Seiten durch. Kostümprobe. Mittagessen mit Christelle. Pokerabend.

Marcus schob seinen Ärmel zurück und warf einen raschen Blick auf die Uhr. »Ich muss wieder zur Arbeit.« Er klang fast bedauernd. »Aber wir müssen alle Daten durchgehen. Ich habe eine Liste der versandten Mails, die wir mit deinem Terminplaner abgleichen können.«

»Ich weiß nicht, ob das eine gute Idee ist.«

Ein Teil von mir wünschte sich das sehnlichst, und der andere Teil, der einen starken Selbsterhaltungstrieb besaß, hielt es für einen außerordentlich schlechten Plan.

»Tilly, willst du deine Stelle zurückhaben?«

Das war mir wichtiger als alles andere.

»Weißt du was?« Ich konnte ihn nicht allein treffen, ich brauchte Abstand. Musste dafür sorgen, dass es unpersönlich blieb. »Komm bei meiner Schwester vorbei. Dort wohne ich zurzeit.« Herausfordernd sah ich ihn an. »Sie ist Anwältin.«

»Ja, ich weiß. Das hat sie erwähnt.«

»Hat sie auch erwähnt, dass sie, zu meinem Glück, auf Arbeitsrecht spezialisiert ist?«

»Nein, ich dachte, sie wäre … ich schätze, Strafverteidigerin.« Er nickte anerkennend. »Aber Arbeitsrecht ist gut. Sehr gut.«

»Ja. Sie vertritt mich bei der Anhörung. Sie will bestimmt, dass wir sie einbeziehen. Sie muss diese *Beweise* sehen.«

Sein Mund zuckte. »Sicher, dass das eine gute Idee ist?«

»Mach dir um deine Stelle keine Sorgen.« Ich stand auf und schob angewidert meinen Kaffee weg. »Ich sorge dafür, dass Christelle es niemandem verrät. Lass mich mit ihr sprechen, und dann schreibe ich dir.«

»Meine Nummer hast du ja.«

»Ja«, fauchte ich. Er hatte sie mir gegeben, als wir unseren Treffpunkt für die Fahrt nach Yorkshire ausgemacht hatten.

Als ich mich zum Gehen wandte, hielt Marcus mich am Handgelenk zurück. Seine Berührung wurde sanfter, und mir war, als streichelte sein Daumen ganz leicht über meine Haut.

»Ich bin nicht wegen meiner Stelle besorgt, sondern dass ich jeglichen Einfluss verliere, den ich dadurch habe, dass ich drinnen bin. Zugang zu Informationen. Den Mails.«

Achtunddreißigstes Kapitel

Lange vor Christelle, die mir geschrieben hatte, dass sie auf dem Heimweg wäre, war ich wieder in der Wohnung, sodass ich genug Zeit hatte, die Weihnachtsbaumbeleuchtung und die zweite Lichterkette einzuschalten, die ich ziemlich künstlerisch – wenn ich das so sagen durfte – in einer übergroßen Vase auf einem der Beistelltische arrangiert hatte. Als sie zur Tür hereinkam, brannten Teelichter auf dem Sofatisch, und in der Wohnung roch es nach Zimt und Gewürzen vom Glühwein, den ich sacht auf dem Herd erwärmte, eine Inspiration im letzten Moment, nachdem ich bei Marks & Spencer am Bahnhof vorbeigekommen war, wo sie Gratisproben in kleinen Plastikbechern verteilt hatten.

»Schatz, ich bin dah…« Ihre Stimme erstarb, als sie das Wohnzimmer betrat. »Oh Gott, Tilly«, quietschte sie aufgeregt. »Das ist umwerfend!«

Sie stand vor dem Baum und klatschte begeistert in die Hände. »Wow! Du warst ja fleißig.«

»Komm in die Küche, und ich schenk dir was zu trinken ein.«

»Dazu sag ich nicht Nein, irgendwas riecht hier ganz vorzüglich.«

Sie nahm das dampfende Glas Rotwein entgegen und schnupperte daran.

»Mmm, herrlich. Und ich hab mir schon Sorgen gemacht, dass du heute allein vor dich hin grübeln würdest.«

»Glaub mir, das hab ich auch zur Genüge, aber … na ja, du warst so toll, da wollte ich mich revanchieren.«

»Das wäre nicht nötig gewesen. Es ist so schön, dich hier zu haben.« Sie zuckte. »Selbst unter diesen Umständen.«

»Ah, dazu habe ich Neuigkeiten.«

Ich schilderte ihr die Sache mit Jeanies Nachricht und meinem Treffen mit Marcus.

»Ich hoffe, das ist okay, ich habe ihm vorgeschlagen, heute Abend vorbeizukommen. Um acht.«

Während der U-Bahn-Fahrt zurück hatte ich entschieden, dass ich damit klarkommen würde, Marcus zu sehen, wenn Christelle an meiner Seite war. Sie würde mit seinen Informationen etwas anzufangen wissen.

»Ja, super! Das ist der IT-Typ.« Sie hielt inne. »Moment mal, der Typ, der in der Oper neben mir saß.«

»Ja«, sagte ich und überlegte, ob ich noch mehr von ihm erzählen sollte. *Ach, übrigens, das ist auch der Typ, in den ich heftig verknallt bin und mit dem ich geschlafen habe, ehe er mich verraten hat.*

Christelle legte ein fröhliches Tänzchen hin, sodass ich froh war, das nicht ausgesprochen zu haben.

»Das sind wirklich fantastische Nachrichten.« Mit wackelnder Hüfte tanzte sie um den Küchentisch. »Ich kann nicht glauben, was wir für ein Glück haben. Ein Zeuge läuft über. Hervorragend. Das wird sie bei der Verhandlung schwächen.«

»Meintest du nicht, dass es im Moment keine Verhandlung gäbe, nur eine Anhörung, Chris?«

»Wenn du das glaubst, bist du geliefert. Und nenn mich nicht Chris.«

»Wie wär's dann mit Elle?«, fragte ich und spürte, wie sich mir bei ihren Worten der Magen verkrampfte. Ich hatte so viel zu verlieren, ich brauchte jegliche Informationen, die Marcus uns geben konnte.

»Also damit könnte ich leben. Wie Elle aus *Natürlich Blond*. Chris klingt zu männlich. Ich bin gerne ein Mädchen.« Sie warf sich mit einem übertriebenen Schmollmund das Haar über die Schulter, worauf ich lächeln musste. Ich entdeckte ständig neue Seiten an meiner Schwester.

Meine Hände zitterten, als ich die Wohnungstür öffnete. Seit Marcus' tiefe Stimme durch die blechern klingende Sprechanlage ertönt war, hatte ich wild umherflatternde Schmetterlinge im Bauch.

»Komm rein«, sagte ich und versuchte, strikt förmlich zu bleiben. Vorhin hatte er mich in einen Hinterhalt gelockt, aber jetzt war ich ruhig und beherrscht. Von wegen! Doch ich war zumindest entschlossen, ungerührt und gleichgültig aufzutreten. Ohne anzubieten, ihm den Mantel abzunehmen, führte ich ihn in den offenen Wohnbereich, wo Christelle vor einem Notizblock mit Kanzleipapier am Esstisch saß. Mit dieser bewusst inszenierten Beleuchtung wirkte sie geradezu Furcht einflößend effizient.

»Marcus, meine Schwester Christelle. Ihr seid euch schon in der Oper begegnet.«

Sie erhob sich und streckte die Hand aus, wobei sie hoheitsvoll nickte. Ich unterdrückte ein Lächeln, das schnell schwand, als Marcus ihr vollkommen unbeeindruckt die Hand schüttelte und sagte: »Schön, Sie wiederzusehen. Oder darf ich Du sagen? Kann es sein, dass du noch mein Taschentuch hast?«

Christelle schürzte die Lippen. »Danke, dass du vorbeikommst. Tilly hat mir zu verstehen gegeben, du hättest einige Informationen für uns.«

Marcus sah fragend von ihr zu mir.

»Schau, ich bin hier, weil ich Tilly helfen will. Können wir mit den Machtspielchen aufhören? Wir stehen alle auf derselben Seite.«

Ein reumütiges Grinsen stahl sich auf Christelles Gesicht. »Erwischt. Na gut. Noch mal von vorn. Danke, dass du gekommen bist. Möchtest du etwas trinken?«

Nach einem Neustart mit einer Runde Kaffee am Frühstückstresen klappte Marcus seinen Laptop auf und setzte sich neben mich an den Küchentisch, wobei er seinen Stuhl dicht an meinen heranzog, sodass wir beide auf den Computerbildschirm schauen konnten. Ich versuchte, auf Distanz zu bleiben, aber sein vertrauter Geruch bewirkte, dass mein Magen Purzelbäume schlug. Es schien ihm nicht aufzufallen, doch ich machte mir Gedanken, als er tief Luft holte, ehe er auf dem Bildschirm eine Tabelle öffnete. Er war eindeutig fleißig gewesen, obwohl ich mit den komischen Zahlen in den Spalten nicht sonderlich viel anfangen konnte.

Er deutete auf den Bildschirm. »Ich habe hier von jeder Mail, die von Tillys Konto an die Zeitung verschickt wurde, das Datum und die Uhrzeit übertragen. Ich dachte mir, wir könnten sie alle nacheinander durchgehen und versuchen herauszufinden, wo Tilly sich zum besagten Zeitpunkt aufgehalten hat.« Er wandte sich mir zu, den Hauch eines Lächelns auf den Lippen. »Hast du deinen Terminplaner?«

»Ja«, murmelte ich und schlug ihn auf.

»Los geht's, die erste dieses Jahr. 22. November.«

Ich blätterte durch die Seiten meines Planers. »Welche Uhrzeit?«

»18.30.«

»Verdammt. Morgens war ich bei einer Prothetik-Fortbildung, aber dann hatte ich Spätschicht im Theater.«

»Okay, wie sieht es mit dem Nachmittag des 24. Novembers aus?«

»Ein ganz normaler Arbeitstag. Es hätte jeder von uns sein können.«

»Erinnerst du dich noch daran? Hat sich irgendjemand seltsam verhalten? Als ob er etwas zu verbergen hätte? Hat jemand den Computer benutzt?«

Ich zog meinen Terminkalender zurate, in der vergeblichen Hoffnung, dass er eine kleine Erinnerung wecken könnte. »Das war nach dem Virus.«

»Erwähn bei der Anhörung auf keinen Fall den Virus«, mischte Christelle sich ein. »Das ist wahrscheinlich ein weiterer Verstoß, für den man dich feuern könnte.« Sie warf einen warnenden Blick in Marcus' Richtung.

Sie traute ihm noch immer nicht über den Weg, auch wenn er ihr sein Taschentuch geliehen hatte.

Je schärfer ich nachdachte, desto schwerer wurde es, die Erinnerungen zu greifen. Ich schüttelte den Kopf und versuchte, mir ins Gedächtnis zu rufen, ob irgendjemand am Rechner gewesen war. Oft hatte ich in meinen Planer nur meine Schicht und den Titel der Inszenierung eingetragen.

»Keine Sorge.« Marcus legte mir eine Hand auf den Unterarm, was ich zu ignorieren versuchte, doch ich sah Neugierde in Christelles Blick aufflackern. Ich schüttelte seine Hand ab.

Neben mir nahm Christelle eine feindselige Haltung ein. »Können wir bitte bei den Fakten bleiben?«

Marcus beachtete sie nicht und nahm wieder meinen Terminkalender zur Hand.

»Es gibt noch jede Menge. Wir finden was. Wir brauchen nur einen. 30. November, 21 Uhr.«

»Daheim. Allein.«

Während wir uns durch die Liste arbeiteten, verlor ich allmählich den Mut. Zu absolut jedem Zeitpunkt, zu dem eine Mail versandt worden war, hätte ich ohne Weiteres die Absenderin sein können.

»Ich glaub's nicht. Ernsthaft?« Jedes einzelne Mal fehlte mir ein Alibi. Allein zu Hause. Nicht mal Felix war daheim gewesen.

Nach einer Weile legte ich den Kopf auf den Tisch.

»Das ist hoffnungslos. Kein einziger Termin.«

»Können wir das noch mal überprüfen?« Christelle zog den Laptop zu sich. Sie vertraute eindeutig nicht darauf, dass Marcus gründlich genug vorging.

»Ich würde mich freuen, wenn du das tätest, ein zweiter Blick wäre höchst willkommen. Es würde mir sehr leidtun, etwas übersehen zu haben.« Obwohl er versucht hatte, seinen Sarkasmus zu zügeln, merkte ich, dass meine Schwester ihm tierisch auf die Nerven ging.

»Marcus …« Ich wollte seine Beharrlichkeit würdigen, doch wir waren sämtliche Daten durchgegangen.

»Gib nicht auf.« Seine Stimme war weicher geworden.

»Tun wir nicht«, fuhr Christelle ihn an. »Aber das hier hilft nicht. Du ziehst Tilly runter. Bist du sicher, dass es keine andere Möglichkeit gibt, ihre Unschuld zu beweisen?«

Tränen brannten in meinen Augen. Ich wollte nicht immer nur weinen.

»Hey, ihr zwei, können wir kurz einen Waffenstillstand ausrufen? Christelle, ich weiß, du willst nichts unversucht lassen, aber Marcus will wirklich helfen.«

Christelles Mund bildete eine trotzige Linie, ehe er weicher wurde.

»Tut mir leid, ich bin von Natur aus misstrauisch. Das bringt der Beruf so mit sich. Zeugen haben normalerweise eine geheime Absicht oder ein Motiv, warum sie helfen.«

»Kommt, wir machen eine Pause, um erst mal wieder einen klaren Kopf zu bekommen.«

Christelle zog eine halb volle Flasche Rioja aus der Anrichte. »Möchtet ihr welchen?«

Marcus und ich nickten beide, und sie schenkte jedem von uns ein Glas ein.

»Hat es irgendetwas zu bedeuten, dass Tilly immer allein war, als die Mails verschickt wurden?«

Marcus runzelte die Stirn, während er anerkennend den Wein probierte. »Wie – meinst du etwa, jemand hat es ihr absichtlich angehängt, weil er wusste, dass sie kein Alibi hat?«

»Nein! Du hast zu viel CSI geschaut. Ich meinte, wenn Tilly allein zu Hause war, wo war dann Felix? Mit Vince zusammen? Kennt Felix deine Passwörter?«

»Leider ja«, antwortete ich in Richtung von Christelle und behielt Marcus im Auge, der den Kopf geneigt hielt, als sei er in Gedanken versunken. »Du weißt, wie schlecht ich mit Computern umgehen kann. Er hat seinen Laptop so eingerichtet, dass ich von daheim in meine Mails schauen konnte.«

Marcus erhob sich und begann, um den Tisch herumzustromern. »Wenn Felix nicht zu Hause war, hat er seinen Laptop vermutlich mitgenommen?«

Christelle richtete sich auf. »Deshalb konntest du niemandem mailen.«

Marcus verzog das Gesicht. »Es ist kein allzu starkes Argument, und wie lässt es sich beweisen?«

Sie waren beide auf der falschen Fährte. »Tut mir leid, Leute, ich konnte trotzdem noch mailen, weil ich mein Tablet benutze, wenn Felix nicht da ist.«

Christelle kaute an ihrem Stift und kräuselte die Nase. »Verdammt.«

»CSI Southampton!« Marcus ließ sich wieder auf den Stuhl vor seinem Laptop fallen.

»Was?« Christelle wechselte rasch einen Blick mit mir.

»Ein Insiderwitz«, erklärte ich steif.

Marcus öffnete seine Mails und scrollte hindurch.

»Bingo!« Er drehte den Bildschirm in meine Richtung, und Christelle stellte sich hinter meine Schulter.

An: Matilde@lmoc.co.uk
Von: Redsman@hotmail.co.uk
Betreff: High Fidelity

Freut mich, dass es dir gefällt. Eines meiner Lieblingsbücher. Und auch ein Superfilm.
Kennst du ihn? Das kann man nicht oft sagen, wenn sie einen einwandfreien englischen Schauplatz aufgeben. Das versteh ich echt

nicht. Warum haben sie den Plattenladen nicht in England gelassen? Warum müssen Film- und Fernsehfirmen überhaupt die Schauplätze ändern? *Kommissarin Lund? Life on Mars?* Haben wir etwa ein englisches *Friends* gedreht? So was wie *Mates* oder *CSI – Southampton?* Zum Glück hat *High Fidelity* es überlebt. Ich würde den Film empfehlen, falls du ihn noch nicht gesehen hast. Eine der wenigen guten Romanverfilmungen.

R

Ich wandte mich ihm zu. »Ich versteh nicht.«

»Schau aufs Datum. Achte auf die Uhrzeit.«

»Wer ist Redsman?«, fragte Christelle und überflog die Mail. Marcus und ich beachteten sie nicht.

»So viel hab ich kapiert«, sagte ich und zeigte auf Datum und Uhrzeit. »Derselbe Tag und etwa dieselbe Zeit wie bei der Mail an die Zeitung. Nur inwiefern hilft das? Es beweist nur, dass ich online war.«

»Ja, aber«, er ging die Tabelle durch und deutete auf eine Reihe von Zahlen und Punkten, die für mich ebenso gut der Enigma-Code hätten sein können, »das sind IP-Adressen.«

»Was für Adressen?«

»Internet Protocol.« Er sah mich an und lächelte. »Wenn man ein Gerät mit dem Internet verbindet, zeigt es mithilfe einer IP-Adresse den Standort an. Wenn die Mails von unterschiedlichen Geräten an unterschiedlichen Orten verschickt wurden, müssen sie auch unterschiedliche IP-Adressen benutzt haben. Wenn also jemand dein Mailkonto zur gleichen Zeit verwendet hat, ist die IP-Adresse eine andere. Was bedeutet, wenn du das hier von daheim verschickt hast, konntest du nicht an zwei Orten gleichzeitig sein.«

»Entschuldigung«, unterbrach Christelle erneut, »aber wer ist Redsman?«

Ich wandte mich Marcus zu und hibbelte auf meinem Stuhl.

Christelle schob sich zwischen uns. »Würde einer von euch mir verraten, wer zum Teufel Redsman ist?«

»Das ist –«

»Ich.«

Christelle trat einen Schritt zurück, versteckte Belustigung umspielte ihre Lippen.

»Du.«

»Es ist eine lange Geschichte«, sagte ich. Ich vermied es, die beiden anzusehen, und drehte rasch den Kopf zum Bildschirm. »Du meinst … das beweist, dass ich sie nicht verschickt habe.«

Christelle lächelte, und ich verstand plötzlich, woher ihr Spitzname »Barrakuda« kam.

Marcus schwankte einen Augenblick. »Es ist kein kategorischer Beweis. Du hättest sowohl das eine als auch das andere Gerät benutzen können.«

»Es reicht aus«, sagte Christelle überzeugt und sah plötzlich ziemlich zufrieden aus.

»Ja?«, fragte ich und wagte noch immer nicht zu glauben, dass das wahr sein konnte.

»Es geht darum, die Wahrscheinlichkeit abzuwägen. Die Wahrscheinlichkeit, dass es dein eigenes Gerät war, gegen die, dass jemand auf einem anderen Gerät dein Konto verwendet hat, würde ausreichen.« Sie nahm ihren Notizblock und schrieb wild etwas auf, ehe sie ein träges, berechnendes Lächeln zeigte. »Das stärkt uns enorm.«

»Aber ich muss trotzdem noch vor diese Disziplinarkommission.«

Christelle nickte. »Es ist dir allerdings gestattet, Zeugen aufzurufen und deine eigenen Beweise vorzulegen.« Sie warf Marcus einen vielsagenden Blick zu. »Und wenn einer ihrer Zeugen für dich eintreten würde, wäre das eine Riesenhilfe.«

»Kein Problem«, sagte Marcus, nahm sein Weinglas und bedachte mich über den Rand hinweg mit einem durchdringenden Blick.

»Wie steht es mit meinem Brief?« Sie tippte mit dem Stift auf ihren Notizblock. »Darf ich schreiben, dass du uns diese Beweise verschafft hast?«

»Ich denke, es reicht aus, wenn du sie gezielt danach fragst, welche IP-Adressen verwendet wurden, anstatt zu sagen, dass ich auf euch zugekommen bin.« Marcus' Ton war resolut. »Sie werden sich an mich wenden müssen, um die Information zu überprüfen, und dann kann ich es bestätigen.«

Ich reckte das Kinn und kämpfte gegen den Kloß an, der sich in meinem Hals bildete. Er würde wohl kaum seine eigene Position gefährden. Nicht für mich. Jegliche dummen Gedanken, dass er mich retten würde, wurden zunichtegemacht, als die Realität wie eine schnell und brutal herabfallende Guillotine über mich hereinbrach. Zurück blieb ein leeres, trostloses Gefühl, das durch meine Brust wogte.

»Gut, ich geh mal meine Notizen aufbereiten.« Ohne meinen bleischweren Schmerz zu bemerken, notierte Christelle rasch ein paar Zeilen auf ihrem Block. »Marcus, kann ich deine Telefonnummer haben, für den Fall, dass ich irgendwelche technischen Fragen habe? Ich muss ein bisschen daran arbeiten. Ich werde all das abtippen und es in einen Brief fassen, in dem ich ihnen schreibe, dass neue Beweise vermuten lassen, dass eine andere Person diese Mails verschickt hat, und werde sie bitten, die IP-Adressen zu überprüfen. Ich lasse ihn gleich morgen früh per Kurier zustellen. Ich lasse euch jetzt allein.« Mit einem strengen Stirnrunzeln in meine Richtung, das nahelegte, dass ich ihr eine Erklärung schuldig war, sammelte sie ihre Papiere ein. Sie rieb sich die Augen, die schon etwas müde wirkten. Es war spät, und sie hatte bereits einen ganzen Tag vor Gericht hinter sich. »Das wird helfen, aber …«, sie und Marcus wechselten einen vorsichtigen Blick.

»Was?«, fragte ich, während ich heftig gegen die aufsteigenden Tränen ankämpfte. »Sag's mir. Ich bin keine fünf.«

»Sie könnten trotzdem fest bleiben. Sagen, dass du die korrekten Sicherheitsregeln nicht befolgt hast und dich dadurch der Gefahr ausgesetzt hast, dass so etwas passiert.«

Marcus wand sich.

Ich hob die Schultern und das Kinn, entschlossen, keinen von beiden sehen zu lassen, dass ich kurz vor dem Zusammenbruch stand. »Dann gibt es nicht allzu viel, was ich dagegen tun kann, aber wenigstens kann ich beweisen, dass ich diese Mails nicht verschickt habe. Ich bin nicht an die Presse gegangen. Ich habe das, was man mir vorwirft, nicht getan. Ich weiß, dass ich eine Idiotin war. Und wenn sie mich dafür entlassen würden, wäre das verständlich. Aber ich könnte es nicht ertragen, wenn sie immer noch glauben würden, ich würde Geschichten an eine Zeitung verkaufen. Es kann sehr gut sein, dass sie beschließen, an mir ein Exempel zu statuieren.« Ich wandte mich an Marcus und behielt eine neutrale Miene bei. »Du hast versucht, es mir zu sagen. Das mit der Computersicherheit.«

»Ja, aber man könnte auch so argumentieren, dass von dir in deiner Funktion nicht erwartet wurde, dass du mit Computern umgehen kannst. Das –«

»Das ist eine Ausrede, das weißt du. Letztlich muss ich Verantwortung übernehmen.« Ich stieß ein halbherziges Lachen aus. »Genau wie Alison Kreufeld gesagt hat.«

Jetzt verstand ich auch ganz genau, was sie gemeint hatte. Für dieses Fiasko konnte ich nur eine Person verantwortlich machen, nämlich mich selbst. Und ich würde mit den Konsequenzen leben müssen. Meine Schwester konnte mir helfen, die praktischen Dinge wieder in Ordnung zu bringen, wie etwa sicherzustellen, dass ich alle Zeugnisse und Referenzen erhielt, die ich brauchte, aber in einem lichten Moment wurde mir klar, dass es sogar äußerst wahrscheinlich war, dass ich meine Stelle nicht zurückbekam. Wenn ich wenigstens meinen Namen reinwaschen konnte, hatte ich eine Chance. Es würde andere Stellen geben, vielleicht nicht ganz so tolle, aber ich war fähig und erfahren, ich würde eine andere Stelle bekommen.

Ich stand auf, ging zu Christelles Stuhl hinüber und nahm sie in den Arm. »Danke, Christelle. Ich weiß das wirklich zu schätzen. Ich … ich hab dich lieb.« Ich würde nicht die Nerven verlieren. Nicht jetzt. Ich hatte mich den ganzen Abend beherrscht. Ich konnte es noch etwas länger schaffen.

Im schwachen Licht entdeckte ich das verräterische Glänzen von Tränen, und sie hielt kurz inne, ehe sie meine Umarmung erwiderte.

»Es ist mir ein absolutes Vergnügen. Ich freue mich drauf. Wir machen sie fertig. Bis morgen früh dann.«

Christelle berührte mein Gesicht. »Ich hab dich auch lieb.« Das hatten wir einander noch nie gesagt.

»Gute Nacht. Nacht, Marcus.«

Sie ging in das kleine Arbeitszimmer, in dem sie oft von daheim arbeitete.

»Alles okay mit dir?«

Ich nickte. Auch er sah müde aus.

»Wird schon. Ich wünschte nur, das alles wäre schon vorbei.« Ich ergriff mein Weinglas.

»Bald ist es das auch. Deine Schwester ist ziemlich furchterregend. Ich kann mir vorstellen, dass ihr Brief für einigen Wirbel sorgt.«

»Hoffentlich.« Ich seufzte schwer, aber innerlich war ich mir nicht so sicher. Ich nahm mein Weinglas und ging zum Fenster hinüber. Draußen glitzerten die Lichter der Stadt wie Kristalle, die im Wind tanzten. Riesige Stechpalmenblätter erhellten einen Wolkenkratzer in Canary Wharf, und ein anderes Gebäude zierte ein sechszackiger Stern.

Marcus stellte sich hinter mich, und ich sehnte mich danach, mich an ihn zu lehnen. Ich wünschte mir, ich könnte die Zeit zurückdrehen, aber ich wusste, dass sich zu viel verändert hatte. Er war völlig geschäftsmäßig. Es war seine Aufgabe, Fakten zutage zu fördern. Ich nahm an, dass ihm daran gelegen war, den Dingen auf den Grund zu gehen.

»Alle wissen, dass du es nicht warst. Philippe hat heute gedroht, eine Streikpostenkette zu bilden. Jeanie hat der Geschäftsführung schon gesagt, dass ihr Verhalten lächerlich ist. Und was auch immer deine Schwester in ihrem Brief geschrieben hat, hat ihnen ganz sicher den Wind aus den Segeln genommen. Du warst es nicht.« Er stellte sein Weinglas auf dem hölzernen Sofatisch ab. Die Kerzen waren schon lange erloschen.

Ich trat von ihm weg, stellte Abstand zwischen uns her, damit ich nicht einknickte, die Arme nach ihm ausstreckte und mich damit total zum Deppen machte.

»Hoffen wir, dass sie dir glauben. Schließlich würde das bedeuten, dass du beim ersten Mal falschlagst.«

Sein Mund spannte sich an. »Keine Sorge. Ich werde deutlich machen, dass es technisch gesehen so gut wie unmöglich ist, dass du diese Mails verschickt hast.«

»Danke«, sagte ich steif. »Das weiß ich zu schätzen.«

Er drehte kurz den Arm und sah auf die Uhr. »Kein Problem. Ich gehe dann besser. Falls du … irgendwas brauchst. Du hast ja meine Nummer.« Er hätte mir genauso gut nach einer Besprechung seine Visitenkarte überreichen können.

»Danke. Ich komme klar.« Kühl lächelte ich ihn an. »Ich hab ja Christelle auf meiner Seite.«

Es tat weh, als er gleichgültig die Schultern zuckte. Mein Instinkt hatte mich nicht getrogen. Was auch immer ich für ihn empfunden hatte, war unerwidert. Er mochte vielleicht keine Hintergedanken gehabt haben, als er am Samstag mit mir weggegangen war, aber ihm war eindeutig dasselbe klar geworden wie mir, nämlich, dass es nicht sein sollte. Wir beide waren grundverschieden. Ich würde immer ein kreativer Typ sein, der zu Träumereien und Hirngespinsten neigte, während er der professionelle Geschäftsmann war, der sich mit Tatsachen und der Wirklichkeit befasste.

Neununddreißigstes Kapitel

Die Musik des Radios, das auf *Heart FM* eingestellt war, erfüllte die Stille, wobei jedes zweite Lied ein Weihnachtslied war. Ich sang bei Wizard, George Michael, Mariah Carey und Bing Crosby mit, während ich die Tassen vom Frühstück spülte. Zum ersten Mal machte es mir nichts aus, alleine zu sein. Vorher hatte ich immer ins Theater gehen können; jetzt war es einfach die ganze Zeit ruhig. Mir fehlte die Kameradschaft meiner Theaterfreunde. Die Neckereien. Die Farben. Der donnernde Applaus. Der melodisch anhebende Gesang. Doch nachdem ich eine Nacht lang in mich gegangen war und davor ordentlich geweint hatte, war mir klar geworden: Auch wenn es unwahrscheinlich war, dass ich meine Stelle behielt, würde es andere geben.

Beim Aufwachen fühlte ich mich ruhiger, wie ein kleines Boot, das nach einem Sturm auf dem großen Meer dahintrieb. Sogar Alison hatte gesagt, ich sei eine talentierte Maskenbildnerin. Während ich das Spülwasser abließ, wurde mir mit einem schiefen Lächeln klar, wie weit ich gekommen war. Manche würden wohl sagen, ich sei erwachsen geworden. Wahrscheinlich stimmte das auch. Ich hatte sogar meinen Tag geplant, um mich beschäftigt zu halten. Wenn ich hier mit Aufräumen fertig war, würde ich hinüber in meine Wohnung fahren und noch ein paar Sachen einpacken, die ich zu Christelle bringen wollte, und dann eine Liste der Dinge erstellen, die noch zu tun waren, um die Bude aufzuhübschen, ehe ich sie heute Abend für den ersten Termin im Weihnachtskalender der Hunter-Schwestern treffen würde.

Christelle rief an, als ich gerade den Seidenschal für sie einpackte. Ich war mir sicher, dass sie ihn wunderschön finden würde, ebenso wie das Visitenkartenetui aus Leder, in das ein »C« geprägt war, und die DVD von *Natürlich blond*. Leider würde das T-Shirt mit der Aufschrift *Du kannst mir keine Angst machen, meine Schwester ist Staranwältin,* das ich im Internet bestellt hatte, nicht rechtzeitig zu Weihnachten ankommen. Doch mir auszumalen, was sie für ein Gesicht machen würde, wenn es so weit war, brachte mich zum Lächeln.

»Sie wollen dich sehen.« Sie klang entzückt. »Heute. So bald wie möglich.«

»Aber es ist Heiligabend.«

»Jep, offenbar wollen sie die Sache schnell regeln.«

Ich brauchte nicht zu fragen, wer mit *sie* gemeint war.

»Und das ist eine gute Nachricht?«

»Eigentlich schon.«

»Und uneigentlich?«

»Halten wir uns an das Positive. Sie meinten, sie hätten neue Beweise. Es müssen gute sein … andernfalls würden sie sich an den üblichen Ablauf halten und eine Disziplinarkommission einberufen. Kannst du mich in einer Stunde am Bühneneingang treffen?«

»Klar.« In meiner Magengrube meldete sich Nervosität.

Ich wollte so oder so einfach nur erfahren, ob ich meine Stelle zurückbekommen würde. Und ich wollte wissen, warum Marcus sich nicht gemeldet hatte. War das ein gutes oder ein schlechtes Zeichen?

Ich wählte meine Kleidung mit Bedacht. Wenn ich in den Kampf zog, wollte ich auch entsprechend gewappnet sein. Christelles professionelles, schützendes Schwarz hatte wohl auf mich abgefärbt, da ich mich dabei erwischte, wie ich in ein selten getragenes, eng anliegendes schwarzes Kleid schlüpfte, das mir gerade bis zu den Knien ging. Es stand mir gut, aber ich sah nicht aus wie ich selbst.

Ich schüttelte den Kopf beim Anblick meines Spiegelbilds in Christelles Ganzkörperspiegel, der mich wieder an meine halbherzigen Versuche erinnerte, mir ein Zuhause einzurichten. In meiner Wohnung hätte ich mich auf den Klodeckel im Bad stellen müssen, um meine untere Körperhälfte sehen zu können. Warum war ich nie dazu gekommen, einen anständigen Spiegel zu kaufen? Noch einmal musterte ich mich. Ich musste ich selbst sein. Ich ergänzte das Outfit um hochhackige rote Wildlederstiefeletten, einen dazu passenden kirschroten Bolero und eine rote Baskenmütze. Das entsprach mir schon eher. Kampfbereit verließ ich die Wohnung, wobei ich meine Vintage-Handtasche aus Krokodilleder aus den Fünfzigern umklammert hielt wie einen Rettungsring.

Ich hätte mir die ganze Fahrt über Gedanken machen können, was sie wohl sagen würden, was passieren könnte, doch ich weigerte mich, dieser verdammten Episode noch mehr Platz in meinem Kopf einzuräumen. Stattdessen konzentrierte ich mich auf das, was ich in den nächsten sechs Monaten vorhatte. Die Wohnung auf Vordermann bringen. Sie auf dem Markt anbieten. Mir eine neue Stelle suchen. Vielleicht Mum und Dad einladen, mich hier zu besuchen. Ihnen Karten für eine Vorstellung bei der Met besorgen.

Und dann setzte der Aufzug bei Covent Garden mich an der Oberfläche der Haltestelle ab, und es waren nur noch zehn Minuten Fußweg bis zum Bühneneingang.

Ich spürte einen Anflug von Angst. Christelle war schon da und wartete auf mich.

»Alles okay?«

Ich nickte, weil ich nicht darauf vertraute, dass meine Stimme funktionierte. Meine Knie zitterten, als ich mich in die Gästeliste eintrug.

»Keine Sorge, Tilly.« Sie betrat vor mir den Aufzug. »Dass sie dich jetzt sehen wollen, ist ein gutes Zeichen. Es bedeutet, dass die

Lage sich verändert hat.« Sie hielt inne. »Obwohl du eine klare Vorstellung davon haben solltest, was für ein Ergebnis du dir wünschst.«

»Wie meinst du das?«

»Wenn jemand suspendiert wurde, ist es manchmal ziemlich schwierig, ein Schuldeingeständnis von Firmenseite zu erwirken. Firmen gehen manchmal sehr komisch damit um, weil sie keinen Präzedenzfall schaffen wollen, der sich für sie in der Zukunft negativ auswirken könnte.«

»Was sagen sie dann?«

»Es kann sein, dass sie dir eine Abfindung zahlen wollen. Keine Angst, sie werden bereit sein, dir ein gutes Zeugnis auszustellen. Entschädigung ja, aber … möglicherweise geben sie dir deine Stelle nicht zurück. Ich warne dich nur vor. Damit du gewappnet bist.«

»Keine Sorge, das war mir klar. Ich will ein Zeugnis. Das ist das Wichtigste.«

Sie schüttelte den Kopf und wollte gerade etwas sagen, als sich die Aufzugtüren öffneten und keine Zeit für weitere Worte blieb. Alison Kreufeld lauerte draußen, als würde sie auf mich warten. Noch ehe Marshas Assistentin mich erreichen konnte, hatte sie schon genickt und mir zugezwinkert.

»Hier entlang, bitte, Ms Hunter«, sagte die Assistentin und ging an Alison vorbei, die hinter uns zurückblieb.

Marsha und der Geschäftsführer saßen wieder an demselben runden Tisch, als wir hereingeführt wurden. Ich wusste nicht, ob ich erleichtert oder enttäuscht war, dass Marcus fehlte. Wo steckte er? Und was hatte er zu ihnen gesagt? Vermutlich hatten sie mit ihm gesprochen, nachdem sie Christelles Brief erhalten hatten. Ich schätzte, er war immer noch ganz der Businesstyp. Ob er ihnen verraten hatte, dass er mich kontaktiert hatte?

»Guten Tag und danke, dass Sie so rasch erschienen sind.«

»Guten Tag. Das ist mein Rechtsbeistand, Christelle Hunter.« Es hatte mich beeinflusst, so viel Zeit mit meiner Schwester verbracht zu haben. Auch wenn es in meinem Magen mit Warpgeschwindigkeit rumorte, war ich erfreut, wie gelassen und professionell ich klang.

»Ach ja.« Die Stimme des Geschäftsführers klang strapaziert. »Sie waren mit höchster Sorgfalt für Ihre Klientin tätig.« Ich glaubte nicht, dass er es als Kompliment meinte.

»Danke.« Christelles kühle Erwiderung brachte mich zum Lächeln, während sein Mund sich anspannte. Sie hatte nicht die Absicht, es irgendjemandem leicht zu machen.

Marsha wechselte einen halb verärgerten, halb ungeduldigen Blick mit Julian.

»Ms Hunter, Tilly. Seit wir dich das letzte Mal gesehen haben, haben wir neue Informationen erhalten, die deinen Namen vollständig entlasten und beweisen, dass du absolut nichts mit den versendeten Mails zu tun hattest.«

Unter dem Tisch stupste Christelle mich mit dem Fuß an. Ich spürte, wie ihr Bein auf und ab wippte.

»Wir möchten uns in aller Form bei dir entschuldigen und dich mit sofortiger Wirkung wieder auf deiner Stelle einsetzen. Du kannst, sobald du möchtest, zurück zur Arbeit kommen.«

Christelle öffnete den Mund.

Marsha hob die Hand und ließ sie nicht zu Wort kommen. »Tilly, wir wissen, dass diese ganze Angelegenheit dir sicherlich schrecklichen Kummer bereitet hat, und wir«, sie warf dem Geschäftsführer einen bösen Blick zu, »möchten dich dafür etwas entschädigen. Deine Arbeit war immer vorbildlich, und tatsächlich haben manche der Darsteller sich ziemlich wortreich für dich starkgemacht. Ms Kreufeld, unsere Intendantin, hat höchst nachdrücklich dafür plädiert, dass wir eine interne Ernennung durchführen. Auf ihre Empfehlung hin haben wir daher beschlossen, dich zur stellvertretenden Abteilungsleitung zu befördern, mit einem unbefristeten Vertrag und einer beträchtlichen Gehaltserhöhung.«

Sprachlos saß ich da und nahm nur am Rande wahr, dass Christelle über Formalitäten und Vertragsänderungen sprach.

»Wenn Sie uns kurz entschuldigen würden.« Christelle stupste mich an, stand auf und neigte den Kopf. Ich folgte ihr aus dem Raum.

»Ist das für dich okay?«, fragte sie.

»Machst du Witze?«, fragte ich. Meine Beine waren so zittrig, dass sie mich kaum trugen, obwohl ich am liebsten kreischend herumgehüpft wäre. »Voll und ganz.«

»Wir könnten immer noch harte Bandagen anlegen.« Sie zwinkerte mir zu.

»Nein, das ist«, ich fiel ihr um den Hals, ganz kribbelig vor lauter Gefühlsaufwallungen, »einfach perfekt. Vielen, vielen Dank. Ich weiß nicht, was ich ohne dich getan hätte.«

»Ich auch nicht«, sagte sie mit einem frechen Grinsen und erwiderte die Umarmung.

»Nein, im Ernst. Du warst der Hammer.«

»Nur, weil ich voll und ganz an dich geglaubt habe. *Du* bist der Hammer.«

Wir gingen ins Zimmer zurück, und mit bebenden Händen unterschrieb ich völlig benommen etwas, das Christelle zuvor für mich abgesegnet hatte.

Als die Besprechung sich dem Ende zuneigte, schaffte ich es endlich, zur Besinnung zu kommen. »Darf ich fragen, was für Beweise ihr gefunden habt?« Ich wollte unbedingt wissen, wie Marcus mir den Rücken gestärkt hatte.

Marsha lächelte grimmig. »Ein anderes Teammitglied hat ein umfassendes Geständnis abgelegt. Er sagte, er habe absichtlich dein Konto verwendet, damit man ihm nicht auf die Schliche kam. Er ist mit sofortiger Wirkung bei uns ausgeschieden.«

»Was? Wer?«, fragte ich und warf Christelle einen verblüfften Blick zu. Sie schien ebenfalls überrascht zu sein.

»Vince Redmond.«

»Ich glaub's nicht«, sagte ich gefühlt zum fünfundneunzigmillionsten Mal, während ich in Jeanies Büro saß. Christelle, die vor Triumph übersprudelte, war abgeschwirrt, um bei Marks eine große Putenbrust zu besorgen, da sie gemerkt hatte, dass ich diese Kleinigkeit bei all meinen Weihnachtsvorbereitungen völlig vergessen hatte.

»Vince hat gestanden.«

»Hmm.« Jeanie wirkte sehr mürrisch.

»Er hat letztlich wohl doch auf sein Gewissen gehört.«

Jeanie blickte finster.

Ich stupste sie in die Rippen. »Komm, findest du nicht, dass er dafür ein klein wenig Anerkennung verdient hat?«

»Tilly!« Mit einer ruckartigen Bewegung schob sie einen Stoß Blätter in den Papierkorb. »Er hat nicht aus reiner Herzensgüte gestanden.«

»Warum denn dann?«

Ich sah sie abwägen, ehe sie entschlossen schmunzelte. »Marcus hat ihn überzeugt, dass es das Richtige ist.«

»Marcus?«

Ihr plötzliches Grinsen war eindeutig böse. »Sagen wir es so: Er hat Vince in eine unmögliche Situation gebracht.«

»Was hat er getan?«

»Er hat ein paar Zeugen zusammengetrommelt, Philippe, Pietro, Guillaume, Carol und mich, und erklärt, dass er veristische Beweise hätte …«

»Du meinst verifizierbare.«

»Das auch. Die klarstellten, dass du die Mails nicht zum betreffenden Zeitpunkt hättest verschicken können, und dann quatschte er noch was von IDs und zwei Orten gleichzeitig. Danach baute er sich vor Vince auf und sagte: ›Ich weiß, dass du es warst. Und ich kann es beweisen, es wird noch ein paar Tage dauern, aber es ist unausweichlich. In der Zwischenzeit wird Tilly sich während der ganzen Weihnachtstage wegen der Arbeit sorgen, die sie liebt.‹ Er sah in die Runde und meinte: ›Das wollen wir doch nicht, oder?‹ Vince wurde ganz rot. Und dann flüsterte Marcus sehr laut: ›Oder ich könnte dich einfach zu Brei schlagen.‹«

»Das hat er gesagt?« Ich verflocht fest die Finger, um den Stromstoß zu verbergen, der heftig durch meine Adern prickelte.

»Er wirkte richtig gebieterisch.«

»Krass, und was … Vince hat einfach gestanden?«

»Er hat ein bisschen rumgepoltert, und dann haben er und Marcus den Raum verlassen. Das war heute Morgen.«

»Wo ist Marcus jetzt?«

»Er meinte, er müsse noch etwas besorgen.«

Gegen siebzehn Uhr war ich gerade damit beschäftigt, meine lange Liste von Verbesserungen für die Wohnung abzuschließen, nachdem ich mit einem Notizbuch und einem Stift durch die stillen Zimmer gewandert war, wobei ich versucht hatte, nicht daran zu denken, was Felix und ich hier alles geteilt hatten. Ich hatte ein paar zusätzliche Kleider eingepackt, die ich zu Christelle mitnehmen wollte – wir wollten um sieben am Trafalgar Square Weihnachtslieder singen, ehe wir für Prosecco-Cocktails in ihre Wohnung zurückkehren würden –, als es klingelte.

Als ich öffnete, war da niemand, nur eine große Kiste stand vor der Haustür.

Es gab keinen Lieferschein oder Ähnliches, nur mein Name stand obendrauf. Sie war zu groß, um sie die Treppe hochzutragen, deshalb ging ich auf der kalten Betonschwelle, wo der Winterwind wehte, in die Hocke.

Ich klappte die Pappe zurück und schaute in die Kiste, wobei ich mir das Haar wegstrich, das mir ins Gesicht geweht wurde. Ich konnte bloß ein großes, flaches Rechteck aus hellgrauem, undurchsichtigem Plastik erkennen. Was war das bloß? Links und rechts vom Plastik griff ich in die Kiste, um, was auch immer es war, herauszuheben. Auf der einen Seite berührten meine Finger kühles, glattes Porzellan und einen Griff, die andere Seite war fest. Ich packte das Ding, zog es aus der Kiste und manövrierte den unhandlichen Gegenstand auf meine Knie, wobei ich zu lächeln begann, als ich erkannte, um was es sich handelte.

Ein Zettel mit meinem Namen darauf wurde vom Wind erfasst, und schnell schnappte ich ihn mir.

Mit klopfendem Herzen faltete ich den Zettel auseinander.

Frohe Weihnachten

Mx

Tausend Schmetterlinge flogen in meinem Bauch auf, als ich ihn las, ehe ich laut auflachte. Die gedrungene Goblin-Teemaschine aus Bakelit war das hässlichste Geschenk, das ich je bekommen hatte.

»Ist es das beste Geschenk oder das schlechteste?«

Als ich durch meine Sturmfrisur hinaufspähte, sah ich Marcus über mir aufragen.

Langsam erhob ich mich und stellte die Maschine vorsichtig auf der Schwelle ab, wobei ich versuchte, meine Miene unter Kontrolle zu halten, während mir Tausende hoffnungsvolle Gedanken durch den Kopf schossen.

»Wo um alles in der Welt hast du die aufgetrieben?«, fragte ich und konnte immer noch nicht glauben, dass er wirklich da war.

»Im Internet, aber ich musste nach Croydon fahren, um sie abzuholen. Deshalb war ich vorhin nicht auf der Arbeit.« Er beobachtete mich aufmerksam, und mir wurde klar, dass ich seine Frage nicht beantwortet hatte.

Nachdenklich schweigend starrte ich wieder auf die Teemaschine.

Marcus wartete, während ich nach den richtigen Worten suchte.

»Das kommt drauf an …« Meine Stimme zitterte. Ich wollte ruhig bleiben und mir meine Aufregung nicht anmerken lassen, aber das war so schwer, wenn er dastand und einfach absolut umwerfend aussah, in einem seiner üblichen Anzüge, mit diesem vertrauten ernsten Gesichtsausdruck, der seine Züge so stark betonte, und zusammengekniffenen grünen Augen, die meinen Blick suchten. Das Haar stand ihm in untypischen kleinen Büscheln ab, als wäre er sich mit den Händen hindurchgefahren.

»Es … kommt darauf an …« Ich sog scharf die Luft ein und entschied dann, *was soll's*, ehe ich schnell schloss: »… wer den Tee mit mir trinkt.«

Einen Moment lang betrachteten wir einander eindringlich. Angesichts seiner Miene kribbelte mein Herz vor Sehnsucht.

»Ich … ich hatte gehofft, das könnte …« Einen hinreißenden Augenblick lang klang er fürchterlich unsicher, und mir zog sich die Brust zusammen.

Ich holte erneut Luft und hielt sie an, bis es fast wehtat, darauf zu warten, dass er zu Ende sprach.

»… ich sein?« Der fragende Ton ließ mich innerlich dahinschmelzen, doch ich hielt weiter stand.

»Was hat sich geändert? Du … du meintest, Christelle sollte niemandem verraten, dass du dabei geholfen hast, die Beweise zu finden. Ich dachte, du wolltest nichts mehr mit mir zu tun haben.«

Die Falten um seinen Mund, von dem ich meinen hungrigen Blick nicht abwenden konnte, vertieften sich, als täte ihm etwas weh.

»Ich musste unparteiisch erscheinen. Ich wollte niemandem auch nur den geringsten Anlass bieten, die Beweise oder meine Motive anzuzweifeln.« Die hastig hervorgebrachten Worte klangen nachdrücklich und fast panisch. »Sicherstellen, dass niemand mir vorwerfen konnte, emotional beteiligt zu sein.«

Das Herz hämmerte mir in der Brust. »Emotional beteiligt?« Meine Finger legten sich über meine Daumen, als wollte ich sie umklammert halten, um mich zu erden, auch wenn der Rest von mir sich anschickte, davonzuschweben.

Marcus hob zögernd die Hand, und ich sah zu, wie er eine der Locken beiseiteschob, die im Wind über mein Gesicht tanzten. Seine Fingerspitze streifte bloß meine Wange, und um mich war es geschehen. Die Geste erschütterte mich, ich konnte kaum sprechen, aber es gab immer noch so viele Fragen, und ich wagte es nicht, voreilige Schlüsse zu ziehen. Ich wartete.

»Trotz allem, was ich dachte, als ich anfing, konnte ich nicht anders. Du und die anderen dort seid verdammt nutzlos, wenn es um Computer geht, und mit eurer total beschissenen Technikmissachtung treibt ihr mich in den Wahnsinn, aber ich habe noch nie irgendwo gearbeitet, wo Leute, die so«, er hob entnervt die Hände, »bekloppt, irre, verrückt, idiotisch, dramatisch und seltsam sind, so reibungslos zusammenarbeiten. Es klingt wie eine riesige technikfeindliche Maschine, bei der sich auf magische Weise alles zusammenfügt, das Orchester, die Kostüme, die Darsteller, die Beleuchtung. Am Abend ist es dann ein unglaubliches Wunder.«

»Und du«, er legte die Hände um mein Gesicht. »Du bist wirklich erstaunlich. Ich habe Hunderte Workaholics erlebt, die mit ihrer Arbeit verheiratet waren und sich darüber definiert haben, die sich in ihren wachen Stunden davon dominieren ließen, ohne dass es ihnen irgendeinen nennenswerten Mehrwert gebracht hätte. Aber du, du lebst für deine Arbeit und machst sie mit so viel Leidenschaft und Freude. Du sprühst geradezu vor Energie und Zuversicht. Darum beneide ich dich. So was ist mir noch nie untergekommen. Nicht für Ruhm und Ehre oder eine Beförderung oder Geld. Nur weil du deine Tätigkeit liebst.« Seine Augen leuchteten vor lauter Gefühlen, die mich trafen und bewirkten, dass mir fast das Herz stehen blieb, als er die Stimme senkte. »Mir ist noch nie jemand begegnet, der auch nur annähernd so ist wie du. Ich habe mich wieder in die Arbeit verliebt und …«

Meine Miene sprach wahrscheinlich Bände, denn mit einer plötzlichen Bewegung zog er mich in seine Arme und presste die Lippen auf meine, entschlossen und besitzergreifend. Seine Hand umfasste meinen Kopf auf ein Weise, die ich unerträglich sexy fand. Die elektrische, zaghafte Berührung seiner Zunge, ein sanfter Gegensatz zum festen Druck seines Mundes, ließ meine Knie nachgeben und mich vergessen, dass wir auf der Türschwelle standen und von der Straße aus vollständig zu sehen waren. Wir hatten uns schon mal geküsst, aber das hier war etwas ganz Neues, ein verzweifeltes Aufeinandertreffen von Haut auf Haut, das die Seele entflammte und von brennender Intensität erfüllt war. Absolut berauschend. Ich war verloren. Oh Mann. Alles war so zart, so sanft und verheißungsvoll. Seine Zunge spielte mit meiner, und mein gesamter Organismus verfiel in den Ausnahmezustand, während meine Nervenenden mit Vollgas feuerten.

Als er von meinen Lippen abließ, strich er mir übers Gesicht, nahm meine Hand und führte mich zur Haustür. »Ich bin ganz eindeutig emotional beteiligt. Du hast in mir Gefühle geweckt, die ich selbst noch nicht kannte. So was wie Liebe.«

»Oh«, sagte ich schwach.

»Glaubst du, du könntest etwas empfinden für einen Businesstypen, der sich als Prinz der Finsternis ausgibt?«

»Das sollte ich hinkriegen.« Ich lächelte ihn an. »Man weiß ja nie. Vielleicht laufe ich sogar zur dunklen Seite über und meistere diesen Technikkram.«

Mit einem unromantischen Schnauben sagte er: »Mach mal halblang. Ich glaube, dafür bin ich noch nicht bereit. Die Vorstellung, bereits überflüssig zu sein, gefällt mir nicht.«

Ein freches Lächeln erschien auf meinen Lippen. »Bestimmt gibt es noch andere Dinge, die du mir beibringen kannst.«

»Wollen wir diese Teemaschine anschließen?« Seine Augen funkelten anzüglich, was mich zum Lachen brachte.

»Ein neuer Euphemismus?« Ich zog ein bedauerndes Gesicht und sagte widerwillig: »Kleines Problem, ich soll Christelle in zwei Stunden am Trafalgar Square treffen.«

Marcus lächelte mich verwegen an. »Schon in Ordnung, ich habe Guillaume gebeten, sie zu beschäftigen. Wir treffen sie um acht.«

»Wenn das so ist, lass uns mit diesem Ding einen Testlauf machen. Und dann sage ich dir, wie es so abschneidet im Vergleich zu anderen Weihnachtsgeschenken.«

Epilog

Warm eingepackt gegen den Wind und mit Marcus' Arm um die Schultern, sah ich hoch zur Spitze des Weihnachtsbaums, zu dem hell erleuchteten Stern, der strahlte wie ein Signalfeuer. Ich bemerkte, wie die ersten Schneeflocken zu rieseln begannen. Um uns herum fielen Stimmen in den Chor ein, der *Stille Nacht* sang, die Töne hoben und senkten sich, getragen von den Luftströmen. Die zauberhafte Atmosphäre und die Gemeinschafts- und Glücksgefühle bewirkten, dass sich Zufriedenheit in mir ausbreitete und mir Freudentränen in die Augen stiegen.

Auch wenn der schwache Sprühnebel, der vom bunt angestrahlten Springbrunnen herüberwehte, meine Wangen kühlte, erfüllte mich innerlich eine besondere Wärme, die pure Glückseligkeit ausstrahlte. Neben mir suchte Christelle meinen Blick, eingemummelt in einen Kaschmirschal und eine Pudelmütze, wobei ihr leuchtend roter Lippenstift ihren fröhlich lächelnden Mund betonte. Sie zwinkerte mir zu, ehe sie sich an Guillaume wandte, um ihm etwas zuzuraunen. Er zuckte verräterisch und zog sie dichter an sich.

Ich wies mit dem Kinn nach oben. Ihr Blick folgte meinem, und dann hoben wir gleichzeitig lächelnd das Gesicht zum Himmel und warteten darauf, dass uns ein Engel küsste. Ich lächelte vor mich hin und kuschelte mich an Marcus, der mich prompt umdrehte und beide Arme um mich schlang, während er mich näher an seinen Körper zog. Ein Kribbeln durchlief mich, ausgelöst von der Erinnerung an seine jüngsten Berührungen. Seine Lippen strichen meine Stirn hinunter und küssten meine Nasenspitze, ehe sie einen brennenden Kuss auf meinen Mund drückten.

Das entwickelte sich gerade zu einem der besten Weihnachtsfeste aller Zeiten, auch wenn wir Marcus' Geschenk noch nicht ausprobiert hatten. Wir waren zu sehr mit anderen Dingen beschäftigt gewesen, hatten die Vielschichtigkeit des anderen erkundet und entdeckt, was sich unter der Schale verbarg, sowohl im metaphorischen als auch im wörtlichen Sinne.

Abgelenkt von einem plötzlichen Einfall, entzog ich mich ihm und kaute auf meiner Lippe herum. Er war bis nach Croydon gefahren, um das perfekte Geschenk zu besorgen, und ich hatte überhaupt nichts für ihn. Hätte ich ihm doch nur diese Manschettenknöpfe gekauft.

Mir fiel auf, dass er zu mir hinuntersah, der zärtliche Blick ließ sein gut aussehendes Gesicht weicher werden und bewirkte, dass ich ihn an mich ziehen und für immer festhalten wollte. Zuverlässig und beständig, abwechselnd ernst und amüsiert, war er alles, was ich mir je hätte wünschen können und von dem ich nicht gewusst hatte, dass ich es wollte. Plötzlich fielen mir wieder meine Worte ein: »Die besten Geschenke sind Dinge, von denen man nicht wusste, dass man sie wollte – aber man liebt sie.« Es gab nur eines, was ich ihm geben konnte, um diesen perfekten Augenblick zu besiegeln. Ich nahm die Enden seines Schals und zog daran, ehe ich mich auf die Zehenspitzen stellte, um zu flüstern: »Ich liebe dich.«

Danksagung

Die Inspiration zu diesem Roman verdanke ich meinen lieben Freunden Alan Garner und Julie Price, die als Klassikmusiker beim Royal Opera House beziehungsweise beim Symphonieorchester der BBC beschäftigt sind. Ohne ihre Welt zu kennen, fragte ich mich, wie es wohl wäre, einen Beruf auszuüben, der die persönliche Leidenschaft mit der Arbeit vereint.

Da ich kein bisschen musikalisch bin, beschloss ich, mir zwar ihren Arbeitsplatz auszuleihen, aber meine Heldin Tilly zu einer Maskenbildnerin zu machen, was nicht allzu schwierig war, da meine Eltern beide beim Fernsehen gearbeitet haben und ich viel Zeit damit verbracht habe, bei Amateurinszenierungen ehrenamtlich hinter der Bühne beim Frisieren und Schminken zu helfen.

Die Recherche hat mir einen Riesenspaß gemacht. Ein ganz großes Dankeschön geht an Alan, wegen dem ich das Royal Opera House mehrmals besuchen und bei den Kostümproben, die für Freunde und Familie zugänglich sind, dabei sein konnte. Mein besonderer Dank gilt auch der wunderbaren Claudia Stolze, die damals die Leitung der Maskenbildnerei beim ROH innehatte und mir gestattete, einen Morgen mit ihrer Truppe zu verbringen. Sie gewährte mir einen unschätzbaren Einblick in die Herstellung von Perücken und die Abläufe in der Maskenbildnerei. Ihre Leidenschaft und Begeisterung waren absolut inspirierend.

Auch wenn sie sich in Covent Garden befindet, ist meine Oper, die London Metropolitan Opera Company, vollständig fiktiv, und jegliche Fehler bei der Darstellung, wie ein Theater funktioniert, sind allein mir anzulasten.

Ich möchte auch all den Amateuren im ganzen Land Anerkennung zollen, die hinter den Kulissen tätig sind und dabei aus reiner

Liebe arbeiten, vor allem den vielen Ehrenamtlichen bei meinem örtlichen Theater, Pendley Court in Tring, die etliche Stunden ihrer Zeit aufwenden, um einige fantastische Inszenierungen auf die Bühne zu bringen, und damit der Gemeinschaft vor Ort so viel geben.